Николай БАРАТОВ

БАРБЕКЮ
Жизнь с аппетитной корочкой

МОСКВА
АСТ

УДК 641
ББК 36.997
Б 24

Фотографии: Михаловский Н.Б., Баратов Н.А.

Баратов Николай Андреевич

Б 24 Барбекю. Жизнь с аппетитной корочкой / Н.А. Баратов. – Москва : АСТ, 2014. – 224 с.

ISBN 978-5-17-079717-2

Эту книгу, написанную с юмором и обилием занимательных подробностей и полезных советов, не рекомендуется читать на голодный желудок! Пожарьте солидный кусок мяса или, на крайний случай, смастерите бутерброд побольше и, налив себе бокал чего-нибудь охлаждающего или, наоборот, по погоде, горячащего, отправляйтесь в путешествие в мир барбекю. Автор – вице-президент Ассоциации кулинаров России, член Национальной гильдии шеф-поваров, по профессии – журналист-международник, работавший в нескольких десятках стран и сам умеющий готовить блюда многих народов мира, – расскажет вам о секретах приготовления на открытом огне более 400 блюд, маринадов и соусов. И вы поймете, насколько она вкусна, жизнь с аппетитной корочкой!

УДК 641
ББК 36.997

ISBN 978-5-17-079717-2

ОГЛАВЛЕНИЕ

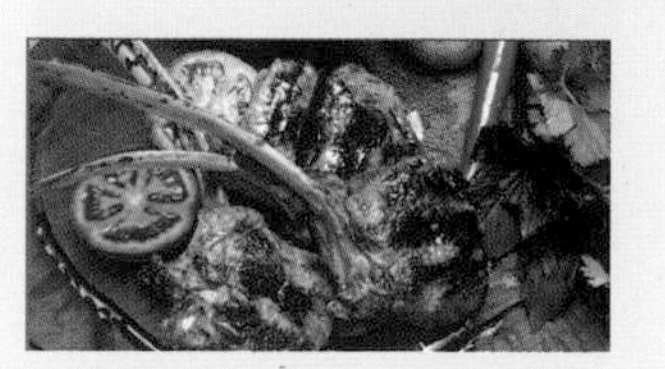

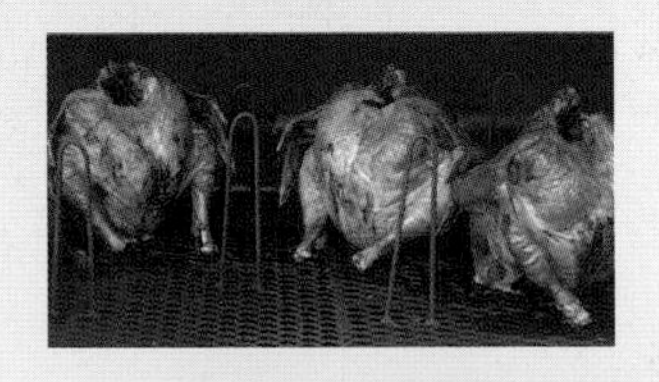

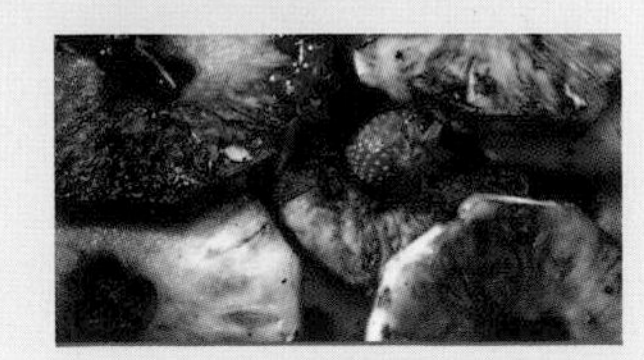

Курс молодого бойца

Раз мы осуждены на то, чтобы есть,
давайте есть хорошо.

Ансельм Брийа-Саварэн

Выбираем жаровню

> Я не настолько богат, чтобы покупать дешевые вещи.
>
> *Барон Ротшильд*

Для того чтобы, приобретая оборудование барбекю, сделать правильный выбор, необходимо ответить самому себе на следующие вопросы:

Как часто вы собираетесь готовить на этом оборудовании?

Где вы собираетесь это делать: на своих шести сотках, в загородном доме, на пикнике, а может быть, и на своем балконе?

Для какого количества гостей вы собираетесь готовить?

Какую бы вы ни выбрали жаровню, прежде всего убедитесь, крепко ли она стоит на ногах. Отличить в магазине настоящий барбекю-котел от китайских и прочих подделок можно по тому же принципу, как проверяется бойцами спецназа готовность снаряжения перед операцией – ничто не должно звенеть и брякать. Так что слегка потрясите барбекю – если аппарат загремит и залязгает, перед вами халтура, если держится крепко и безмолвно, значит, вещь стоящая.

Оборудование барбекю бывает трех типов: электрическое, газовое и угольное.

Когда нет возможности выехать на природу, а чего-нибудь вкусно пожаренного очень хочется, то вас выручит **электрогриль-барбекю**. Главное – иметь кухню с хорошей вытяжкой или хорошо проветриваемое помещение, например, балкон или лоджию. Само собой, такой гриль можно использовать и на открытом воздухе, на веранде или в беседке при наличии источника электроэнергии. Он подходит для небольшой компании, но накормить с него большое количество гостей вряд ли получится.

Газовые грили-барбекю отличаются прежде всего быстротой запуска. Их горелки (обычно от 3 до 6) работают в трех положениях: слабый жар – L (Low), средний – M (Medium) и сильный – H (High). Варьируя варианты включения горелок с различной мощностью, можно создавать

Угольный гриль-смокер NAPOLEON, Apollo™-AS300K

практически любой температурный режим, необходимый для приготовления того или иного блюда.

Газовые барбекю отличаются по размерам, оснащенности, ну и, конечно, по цене. Канадские компании NAPOLEON и WEBER представлены в России целой линейкой: от относительно небольших переносных барбекю, которые можно использовать на даче или для выездов на природу, до весьма внушительных моделей, имеющих множество аксессуаров и температурных режимов и позволяющих приготовить угощение на большую компанию.

Чрезвычайно разнообразен модельный ряд австралийской компании BeefEater, предлагающей российскому потребителю два десятка газовых барбекю на любой вкус и карман: от недорогих переносных SportsGrill до более крупных Discovery и Signature. Причем в каждой из этих двух серий есть аппараты с разным количеством горелок и, соответственно, с разной ценой. Кроме того BeefEater предлагает и так называемые встраиваемые барбекю, которые можно легко вписать в кухню на открытом воздухе.

Оригинальна и модель BeefEater Clubman, представляющая собой вариант теппана. Способ готовки «теппанаяки» пришел к нам из Японии. Это когда на «теппане» – стальном листе-столе, подогреваемом газовыми горелками, повара прямо перед гостями готовят мясо и другие продукты. BeefEater Clubman имеет такую жарочную поверхность из стали со специальным антикоррозийным покрытием. Дополнительные листы-теппаны, наряду с решетками, входят в комплектацию и других моделей.

Все, говоря современным языком, «крутые» модели газовых барбекю оснащены, помимо основной жарочной поверхности, еще и отдельной, расположенной сбоку конфоркой. На ней можно прокипятить маринад, приготовить соус, да мало ли для чего еще она может пригодиться во время готовки. Если надобности в дополнительной горелке нет, то накрываете конфорку крышкой, и получается небольшой, но функциональный дополнительный столик. Есть модели со встроенной мойкой и даже с холодильником – целая кухня, сердцем которой является газовый барбекю.

BeafEater Signature

И все же наиболее распространенным видом до сих пор остаются **угольные грили и барбекю**. Сейчас на российском рынке представлены десятки, если не сотни образцов небольших переносных грилей, недорогих и, соответственно, не особо долговечных и, по сути, мало чем отличающихся от обычных мангалов с решеткой. Поэтому здесь мы поговорим о более солидном оборудовании, в частности, о дровяных грилях, способных заменить целую кухню.

Речь идет о традиционных для Финляндии, напоминающих по форме шалаш грилях-барбекю. Но, что приятно, подобные модели под названием LAPPIGRILL теперь производят у нас, в России. Их можно разместить в беседке, пристройке, под навесом или на веранде и радоваться жизни, не завися от капризов погоды. Они адаптированы под приготовление любимых россиянами блюд и снабжены съемными модулями, вертелом, коптильней, поворотными сковородами, контактным грилем и подставками под казан, позволяющими готовить на открытом огне и углях уху и плов, коптить рыбу, жарить шашлыки и самые разнообразные блюда из мяса, рыбы, овощей и фруктов.

На откидных или навесных столиках удобно разделывать продукты для готовки, сервировать блюда. LAPPIGRILL выпускаются в виде так называемых «островных» моделей, которые имеют большой круглый очаг и позволяют собрать вокруг огня всю семью или компанию друзей. Но есть и напоминающая по своей эстетике камин модель для «пристенного» размещения в беседках и на террасах.

«Островной» LAPPIGRILL-BBQ

Самыми популярными среди не столь внушительных угольных моделей по-прежнему остаются сферические барбекю-котлы. Изобретены они были в конце 1950-х гг. чикагским сварщиком по имени Джордж Стивен (George Stephen). Джордж работал на металлообрабатывающем заводе братьев Вебер, где производились речные и океанские бакены и буи. Именно их форма подсказала ему нужную идею.

Первый «котел» Джорджа Стивена

Конструкция получилась такой простой и продуманной, что, казалось, и добавить уже нечего. Причем блюда в сферическом барбекю готовились гораздо быстрее, чем в духовке и на открытой жаровне. Новый барбекю компании *Weber* быстро завоевал симпатии американцев, прозвавших его модным тогда словом *sputnik* – из-за внешнего сходства с первым искусственным спутником Земли, который был запущен на орбиту в СССР 4 октября 1957 года.

Если сферические барбекю-котлы, которые теперь выпускают во всем мире, были придуманы немногим сравнительно недавно, то **баррельные барбекю-смокеры** появились в Америке еще в XIX веке. В самом названии отражена и их история, и их технологический принцип. Когда-то такие жаровни делались из металлических бочек – баррелей, а термин «смокер» происходит от английского слова smoke – дым.

Топка в смокерах отделена от жарочной зоны. Причем жарочная зона может состоять из горизонтальной и вертикальной секций. Смокер оснащен термометрами в вертикальной и горизонтальной секциях, вентиляционными заслонками топки и трубы, позволяющими регулировать температуру.

На топке смокера можно готовить классический шашлык и гриль, в горизонтальном жарочном отсеке – шашлык, гриль, барбекю, в вертикальном жарочном отсеке – коптить продукты холодным и горячим методом.

«Пристенный» LAPPIGRILL-VS

Американская компания Big Green Egg поставляет в Россию **керамические барбекю** в стиле Kamado. Их прародителями были глиняные печи, использовавшиеся в Китае еще более двух тысяч лет назад. Японцы позаимствовали эти куполообразные варочные котлы в третьем веке н.э. и назвали их «камадо», что в переводе означало печь или очаг. А после Второй мировой войны два американских морских офицера привезли с Окинавы старую печь «камадо» и после долгих лет экспериментов смогли воссоздать ее из современных материалов – сейчас в изготовлении Big Green Egg применяются запатентованные технологии NASA.

Семейство Big Green Egg

Сферическая форма и толстые керамические стенки «Большого зеленого яйца» помогают одновременно удерживать и тепло, и влагу. Это позволяет объединить в одном образце технологические возможности тандыра, коптильни, гриля, духовки и даже русской печи. Такие барбекю не боятся перепадов температур и способны работать даже в русские морозы. Потребление угля у них в 3 раза меньше, чем у обычных грилей. Пища, приготовленная в «яйце», приобретает удивительный аромат и мягкость, причем сохраняется сочность и натуральный вкус продуктов. Отсюда – неограниченные возможности для приготовления блюд: от сочных стейков до целого свиного окорока или индейки, от выпечки до фруктовых десертов.

Итак, выбор за вами... Но вот жаровня приобретена. Вам не терпится поскорее развести огонь и приготовить что-нибудь вкусненькое? Валяйте, если вам нравится «вкусненькое» с ароматом машинного масла. Новую решетку тоже нужно «приправить», но не маринадом, как мясо, а огнем. Чтобы избавить барбекю от фабричных запахов, надо развести в нем огонь и хорошенько, не менее часа, прокалить решетку. Затем выбросить золу и пепел, протереть тряпкой или чистой ветошью решетку и крышку жаровни. Газовый барбекю тоже надо перед первой жаркой прогреть при максимальной температуре, затем дать остыть и хорошенько протереть.

Не знаю как вы, а я не люблю новехонькие вещи. «Он не джентльмен – он слишком тщательно одет» – эту фразу английского философа Бертрана Рассела любил повторять один мой старый друг, профессиональный дипломат. Он принципиально не надевал новые ботинки, пока не начистит их гуталином, и считал, что новый костюм прилично носить только после того, как разок в нем выспался, а потом выгладил.

Так что, если хотите, чтобы новая жаровня честно служила и с первого раза отравила бы божественными ароматами существование вашим соседям, не забудьте ее «приправить». И, само собой разумеется, обмыть!

Дадим угля или подпустим газу?

Бесплодная дискуссия о том, какой же барбекю лучше – угольный или газовый (а теперь в этот спор вмешиваются и поклонники электрических грилей!), – ведется уже давно, с тех пор как в конце 60-х годов прошлого века были выпущены первые газовые жаровни.

Газовый гриль отличается от угольного прежде всего быстротой запуска и выхода на «рабочий режим»: здесь не бывает проблем с розжигом и доведением углей до нужной кондиции, не надо пачкаться, возясь с углями и золой. Топливо обеспечивают обычные баллоны с пропаном объемом 5 или 13 литров, которые используют в загородных домах и на дачах, где нет сетевого газа. Сейчас в России появились и современные полимеро-композитные газовые баллоны из стекловолокна объемом от 12 до 34 литров. Они легче металлических, не ржавеют, взрывобезопасны, их можно заправить на любой газовой станции.

С помощью обычного газового шланга с редуктором подсоединяете гриль к газовому баллону. И все, барбекю готов к работе! Открываете на баллоне вентиль подачи газа, поджигаете горелки (на большинстве моделей это делается при помощи электроподжига одним нажатием кнопки), разогреваете решетку до нужной температуры, и можете начинать стряпать.

Конечно, при работе с газовым грилем, как и со всеми приборами, где используется открытое пламя, следует помнить о мерах безопасности. Не следует низко наклоняться над газовым грилем при включении и готовке, даже когда он закрыт крышкой. Не следует использовать гриль в качестве обогревателя – это же не газовый радиатор!

А в остальном общение с газовым барбекю-котлом не требует особых знаний и усилий. Его просто содержать

Никогда не спорь с дураком – окружающие могут не отличить вас друг от друга.

Народная мудрость

NAPOLEON, Prestige PRO-600

в чистоте, достаточно периодически чистить решетку и удалять жир из поддона, расположенного под жаровней. Как видите, хлопот здесь столько же, сколько с обычной газовой плитой, зато удовольствия – и от самого процесса, и от его результатов – несоизмеримо больше!

Что же касается спора, какой же барбекю все-таки лучше, «газовики» напирают на простоту и оперативность розжига, на что «угольщики» резонно замечают: «Оно, может быть, и так, но откуда в вашей газовой плите на колесах взяться аромату дымка, без которого и барбекю – это и не барбекю вовсе?» «А мы положим на решетку вымоченные щепочки от яблони, груши или можжевельника – вот и будет дымок», – возражают «газовщики». «Вы бы еще еловым дезодорантом попрыскали», – ехидничают в ответ «угольщики»...

Интересное решение предложила канадская компания NAPOLEON; предусмотрев в своих газовых грилях место для лотка с древесным углем, он то и обеспечивает искомый дымок. А еще на газовых «наполеонах» устанавливается инфракрасная горелка, позволяющая значительно сократить время приготовления пищи, а значит, и расход газа.

NAPOLEON, NK22CK-C

Боюсь, что в этом споре «газовщиков» и «угольщиков» истина вряд ли когда-нибудь родится. Оно и к лучшему – и те, и другие будут постоянно искать новые «фишки», стремясь создать еще более совершенное оборудование для любителей барбекю.

Хороший вариант подсказал мне хозяин магазина, торгующий оборудованием и аксессуарами для барбекю в небольшом городке Кальпе на юге Испании. На мой вопрос, а какое оборудование стоит у него дома, он ответил так: «У меня несколько грилей: большой газовый – для приема гостей, угольный барбекю-котел – для домашних, переносной небольшой, опять же угольный – для выезда на пикники, керамическое «яйцо» – для всяких деликатесов. А еще, большой дровяной – как летняя кухня».

Поистине соломоново решение!

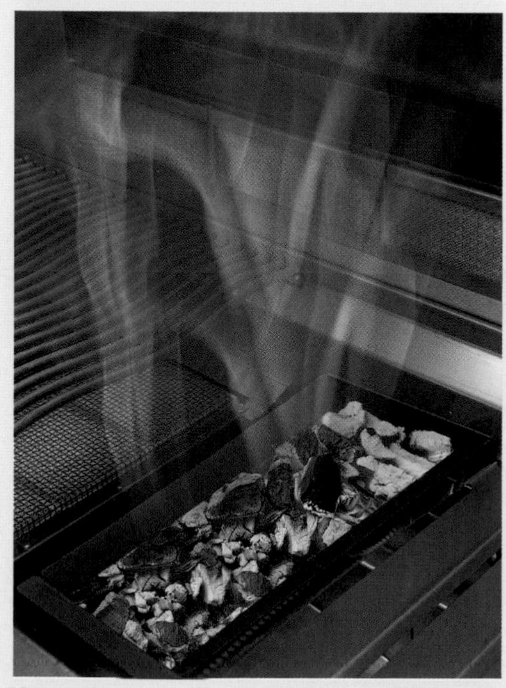

Угольный лоток в газовом «Наполеоне»

BeafEater Discovery 1100e

Поспешай медленно

Если отбросить варианты с копчением, то существуют два основных способа приготовления барбекю – прямой и косвенный, точнее, на отраженном жару. Выбор, на каком жару готовить, зависит в первую очередь от исходного продукта и размеров кусков, которые вы хотите зажарить.

Овощи, морепродукты (за некоторым исключением), птичья «расчлененка», стейки, классические шашлыки и брошеты, любое рубленое мясо – одним словом, все, что готовится не более 30 минут, – прямой способ по принципу *high and quick*, то есть все жарится при высокой температуре и быстро. Для лопатки, окорока, грудинки единым куском, птицы целиком нужен косвенный способ, то есть принцип *low and slow* – при невысокой температуре и медленно.

Из этих правил есть и исключения. Прямой жар противопоказан рыбе с нежным мясом и нежной молодой птице: несмотря даже на быстроту приготовления, такой способ их просто-напросто пересушит. Так что – быстро, но косвенным способом.

Основное различие между двумя методами заключается в том, как расположить угли и сам продукт. При прямом способе угли лежат ровным слоем, соответственно жар распределяется равномерно и продукты на решетке или шампурах именно жарятся. Если у вашего «жарочного оборудования» есть крышка, то манипуляции с ней оставляем на ваше усмотрение: хотите, чтобы мясо или птица приготовились быстрее и пропеклись лучше, – накрывайте. Желаете прожарки «с корочкой» – оставляйте гриль или котел открытым, только не забывайте переворачивать то, что вы жарите.

Слишком сильный огонь вредит хорошей кухне.

Китайская поговорка

Секреты шефа

Крупные куски лучше сначала запечь на прямом жару – чтобы «запечатать» сок внутри мяса, а затем довести блюдо до готовности при низкой температуре по методу косвенного гриля.

Когда я ем, я глух и нем, хитер и быстр, и дьявольски умен!

Борис Андреев, советский актер

На газовом гриле также возможна готовка на прямом и отраженном жару. При прямом способе необходимо включить все горелки, закрыть крышку, довести до необходимой температуры (чаще всего 280–290 °С).

При косвенном способе среднюю горелку после прогрева котла выключить. Поместить продукты непосредственно над выключенной горелкой (в системах с двумя горелками продукты размещаются между ними), закрыть крышку, довести до необходимой температуры (как правило, 170–180 °С).

С готовкой на отраженном жару немного сложнее. Суть в том, что продукт как бы запекается, а не обжаривается – жар углей поступает к нему опосредованно, отражаясь от крышки и стенок барбекю-котла. На практике это выглядит следующим образом: вы разгребаете угли по углам жаровни (в некоторых барбекю-котлах, например фирмы *Weber*, для этого предусмотрены специальные контейнеры для углей), а ваш кусок мяса или курицу размещаете непосредственно на решетке над освободившимся пространством. Для сбора жира и мясного сока под жарким на решетке для угля ставится алюминиевый поддон. Неплохо налить в поддон немного воды для создания эффекта паровой бани, очень полезной для барбекю. А если заменить воду, например белым вином, пивом или яблочным соком, то получающийся в результате пар способен придать готовому продукту новые интересные вкусовые оттенки.

Да, кстати, закрытая крышка при косвенном методе не то чтобы необходима, но крайне желательна. При закрытой крышке к углям поступает меньше кислорода, и стекающий на угли жир не воспламеняется, пища не подгорает. И лучше, накрыв котел, больше не поднимать ее до конца готовки, чтобы не выпускать ценный пар и жар.

А вот какую универсальную методику показал мне общепризнанный гуру барбекю Стивен Райклэн.

Подготовив угли, сгребите большую их часть в одну сторону жаровни, а меньшую – в центр, оставив один край полностью свободным. Таким образом, на одной жаровне вы получаете сразу три «рабочие зоны»: одну высокотемпературную – для тех случаев, когда требуется быстрый и сильный жар – скажем, чтобы «запечатать» соки в куске мяса; вторую – для готовки прямым способом; третью – для жарки косвенным манером. Впрочем, свободная от углей зона не помешает в любом случае: она пригодится хотя бы для того, чтобы эвакуировать туда готовящиеся продукты, если угли под ними неожиданно вспыхнут.

Если вы хотите получить мясо с дымком, ничто не помешает вам подбрасывать на угли каких-либо душистых щепок (разумеется, предварительно вымочив их в воде). Дыма будет вполне достаточно и для вкуса, и для аромата.

Выбор топлива

Запах блюда, приготовленного на углях, зависит не только от специй, приправ и маринадов, имеет значение, из какого дерева нажжены угли. А в стародавние времена, когда специи были на вес золота, именно горящее в костре или очаге дерево определяло аромат блюда. И если у вас есть возможность выбора, то определить, какое дерево особенно хорошо для того или иного блюда, вам поможет следующая подсказка:

- ольха – для семги, индейки, курицы;
- яблоня – для курицы, свинины, говядины, дичи;
- вишня – для утки и другой птицы, для баранины, гамбургеров;
- виноградная лоза – для бифштексов и другого мяса, для морепродуктов и улиток;
- персиковое дерево – для семги и другой рыбы, для говядины, птицы;
- клен – для курицы, морепродуктов, свинины;
- береза – для мяса и курицы;
- дуб – для мяса, птицы и морепродуктов.

Древесина хвойных деревьев не годится для приготовления углей, так как в ней много смолистых веществ, придающих блюдам неприятный вкус и к тому же опасных для здоровья. Пожалейте себя, любимых, и не уподобляйтесь всем этим «шашлычникам» с большой дороги, которые, не задумываясь, бросают в свои мангалы всякий строительный мусор, штакетник и обломки старых ящиков. И чем уж совсем глупо пользоваться в качестве топлива для барбекю, так это фанерой, прессованным деревом и древесно-стружечными плитами – содержащиеся в них клей, формальдегид и прочая дрянь здоровья вам не прибавят.

Люди любят колоть дрова – при этом занятии результаты видны сразу.

Альберт Эйнштейн

Заметки на полях

Отжиг древесного угля в России был раньше едва ли не одним из самых распространенных народных промыслов. Отчасти «виноват» в том Никита Демидов: его уральские заводы работали исключительно на древесном угле (в больших объемах он при горении дает температуру до 3000 °С – вполне достаточно, чтобы плавить металл).

Но, конечно, дело не только в славной истории. Древесный уголь – «чистое» топливо, которое как нельзя лучше подходит для грилей, барбекю и даже каминов. Если еще десять лет назад расфасованный в пакеты уголь был у нас сугубо импортной диковинкой, то сейчас только в Москве древесным углем занимаются около десяти компаний. И потребление древесного угля у нас растет с каждым годом.

Заметки на полях

Если вы думаете, что уголь, продающийся в бумажных мешках в супермаркетах, и тот, что остается в печке после сжигания дров, суть одно и то же, вы ошибаетесь. Промышленный древесный уголь получают методом пиролиза, то есть отжига без доступа кислорода. Причем производят его непосредственно в леспромхозах. Но в леспромхозах нет условий для того, чтобы разделить уголь по породам, сортировать по размерам (любителю шашлыков нужны для мангала куски поменьше, ресторанам – наоборот, побольше). К тому же древесный уголь – весьма хрупкий материал. Несколько раз перегрузил его при транспортировке, считай, получил процентов пять брака в виде пыли. Вот почему настоятельно рекомендую покупать уголь, сортированный, очищенный и расфасованный компаниями, которые расположены поближе к тому месту, где вы живете.

Самый древний и верный способ обзавестись углями – это развести костер и нажечь их самому, хотя это, конечно, требует усилий и определенного самопожертвования, особенно в жару. Но в наши дни появилась возможность запастись топливом и в магазине, где вам на выбор предлагают угольные брикеты и россыпной уголь, в основном березовый или дубовый, в бумажных мешках. Россыпной уголь сгорает быстрее, горит жарче, но из-за разной величины кусков неравномерно. Угольные брикеты дают постоянный жар, служат дольше, но не дают того аромата.

Лучше всего покупать натуральный древесный уголь без каких-либо присадок и добавок в виде зажигательных смесей. Будьте особо внимательны с угольными брикетами. Они бывают так называемые натуральные, то есть просто прессованные из кусочков угля и скрепленные растительным клеем, и композитные – эти брикеты недобросовестные производители часто делают из прессованных опилок, угольной пыли с добавлением клея и прочей химии. Но кто может гарантировать, что и «натуральные» брикеты не ведут свое происхождение от старых шпал или от грузовых паллет?

Маленькие хитрости

Тонкий аромат, свойственный отдельным породам дерева, можно придать, добавляя к самому распространенному у нас березовому углю небольшие полешки и щепки яблони, вишни и т.д. Для того чтобы они не так быстро прогорали и давали побольше ароматного дыма, их надо предварительно замочить на часок в воде.

Угли легко вбирают влагу и агрессивные запахи. Поэтому хранить их надо в сухом месте, но не в гараже, где всегда пахнет бензином и машинным маслом. Если вы не часто разжигаете барбекю, то лучше всего поместить бумажный мешок с углями в пластиковый мешок и крепко завязать. Тогда угли не отсыреют, будут легко разжигаться и гореть равномерно.

Инструкция для поджигателя

Если старый пионерский способ разведения огня – «три щепочки и одна спичка» – вам кажется слишком медленным, можно приобрести специальную зажигательную жидкость, которая обычно продается там же, где и угли. Но только, прошу вас, не используйте бензин, керосин, топливо для зажигалок, спирт и прочие самодеятельные средства.

На флаконах с зажигательной жидкостью очень мелкими буковками обычно указано, как ею пользоваться. Если вы забыли очки, то поступайте так: разложите угли ровным слоем на дне жаровни и смочите их жидкостью (на 2 кг брикетов понадобится примерно 250 г жидкости, на угли – немного меньше). Затем соберите угли в пирамиду, плесканите на них еще разок-другой, подождите с минуту, чтобы излишек жидкости испарился, и поджигайте пирамиду снизу. Но не спичкой! Лучше воспользоваться специальной зажигалкой с длинным «клювом», у которой есть еще один плюс – блокирующее устройство, не позволяющее маленьким детям использовать эту красивую игрушку для поджога отчего дома.

Можно поступить и так: зажать в угольных щипцах бумажную салфетку или кусок газеты, чуть смочить их той же жидкостью, поджечь, а затем уж подпалить угольную пирамиду.

Думать, что бессильный враг
не может вредить, –
это думать, что искра
не может произвести пожара.

Саади

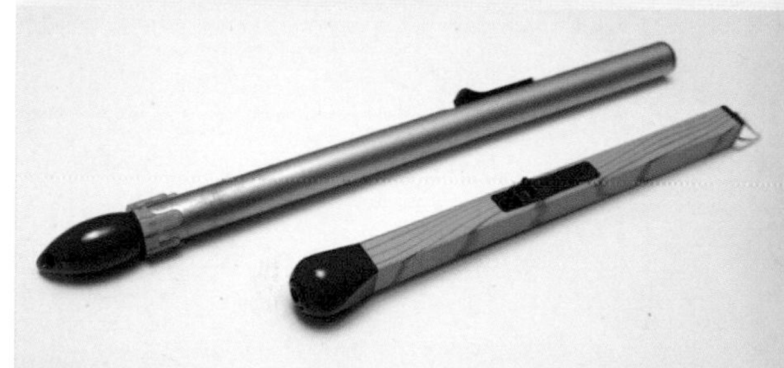

Маленькие хитрости

При разведении огня угли можно смешать с небольшим количеством мелко нарубленного сухого дерева. Это не только ускорит процесс подготовки углей, но и существенно сократит их расход.

Чем больше видишь по телевизору репортажей о лесных пожарах, тем сложнее развести огонь в собственном барбекю.

Из законов Мэрфи для барбекю

Заметки на полях

С законом Мэрфи, не менее строгим и неотвратимым, чем законы Ньютона, Бойля–Мариотта и Ломоносова–Лавуазье, всякий из нас знаком в его упрощенной форме, как с «законом бутерброда».

А само выражение появилось еще в 1949 году. Капитан ВВС США инженер-исследователь Эдвард А. Мэрфи-младший разработал устройство, которое позволило бы определить, какие перегрузки способен выдержать летчик-испытатель. Но испытания прибора завершились неудачей – оказалось, что техник неправильно подключил один из датчиков. Вот тогда-то у Мэрфи и вырвалось замечание, что-де если существует возможность сделать что-нибудь не как положено, то непременно так и будет сделано. А оказавшийся в тот момент поблизости руководитель проекта услышал эти слова и шутливо-торжественно объявил их «законом Мэрфи».

Со временем и в других сферах деятельности, а не только в авиации, появилось множество вариаций на эту тему. Есть они и в Мире Барбекю.

Через 30–45 минут угли будут готовы, к этому времени должны без остатка выгореть и пары зажигательной жидкости. Правда, люди с развитым обонянием, а может быть, воображением клянутся, что все равно различают потом в шашлыке ароматы топливно-энергетического комплекса.

Зажигательная смесь бывает и сухая – в виде небольших кубиков или таблеток. Особенно удобны кубики на парафиновой основе, напоминающие по внешнему виду кусочки льда. Кладете несколько таких кубиков в основание пирамиды из углей и просто поджигаете спичкой.

А теперь внимание: если вы воспользовались зажигательной смесью или жидкостью, а решетку барбекю забыли почистить, то еда с привкусом «большой химии» вам гарантирована: остатки жира и пищи на решетке уже с восторгом вобрали в себя нефтяную вонь и теперь заботливо передают ее готовящимся блюдам.

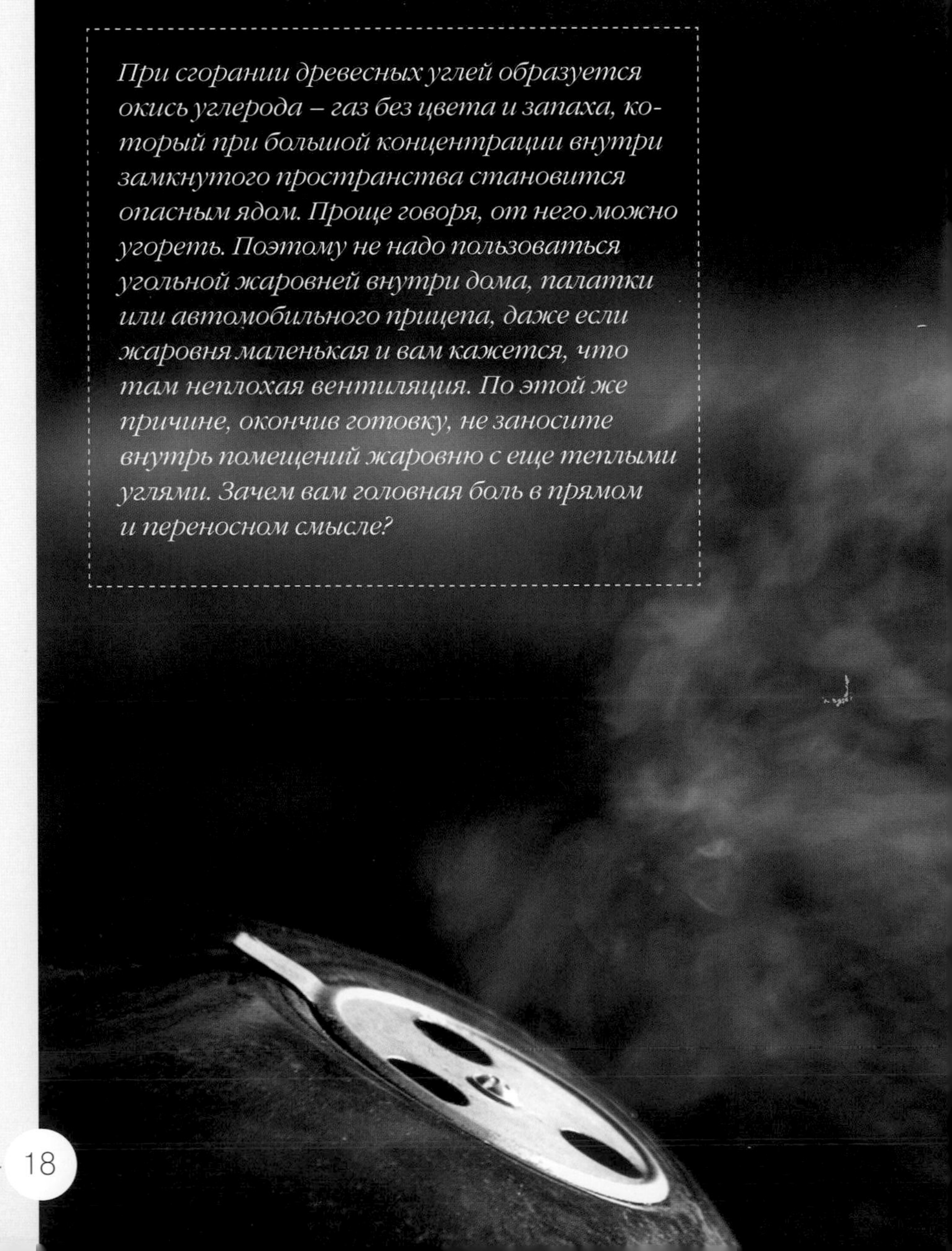

При сгорании древесных углей образуется окись углерода – газ без цвета и запаха, который при большой концентрации внутри замкнутого пространства становится опасным ядом. Проще говоря, от него можно угореть. Поэтому не надо пользоваться угольной жаровней внутри дома, палатки или автомобильного прицепа, даже если жаровня маленькая и вам кажется, что там неплохая вентиляция. По этой же причине, окончив готовку, не заносите внутрь помещений жаровню с еще теплыми углями. Зачем вам головная боль в прямом и переносном смысле?

На огненной вахте

В не столь давние времена, когда передовые в газетах ваялись в помпезно-громыхающем стиле, оставшемся теперь в ходу разве что у спортивных комментаторов, существовало такое выражение – «заступить на огненную вахту». Оно относилось, как правило, к пожарным и металлургам, но может быть взято на вооружение и любителями барбекю, поскольку четкость, сосредоточенность и осторожность нужны и около мангала. Не расслабляйтесь и не отвлекайтесь, особенно если предстоит готовить жирное мясо (птицу, рыбу). Огонь, даже если вы научились с ним дружить, все равно способен в считанные минуты превратить ваш кулинарный шедевр в головешки.

Итак, тем или иным способом, но вот вам наконец удалось поджечь угли. Теперь распределите их по всей поверхности жаровни, возьмите в руки кусок картона или фанеры и раздувайте огонь. Когда угли хорошо разгорятся, оставьте их в покое на 15–20 минут. Готовить можно начинать, когда исчезнет открытое пламя, а угли слегка «поседеют», покроются пеплом. Причем слой углей должен быть сантиметров пять, тогда они долго будут держать ровный жар.

Но еще перед тем, как заступить на «огненную вахту» у барбекю, вам надо хоть приблизительно определить, сколько времени потребуется, чтобы приготовить то-то и то-то. Четкого ответа на этот вопрос я, честно говоря, не знаю! Для того чтобы правильно ответить, мне самому бы потребовались ваши ответы на следующие вопросы:

- Вы используете угли или угольные брикеты?
- На каком расстоянии от углей находится решетка?
- Что вы готовите и какой толщины сделали куски?
- Готовите вы под крышкой или нет?
- Если да, то сколько раз вы ее открывали?

Злой человек похож на уголь:
если не жжет, то чернит тебя.

Анахарсис, скифский мудрец

Заметки на полях

Почему в России предпочитают готовить на березовом угле? Не только потому, что у нас много березы. Уголь из нее – наиболее плотный, плотнее даже дубового, а уж тем более осинового или ольхового. Соответственно и горит он дольше. Конечно, очень хороший уголь получается из лозы, фруктовых деревьев, но не надо забывать, что на производство 1 т угля уходит где-то 12 кубов древесины.

Если рассыпной уголь – продукт исключительно натуральный, то в состав любых брикетов непременно входят те или иные связующие химические вещества. То есть, несмотря на то что горят брикеты несколько дольше, ни о какой полной экологической чистоте говорить уже не приходится.

Четыре способа готовки на барбекю

Все эти способы могут в том или ином сочетании применяться комбинированно на той или иной стадии приготовления различных блюд.

1. Готовка на прямом жару, когда пища находится непосредственно над углями. Этот метод хорош для относительно нетолстых кусков, а также для продуктов, требующих сильной, но краткой термической обработки: гамбургеры, кебабы, отбивные, бифштексы, филе рыбы, хот-доги и т.д.
2. Готовка на отраженном жару, когда угли смещены в одну сторону (или по бокам) жаровни, а пища готовится на противоположной стороне (или посередине), где поменьше жара. На газовом гриле для этого обычно зажигают две горелки по бокам, а готовят над центральной, выключенной горелкой. Этот способ идеально подходит для больших кусков мяса, рыбы и курицы, для ребер и других жирных продуктов, а также для овощей.
3. Способ сухого копчения возможен на любом барбекю с крышкой. Продукт помещается над углями на решетке, крышка барбекю опускается, концентрируя дым, и в результате блюдо получается не только зажаренным, но и слегка копченым.
4. Способ влажного копчения очень напоминает предыдущий метод, с той только разницей, что между углями и решеткой расположен противень с водой. Пища готовится очень медленно, в сильных клубах дыма и пара.

- Как часто вы смазываете блюдо маринадом?
- Холодная или теплая погода на дворе?
- Сильный ли дует ветер?
- Каким вы собираетесь есть ваше мясо – с кровью, хорошо прожаренным или «в самый раз»?
- Насколько голодны ваши гости?

Не знаю, взялся ли бы какой-нибудь ученый муж за решение задачки с таким количеством переменных величин, но человеку, любящему хорошо поесть и покормить, она вполне по плечу. Главное – подготовить по-настоящему хорошие угли. Как их распознать? Для рыбы, например, нужен средний жар, где-то 170–200 °С, а для бифштекса с кровью – более 350 °С.

Тогда следующий вопрос: как определить необходимую температуру? А очень просто – ладонью! Нет, не надо, как римский воин Муций Сцевола, демонстрируя врагам силу духа, совать руку в огонь, достаточно протянуть ее над углями на высоте примерно 15 см. Если вы не древнеримский герой и не святой, а, как все, грешник, то уже через несколько секунд вы отдернете ладонь. Через одну секунду – значит, угли очень горячие, как раз для бифштекса с кровушкой. Вот так, эмпирическим путем, и была поколениями любителей барбекю создана приведенная здесь небольшая таблица.

В предлагаемых рецептах, как правило, указывается примерное время готовки. К счастью, барбекю – это не микроволновая печь, где все можно рассчитать по минутам, запрограммировать и в итоге получить нечто томно-пареное. Встав к дымящемуся мангалу, вы, в отличие от микрохирурга у операционного стола, имеете право пробовать и ошибаться. И получать от этого удовольствие.

Секунды	t по Цельсию	t по Фаренгейту	Качество углей	Что можно приготовить
1 или меньше	340° и выше	650° и выше	очень горячие	бифштекс с кровью
2	260–340°	от 500 до 650°	горячие	бифштекс
3	230–290°	450–550°	средне горячие	отбивные, курица, гамбургеры
4	200–260°	400–500°	средние	рыба, колбаски
5	150–200°	300–400°	слабые	овощи, фрукты в фольге
6 и больше	150° или меньше	300° или меньше	очень слабые	ничего, кроме картошки в золе

Как смазать и очистить решетку

Очень обидно, когда с такой любовью замаринованные куски рыбы или мяса вдруг намертво прикипают к решетке и приходится их с остервенением отдирать, губя свои нервные клетки и «товарный вид» блюда. Для того чтобы продукты не прилипали к решетке, ее надо предварительно смазать растительным маслом. Сделать это лучше перед самым началом готовки, когда решетка хорошо нагрелась. И, само собой разумеется, она должна быть чистой.

Способ первый. Надеваете свои жаростойкие рукавицы и аккуратно снимаете решетку с углей. Окунаете кисточку в растительное масло и хорошо промазываете решетку. Можно также использовать появившиеся и у нас в последнее время газовые баллончики с растительным маслом, которые обычно применяют для смазывания противней и форм при готовке пирогов. Но не вздумайте это проделать, когда решетка находится над углями! Сами понимаете почему...

Способ второй. Решетка остается над углями. Наливаете масло в блюдце или чашку, сворачиваете тампон из бумажного полотенца или салфетки, обмакиваете его в масло и с помощью щипцов на длинной ручке смазываете решетку.

Способ третий. Рекомендую как самый простой и элегантный. Решетка остается над углями. Берете щипцами кусок жира, оставшийся при разделке мяса или курицы, а еще лучше – кусок сала или шпика и спокойно смазываете горячую решетку.

И все-таки к решетке что-нибудь, да пригорит. Очистить это что-то можно, оставив решетку над горячими углями, тогда остатки пищи просто сгорят. Или надо хорошенько поскрести решетку металлической щеткой. А лучше совместить оба способа – с горячего металла легче сходит пригар. Эту операцию можно проделать как до, так и после готовки.

Знайте, что из чувства солидарности отбивные ни за что не захотят расстаться со своим другом барбекю... Если вы попытаетесь отковырнуть их раньше, чем они полностью обуглятся, они предпочтут покончить счеты с жизнью в пасти вашей собаки или кошки.

Из законов Мэрфи для барбекю

Маленькие хитрости

Чтобы очистить решетку газового гриля, надо, перед тем как завершить готовку, положить поверх решетки лист алюминиевой фольги и на 1 минуту включить огонь на полную мощность. Пламя выжжет остатки пищи на решетке, и вы, выключив газ и дав жаровне слегка остыть, сможете без труда ее почистить.

Джентльменский набор барбекюшника

Умение готовить требует легкости в мыслях, щедрости души и великодушного седца.

Поль Гоген

Маленькие хитрости

Что бывает, если полить раскаленный жир холодной водой? Правильно, нечто вроде микровзрыва: брызги жира разлетаются по сторонам, пачкая стенки мангала или барбекю-котла и ничуть не улучшая вкус готовящегося блюда. К тому же залитый водою жир – жир не сгоревший, следовательно, когда вода испарится, а сам он снова прогреется, ничто не помешает ему вспыхнуть повторно. Так что бутылочка с водой – оружие последнего шанса. Ее полезно (и даже необходимо!) держать под рукой, но применять – только в самом крайнем случае.

Скоро уже можно начинать кухарничать, а пока проверим, все ли у нас под рукой. Конечно, у каждого имеется свое представление о наборе необходимых инструментов. Специализированные магазины предлагают все более усовершенствованную (и все более дорогую) утварь, но только время и ваш опыт в итоге определят, что действительно пригодилось и удобно для готовки, а что обречено пылиться в вашем сарае.

Вилка, железная лопатка и щипцы – вот главные орудия настоящего барбекюшника. (Если в некоторых магазинах мангалы почему-то называют шашлычницами, а жаровни – барбекюшницами, то почему бы не существовать и «барбекюшнику»? Тем более что у законодателей жанра, американцев, есть похожее слово *BBQer* – бибикьюер.)

Все эти предметы первой необходимости (еще один шедевр словотворчества работников отечественной торговли) должны иметь длинные ручки – это для того, чтобы вы не обожгли ваши. Для тех же целей предназначены и кожаные перчатки, тоже желательно подлиннее, почти до локтя.

Из другой спецодежды необходимы фартук и, чтобы быть «ну прямо как в Америке», бейсболка, лучше не белая, потому что вы все равно хоть единожды, но ухватитесь за козырек перемазанными углем и маринадом руками. Можно обойтись и без бейсболки, тогда вы пропечетесь равномернее и лысина подрумянится на солнце до той же кондиции, что и физиономия от горящих углей.

Однако вернемся к нашим трем основным орудиям. Главным из них, безусловно, являются щипцы, они должны быть прочными, надежными и удобными для руки. Вилка пригодится в основном для общения с сырым продуктом; рыбу и овощи ею при жарке не повернешь, а мясо и курицу лучше лишний раз не прокалывать – весь сок вытечет на угли и блюдо будет пересушено. Эти продукты удобнее кантовать металлической лопаткой.

По идее, для того чтобы следить за временем в процессе готовки, может потребоваться и таймер, но только чрезвычайно организованным и методичным людям, – не обладающие столь ценными качествами индивидуумы обычно ориентируются во времени по количеству выпитого в процессе готовки пива и упреждающим выкрикам жены о том, что голодные гости уже все подъели в холодильнике.

Из другой утвари под рукой желательно иметь:

- несколько разделочных досок (для сырых и готовых продуктов);
- острый кухонный нож;
- металлические шампуры разных размеров и небольшие деревянные или бамбуковые шампуры (брошеты) для приготовления шашлыков, кебабов, сатэ и т.п.;
- кисть на длинной ручке для смазывания продуктов маринадом и соусом, а также для смазки решетки растительным маслом перед началом жарки;
- набор мисочек и плошек для маринада, соусов и приправ;
- рулон алюминиевой фольги;
- чистое блюдо для готовой продукции;
- противень, который помещают под решетку при готовке на отраженном жару, – служит для сбора капающего жира и сока; в него можно также налить маринад или разведенное вино, что придаст блюду дополнительную духовитость;
- специальный термометр для определения степени готовности продукта по его внутренней температуре; он вряд ли пригодится при жарке тонких кусков, но очень полезен при запекании птицы и рыбы целиком, а также для приготовления больших кусков мяса;
- двойные решетки на длинных ручках, позволяющие легко переворачивать над углями запекаемую целиком рыбу, они также удобны для жарки мелких кусков, которые на обычной решетке проваливались бы сквозь прутья и попадали на угли;
- и наконец, какая-нибудь «прыскалка» с водой – для борьбы со вспышками пламени. В данном качестве прекрасно послужит экспроприированный у жены пульверизатор, которым она пользуется при глажении белья. Но если экспроприация связана со слишком большим риском, возьмите обыкновенную пластиковую бутылку и раскаленным тонким гвоздем проделайте в ее крышке с полдюжины отверстий – «прыскалка» готова. Наполненная холодной водой, она, кроме того, представляет собой прекрасный аргумент в теоретических спорах с надоедливыми знатоками и советчиками.

Если надо приготовить что-то мелкое и норовящее провалиться сквозь решетку – зеленую фасоль, лук-шалот, спаржу, шампиньоны, мелкие креветки, тут-то и пригодится такой вот металлический лоток с мелкими прорезями. Его легко разместить на барбекю-котле или на мангале. Легко снять, не обжегшись, с раскаленной решетки, когда ваш гарнир уже готов, – такие лоточки незаменимы при приготовлении именно гарниров.

Только приехав на дачу, вы вспомните, что забыли ключ от сарая, в котором хранится мангал.

Из законов Мэрфи для барбекю

Как ухаживать за барбекю

А нечистым трубочистам
стыд и срам...

Корней Чуковский

Маленькие хитрости

Самое важное – заранее подготовить аксессуары, тут мелочей нет. Нужны и лопатка, и щипцы, и нож, и бутылка с водой. Потому что, если начнешь метаться в поисках, все тем временем сгорит.

Чистота при готовке –
это что-то из разряда
невозможного.

Из законов Мэрфи для барбекю

Зануды утверждают, что лучший способ отчистить вещь – это ее не пачкать. Но как тут убережешься, когда имеешь дело с углями, дымом, скворчащим жиром и собственной врожденной склонностью к творческому беспорядку?

Да простит меня Мойдодыр, но личная гигиена, на мой взгляд, потому так и называется, что это, в конце концов, тебе одному решать – умывать или не умывать собственную личность. Однако данный постулат не стоит распространять на собственную жаровню. Иначе ваше сегодняшнее блюдо будет иметь прогорклый вкус вчерашнего.

Для начала попробуем прислушаться к совету зануд, то есть постараемся поменьше испачкать жаровню. Значительно продлить срок ее службы и намного упростить процесс уборки можно совсем простым способом: перед началом готовки выстелите дно и стенки плотной алюминиевой фольгой. (Но при этом убедитесь, что не перекрыли вентиляционные отверстия вашего барбекю!) И тогда, после того как объевшиеся гости разъедутся, а угли давно превратятся в золу, вы можете спокойно вытащить фольгу и вытряхнуть ее содержимое на клумбу – пусть и цветочки подкормятся.

Кстати, выстилая дно жаровни фольгой, вы одновременно увеличиваете ее КПД, так как фольга хорошо отражает тепло.

Чтобы жаровня не заржавела, никогда не оставляйте в ней пепел и золу. Сами по себе они вроде бы безобидны, но при соединении с влагой обретают свойства щелочи, постепенно разъедающей даже сталь. Так что избавьтесь от пепла и золы, а затем – для полного счастья – промойте все металлические части жаровни сначала мыльной водой, а затем легким раствором уксуса (1 ст. ложка на 2 л воды) и насухо вытрите. Мне очень жаль, но после этой «чистой» работенки вам все же придется заняться и личной гигиеной.

Барбекю – удовольствие внесезонное, но не всегда есть возможность устраивать пикники зимой. Поэтому с приближением холодов встает задача убрать барбекю-оборудование до лучших, теплых времен. Но перед этим его надо привести в порядок. Прилипшие к решетке и стенкам мангала или барбекю-котла частички углей, остатки еды, нагар, копоть следует счистить металлической щеткой. Теперь более или менее отчищенные поверхности, а также все ручки на оборудовании протрите грубой тряпкой, щедро насыпав на нее пищевую соду. Она снимет мелкие прикипевшие остатки пищи и нагара, с которыми не справилась металлическая щетка. И начищенные содой детали начнут сиять как новенькие. Сходный эффект дает протирка поверхностей скомканной алюминиевой фольгой.

Теперь, когда сухая грязь удалена, возьмите губку или чистую тряпку и промойте все детали с помощью жидкости для мытья посуды. Тщательно смойте пену и протрите все насухо. И вот ваше оборудование блистает чистотой. Теперь, чтобы быть уверенным, что металлические детали не заржавеют, их надо смазать тонким слоем растительного масла, но ни в коем случае не машинного – зачем вам аромат «большой химии»?

Все, теперь вашему мангалу или барбекю-котлу зима не страшна. И вы сможете во всеоружии встретить весенне-летний сезон. Хотя я лично не советовал бы ставить столь необходимые вещи в дальний угол – зажаренное на углях мясо зимой еще вкуснее... Тем более что самый верный способ содержать оборудование в хорошем состоянии – постоянно его использовать.

Лучший дом тот, в котором у хозяина меньше всего дел.

Плутарх

Чистота – это роскошь бедняков, так что оставайтесь грязными.

Франсис Пикабиа, французский художник и писатель

Маленькие хитрости

Решетка должна быть заранее прогрета, иначе к ней все будет приставать. В барбекю-котле можно создать зоны повышенной и пониженной температуры, где мясо или рыба могли бы и жариться, и, когда нужно, «отдыхать», чтобы сок мог перераспределиться.

Пожар подкрался незаметно

Какую картину я стал бы спасать, если в Национальной галерее начнется пожар? Ту, что поближе к выходу.

Бернард Шоу

Вредные советы

Если вы опасаетесь, что за вашим столом будет мало народу, то, разжигая угли для шашлыка, плесните на них литра два бензина, и к вам очень быстро приедет много гостей в касках и с брандспойтами, а также в белых халатах и с носилками.

Перед тем как налаживать в саду мангал, не помешает проверить направление ветра, чтобы точно знать, куда в случае чего вызывать пожарных – к себе или к соседу.

На оживленных магистралях столицы, посреди рекламных щитов с полуголыми девицами иногда попадаются суровые плакаты нашей родной пожарной инспекции. Как вам нравится вот такой шедевр наглядной агитации, сочиненный, похоже, каким-нибудь угоревшим на боевом посту отставником. На громадном щите изображен печальный ребенок с телефонной трубкой в руках. Надпись под дитем гласит: «Запомни – твой первый номер 01».

Так вот, чтобы лишний раз не напрягать наших чадолюбивых пожарных, постарайтесь не забыть эти несколько полезных советов в шутку и всерьез:

- держите под рукой ведро с песком, вода – плохой помощник, когда горит что-нибудь жирное;
- еще лучше иметь поблизости огнетушитель и знать, как им пользоваться, – когда, не дай бог, загорится, читать инструкцию будет поздно;
- если угли, как вам кажется, погасли, не вздумайте добавлять зажигательную жидкость – огонь только спрятался и сразу полыхнет вам в физиономию;
- но даже если угли окончательно погасли, жаровня все равно остается горячей, а потому зажигательная жидкость мгновенно превратится в легковоспламеняющиеся взрывоопасные пары, которые только и ждут, чтобы вы поднесли спичку;
- не оставляйте барбекю без присмотра, особенно если поблизости играют дети и собаки;
- не поленитесь убрать поблизости сухую траву, ветки, одним словом, все, что может легко воспламениться;
- по той же причине не надо подманивать к мангалу шикарных блондинок с распущенными волосами (брюнеток, шатенок и рыжих тоже);
- определенную пожароопасность представляют и низкорослые мужчины с косичкой.

Экскурс в историю

Только дикарь ест по необходимости,
а цивилизованный человек – от чревоугодия.

Александр Дюма-отец

По стопам первобытного человека

Когда наши пращуры из каменного века, насадив на палку кусок мяса добытого на охоте мамонта, впервые обжарили его над углями, они и ведать не ведали, что занимаются приготовлением барбекю...

Приготовление пищи – самое древнее из всех искусств, ведь Адам родился натощак.

Ансельм Брийа-Саварэн

Ученые умы по-разному обосновывают возведение обезьяны в звание *homo sapiens*. Некоторые считают, что это произошло, когда наши волосатые предки встали с четверенек, пошили себе первые меховые манто и изготовили свои первые орудия. Но мнс почему-то кажется, что человек по-настоящему стал «человеком разумным» лишь после того, как научился жарить мясо на огне. Я бы даже осмелился утверждать, что это, похоже, был самый первый рецепт во всемирной кулинарной энциклопедии, которую, капая слюной и плотоядно облизываясь, вечно голодное человечество продолжает составлять до сего времени.

По «выслуге лет» с барбекю может конкурировать, пожалуй, лишь рецепт цыпленка табака – доисторические повара жарили своих первобытных птичек, расплющив их между раскаленными в огне плоскими камнями... Как бы то ни было, но еще не одну сотню тысяч лет люди, сидя в разное время и в разных концах земного шара у костров, очагов и каминов, продолжали совершенствовать искусство приготовления пищи на углях. У каждого народа это аппетитное занятие называлось по-своему, и только в XVII–XVIII веках появилось понятие, которое спустя еще 200–300 лет начало приобретать интернациональное значение.

Определить подлинные истоки происхождения слова «барбекю» столь же сложно, как опознать аппетитный кусок мяса в той обуглившейся биомассе, в которую он превращается, побывав в руках новичка. По этому поводу имеется несколько занимательных и даже романтических

В жизни существуют три важные вещи: первая – это поесть, а две другие я пока не нашел.

Шарль Луи Монтескье

Остроумие человека наиболее ярко проявляется во время сытного обеда.

Сомерсет Моэм

После того как индейцы убили на охоте животное, то, поскольку у них нет настоящих ножей, чтобы освежевать его, они разделывали тушу при помощи камней и кремневых ножей. Они жарили мясо на палках, которые они втыкали в землю в форме треножника или решетки над вырытой в земле ямой. Они называли эти устройства barbacoas и разжигали под ними огонь. Точно так же они готовили рыбу.

Из книги «Естественная история Вест- Индии», изданной в Толедо (Испания) в 1526 г.

теорий, в которых история, этнография и этимология причудливо переплетаются с гастрономией.

Например, одна из теорий связана... с промышлявшими некогда в Карибском море французскими пиратами. Сия свирепая и бесшабашная братия славилась на островах Тортуга, Эспаньола и Гаити не только своей лихостью при взятии на абордаж испанских и английских каравелл и фрегатов, но и тем, что любила зажаривать туши кабанов, буйволов и диких козлов на решетке букан. Это словечко позаимствовано у местных индейцев – так те называли решетки для хранения вещей и провизии, а также решетчатые платформы, на которых устанавливали свои хижины. Пираты, похоже, достигли в поварском искусстве таких небывалых высот, что их самих стали называть буканьерами, – это стало еще одним синонимом морского разбойника, корсара и флибустьера.

Другая теория опять же связана с известными своими кулинарными способностями галлами и указывает на явное сходство с французским выражением *barbe-à-queue*, которое в этом контексте толкуется как умение зажарить дичь целиком, то есть «от бороды до хвоста». Ну как здесь не вспомнить тех же диких козлов, которых так вкусно умели жарить морские разбойники-буканьеры?

Есть и более древний вариант: некоторые мэтры кулинарных наук утверждают, что слово «барбекю» образовано от греко-римского прозвища варваров – *barbar*, имевших привычку насаживать на вертел быков, кабанов и баранов целиком. И наконец, «испанская» версия ведет нас все в те же края, на Карибы. Именно ее придерживается Стивен Райклэн, известный американский специалист в области истории и практики барбекю, автор 27 книг по этой тематике.

Пять значений одного слова

Есть одному так же приятно,
как ходить в туалет вдвоем.

Фаина Раневская

Как бы то ни было, но слово «барбекю» надолго поселилось, прежде всего там, откуда оно произошло, а именно в Новом Свете. Причем и там оно писалось и произносилось по-разному: *barbicue*, *barbique*, *Bar-B-Cue, BBQ* и даже просто *Q*. Например, в своих дневниках за 1789 год первый президент США Дж. Вашингтон вспоминал, как «побывал в Александрии на барбикю...». Но сейчас в словарях современного американского языка оно пишется единообразно – *barbecue* (барбекю). Как, впрочем, и в английских, и французских словарях.

Что же касается современных значений этого слова, то их у него почти столько же, сколько исторических версий о его происхождении. Так называются:

1) разного вида жаровни с решеткой для приготовления мяса (а также рыбы, птицы, дичи, моллюсков, овощей, фруктов и т.д.);

2) процесс, связанный с приготовлением мяса и т.д. на приспособлениях, указанных в пункте 1;

3) само блюдо, приготовленное способом, сформулированным в пункте 2, на приспособлениях, указанных в пункте 1;

4) вечеринка или прием, где люди, одетые в джинсы и ковбойки или же в смокинги и вечерние платья, поедают то, что упоминалось в пункте 3, приготовленное способом, сформулированным в пункте 2, на приспособлениях, указанных в пункте 1;

5) специализированные харчевни и рестораны, где люди, описанные в пункте 4, могут насладиться тем, что упоминалось в пункте 3, приготовленным способом, сформулированным в пункте 2, на приспособлениях, указанных в пункте 1.

Заметки на полях

В 1978 году доктор Ричард Дэвис из Канзаса, по специальности детский психиатр, а в свободное время – фанат барбекю, изобрел свой оригинальный соус, в состав которого входили помидоры, патока и различные пряности. Сейчас КС Masterpiece Barbecue Sauce стал, наверное, самым известным в США соусом и своего рода символом для американских любителей барбекю. А сам доктор забросил медицину, но никак не кулинарию – он, в частности, известен и тем, что вместе со своими сыновьями устраивал барбекю для обоих президентов Бушей, для отца в 1992-м, а для сына – в 2004 году.

Прием – развлечение, предаваясь которому рискуешь умереть от скуки.

Амброз Бирс. Словарь Сатаны

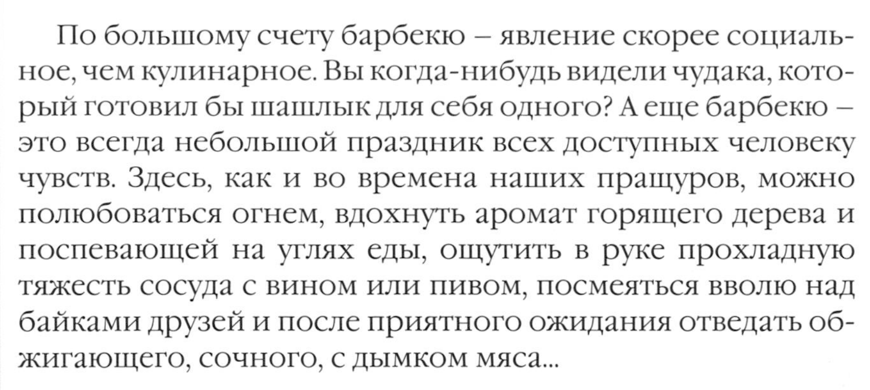

По большому счету барбекю – явление скорее социальное, чем кулинарное. Вы когда-нибудь видели чудака, который готовил бы шашлык для себя одного? А еще барбекю – это всегда небольшой праздник всех доступных человеку чувств. Здесь, как и во времена наших пращуров, можно полюбоваться огнем, вдохнуть аромат горящего дерева и поспевающей на углях еды, ощутить в руке прохладную тяжесть сосуда с вином или пивом, посмеяться вволю над байками друзей и после приятного ожидания отведать обжигающего, сочного, с дымком мяса...

Киндер-барбекю

Если сосиска досталась слишком длинная,
то это очень легко исправить.

Датская поговорка

Рецепт из детства

Дети сыты – и гости целы!

Вариация на тему русской поговорки

Заметки на полях

Если при жарке на углях вы ткнете вилкой сардельку или колбаску, они обидятся и в отместку плюнут кипящим жиром прямо в глаз.

Есть несколько способов справиться с ехидной привычкой сосисок и колбасок лопаться и брызгаться раскаленным жиром. Например, можно встать к жаровне в облачении сварщика, но лучше поступить следующим образом: перед готовкой подержите колбаски несколько минут в крутом кипятке, и у них пропадет охота плеваться жиром.

Есть и другой способ – сделать на кожице несколько неглубоких надрезов, но при этом жир будет капать и гореть на углях, а сами колбаски станут суше.

Среди полузабытых детских воспоминаний у каждого из нас, независимо от того, кто под какими широтами вырос, наверняка сохранилась такая вот ностальгическая картинка: теплый летний вечер, догорающие угли костра, над которыми вы, в веселой компании сверстников, жарите нанизанные на прутики кусочки хлеба и колбасы. И эта обжигающая губы, наполовину обуглившаяся снедь казалась нам вкуснее любых домашних деликатесов. Мы тогда и не догадывались, что то, чем мы занимались, тоже называется красивым словом «барбекю»...

Теперь, имея на участке жаровню или хотя бы маленький переносной гриль, подобный праздник вы можете устраивать своим детям хоть каждые выходные. Им малоинтересны ваши кулинарные изыски с бифштексами и семгой, и они вполне удовлетворятся доморощенным гамбургером или хот-догом.

Поговорим для начала о хот-догах и прочих сардельках, шпикачках и полукопченых колбасках... Только давайте, из уважения к русскому языку, не будем называть их «колбасными изделиями». Ох, уж эти шекспиры от пищевой промышленности... Но что поделаешь: раз наколбасив в языке, уже трудно что-либо изменить. Повторяем же мы сочиненное теми же бюрократами и совсем уже непотребное сочетание слов – «продукт питания», не задумываясь, что собой представляет, не к столу будет сказано, этот самый продукт.

Однако вернемся к приготовлению на углях хот-догов, сарделек и далее по списку. Готовить здесь по большому счету, собственно, и нечего. Мариновать их столь же бесполезно, как солить яйцо, не сняв скорлупы. Смазывать во

Интеллектуал – это тот,
кто смотрит на сосиску,
а думает о Пикассо.

Ален Патрик Герберт,
английский поэт
и романист

время жарки – тоже особого прока не будет, разве что сгорят скорее, особенно если мазать кетчупом.

Дополнительный аромат может придать смесь растительного масла с сушеным чесноком или другой пряностью, но вкус самого блюда от этого мало изменится. Вот рецепт оригинальной приправы для жарки сосисок. Смешайте по 1 ч. ложке сладкой паприки, сухого лука, сухого чеснока, чабреца, черного перца. Разведите эту смесь 2 ст. ложками растительного масла, добавьте нарезанной петрушки. Обмажьте сосиски получившейся приправой, выдержите пару часов в холодильнике и запекайте на углях.

Добиться вкусового разнообразия в хот-догах легче всего, во-первых, варьируя сами сосиски и колбаски, а во-вторых, за счет разных соусов и наполнителей. Так же, как и в случае с гамбургерами, в предварительно слегка обжаренную булочку вместе с сосиской можно положить маринованные огурцы, шкварки из бекона, сыр, жареный или маринованный лук, ломтики помидоров и сладкого перца.

Попробуйте и такой способ: разрежьте сосиску вдоль, положите внутрь длинный ломтик сыра, заверните все в алюминиевую фольгу и запекайте на решетке. Короче, дерзайте и фантазируйте!

И всегда начинайте вашу гастрономическую программу на свежем воздухе с «киндер-барбекю», то есть с нескольких хот-догов или гамбургеров. Тогда вам не придется прилюдно заниматься решением проблемы «отцов и детей». Особенно если вы позволите своему чаду собственноручно кремировать пару сосисок.

Сосиски и колбаски не рекомендуется готовить на слишком сильном жару, угли должны основательно прогореть.

Сосиски и тонкие колбаски удобно жарить не поперек, а вдоль прутьев решетки, поворачивая их, когда нужно, щипцами. И лишь ближе к концу готовки можно выложить сосиски поперек решетки – чтобы получились красивые поперечные полоски.

Чем лучше разгорится барбекю
у соседа, тем сильнее будет дуть
ветер в вашу сторону.

Из законов Мэрфи для барбекю

Не стоит привязывать собаку
на поводок из сосисок.

Квебекская поговорка

Рецепты

Соус «Кони-Айленд» для хот-догов

Как следует из самого названия, этот соус был придуман торговцами хот-догами из Нью-Йорка, а еще конкретнее – с острова Кони-Айленд.

500 г говяжьего фарша
1 луковица
2 ст. ложки сладкой горчицы
2 ст. ложки яблочного уксуса
2 ст. ложки сахарного песка
1 ст. ложка воды
1 ч. ложка вустерского соуса
1/2 ч. ложки сухого сельдерея
1/2 ч. ложки острого соуса чили
4 ст. ложки кетчупа

В большой сковороде обжарьте на среднем огне мясной фарш и мелко нарезанный лук до тех пор, пока мясо не покоричневеет. Как можно тщательнее разомните фарш вилкой и слейте, если будет, излишек жира.

Хорошо перемешайте все остальные ингредиенты между собой, а затем с фаршем. Поставьте на малый огонь и тушите 35–40 минут, не накрывая сковороду крышкой. Если проявите силу воли и не съедите все сразу большой ложкой, то у вас получится прекрасная приправа к хот-догам.

Колбаски в луковом мармеладе

900 г копченых колбасок (сарделек, сосисок)

Для соуса:

50 г сливочного масла
6 больших красных луковиц
тимьян по вкусу
1 стакан красного вина
3 ст. ложки винного уксуса
1 ст. ложка сахарного песка
соль, перец по вкусу

Распустите в сковороде сливочное масло, обжарьте нарезанный полукольцами лук до мягкости. Влейте вино, уксус, приправьте тимьяном, посолите, поперчите, добавьте сахар. Все перемешайте, доведите до кипения.

Поджарьте колбаски на решетке до хрустящей корочки и подавайте с соусом и картофельным пюре, украсив зеленью.

Колбаски в травах

8 колбасок (типа охотничьих)
свежий чабрец и шалфей
тмин
черный перец горошком

Измельчите листики чабреца и шалфея. Добавьте измельченные зерна тмина и дробленые горошины черного перца.

Смажьте колбаски растительным маслом, обваляйте в специях и обжарьте на углях.

Колбаса и овощи в фольге

круг польской колбасы
300 г маленьких молоденьких морковок
1 головка красного лука
1 кабачок
1 сладкий зеленый перец
2 ст. ложки чесночного масла
соль, перец по вкусу

Сложите пополам большой кусок алюминиевой фольги. Положите на него морковки, нарезанный на четвертинки красный лук, чесночное масло. Загните края фольги так, чтобы получился небольшой противень. Накройте другим листом фольги и загните края. Запекайте на решетке примерно 30 минут.

Снимите верхний лист фольги, добавьте нарезанные наискосок кольца колбасы, очищенный и нарезанный на продолговатые палочки кабачок и нарезанный на крупные куски перец. Посолите, поперчите. Снова прикройте фольгой и запекайте еще 30 минут.

Соус с рокфором и орехами

Подходит для хот-догов и гамбургеров, но хорош и для зажаренного на углях мяса и маленьких шашлычков-брошетов.

3 ст. ложки давленого рокфора
горсть любых дробленых орехов
4 ст. ложки оливкового масла
1 ч. ложка молотой сладкой паприки
соль, перец по вкусу

Раздавите рокфор вилкой и перемешайте с остальными ингредиентами – соус готов.

Секреты шефа

Если вы будете при жарке на решетке сбрызгивать колбаски водой, то корочка у них получится хрустящей.

Сосиски с грудинкой

На одну порцию потребуется 2–3 сосиски: свиных, говяжьих или телячьих – на ваш выбор. Оберните каждую сосиску полоской свиной грудинки, сырокопченой и варено-копченой – на ваш вкус. Для надежности закрепите полоски предварительно вымоченными в воде деревянными зубочистками.

Жарьте на среднем жару, периодически переворачивая. Следите, чтобы грудинка не сгорела, а жир, капающий на угли, не вызвал появления пламени. Через 5–6 минут ваше блюдо готово. Подавайте его горячим со свежими или обжаренными на гриле овощами.

Хот-доги с сыром

8 франкфуртских сосисок
8 длинных полосок сыра грюйер (или любого другого твердого сыра)
1 ст. ложка сливочного масла

Разрежьте сосиски вдоль и вложите в них полоски сыра. Заверните каждую сосиску в фольгу, предварительно смазанную маслом.

Запекайте на решетке в течение 15 минут, время от времени переворачивая. Подавайте с продолговатыми булочками, предварительно разрезав их пополам и обжарив на решетке, а также с горчицей, свежими помидорами и зеленым салатом.

Соус с горчицей и сыром

Этот неострый французский соус подходит для хот-догов и гамбургеров, но хорош и для зажаренного на углях мяса.

200 г белого мягкого сыра (типа фета)
2 яичных желтка
1 ст. ложка сладкой горчицы
1 ст. ложка воды
сок 1 лимона
соль, перец по вкусу

Взбейте в кастрюльке желтки с водой и лимонным соком до получения однородной массы. Поставьте кастрюльку со смесью на водяную баню, то есть в другую, бóльшую по размеру кастрюлю со слабо кипящей водой. Постоянно помешивая, добавьте горчицу. Как только желтки начнут «схватываться», снимите кастрюльку с соусом и дайте ей немного остыть.

Потихоньку добавляйте, перемешивая, белый сыр. Когда сыр хорошо растворится, поставьте соус опять на водяную баню, чтобы он разогрелся. Но ни в коем случае не доводите до кипения, иначе соус свернется. Подавайте горячим. Соус можно сделать поострее, добавив в него толченого чеснока.

Бразильский соус для хот-догов

Этот соус подается вместе с хот-догами, что сотнями тысяч поедаются во время ежегодных карнавалов в Рио-де-Жанейро. Соус обязательно должен быть острым, поэтому не жалейте при его приготовлении перца и уксуса. В таком виде он может не понравиться детям, но взрослые ведь тоже любят хот-доги...

1 очищенный от кожицы и семечек помидор
1/4 стакана консервированной кукурузы
1/4 стакана зеленого горошка
1/4 стакана фаршированных перцем оливок
1/4 стакана черных маслин без косточек
1/4 стакана нарезанного красного лука
1 яйцо, сваренное вкрутую
3 ст. ложки оливкового масла
1,5 (или больше) ст. ложки винного уксуса
соль и свежемолотый черный перец по вкусу

Смешайте нарезанные маленькими кубиками помидор, оливки, маслины, лук и яйцо с зернами кукурузы и зеленым горошком, приправьте уксусом, оливковым маслом, солью и перцем.

Секреты шефа

Есть и такой, я бы сказал, холостяцкий способ жарки колбасок, причем в домашних условиях. Возьмите огнеупорную посуду, положите в нее колбаски, например «Охотничьи», и плесните туда немного чистого спирта. А можно и текилы покрепче (более чем сорокоградусной), или чачи. Аккуратно подожгите, стараясь при этом не подпалить себе и друзьям брови и бороды. Спирт выгорел – блюдо готово!

Пособие для начинающего садиста

Как известно, существуют два основных вида колбасок, которые можно жарить на углях, – уже готовые к употреблению, то есть вареные или полукопченые, и сырые. Первые достаточно только обжарить до хрустящей корочки, со вторыми придется повозиться побольше, особенно если вы надумали изготовить их сами с начала и до конца, то есть из фарша и кишок.

К третьему виду можно отнести «ленивые» – потому что делаются без оболочки – мясные колбаски, такие, как восточные кебабы, молдавский мититей, балканские чевабчичи, индонезийские сатэ из рубленой баранины или говядины, магрибские кефта и т.д. Но и в этом случае полениться не удастся: дабы не сдерживаемый оболочкой фарш сохранял цилиндрическую форму, не рассыпался на решетке или не сваливался с шампуров, его надо очень долго не просто вымешивать, а отбивать, просто лупить без пощады. Если эти во всех смыслах жестокие правила соблюдены, то особых проблем при жарке кебабов (и далее по списку) не должно возникнуть.

Другое дело – сырые колбаски и купаты. Вытекающий из них при жарке жир способен мгновенно превратить ваш мангал в погребальный костер для самих же колбасок, а пар, распирающий оболочку изнутри, может в любой момент взорвать колбаску, как маленькую, начиненную обжигающим жиром бомбу. То же самое, но в гораздо меньшей степени, относится и к сосискам, сарделькам, шпикачкам, шашлычным колбаскам и т.п. К счастью, все эти проблемы вполне разрешимы.

Чтобы быстро справиться с огнем от вытекающего жира, достаточно передвинуть собравшуюся заняться самосожжением колбаску на другое место, поэтому всегда оставляйте на вашей решетке свободное пространство для

Длинные колбасы лучше
длинных речей.

Словацкая поговорка

Секреты шефа

Сырые свиные колбаски перед приготовлением на гриле нужно пару минут подержать в кипятке – это умерит их стремление взрываться при жарке на углях. Но проколоть в них затем с десяток маленьких дырочек все же не забудьте! Это позволит не только исправить взрывчатый характер колбасок, но и поможет им равномерно прожариться.

Судопроизводство – машина,
в которую попадаешь в виде
свиньи, а выходишь –
в виде сосисок.

Амброз Бирс.
Словарь Сатаны

такого маневра. А чтобы ваши колбаски или купаты перестали лопаться от возмущения, проколите или слегка надрежьте их перед готовкой в нескольких местах по кругу и предоставьте им возможность лить горючие жирные слезы, сетуя на свою мученическую судьбу.

Перечел я сейчас вышеизложенное и сам ужаснулся, какое странное собрание глаголов образовалось: отбить, отлупить, проколоть, надрезать, сжечь – прямо как из пособия для начинающего садиста. Но что поделаешь, искусство кулинарии тоже требует своих жертв. Так пусть ими лучше станут попавшиеся нам под руку продукты, а не собравшиеся к нашему столу гости.

Секреты шефа

Дырочки в оболочке колбасок лучше всего проделывать обыкновенной иголкой. А чтобы не потерять иголку на кухонном столе, а еще хуже – в приготовленном фарше, воткните иголку поглубже (той стороной, где ушко) в обыкновенную винную пробку, и ваше колющее оружие всегда будет наготове и на виду.

Законы, как сосиски, – лучше не видеть, как они готовятся.

Отто фон Бисмарк

Рецепты

Колбаски домашние с гранатом

500 г мякоти свинины с жиром
2 головки репчатого лука
1 яйцо
1/2 ч. ложки молотой корицы и гвоздики
1/4 ч. ложки молотого черного перца
1 долька чеснока
зерна граната (или барбариса)
стручковый перец и соль по вкусу
растительное масло

Сделайте фарш из мяса и 1 головки лука, добавьте молотый перец, толченый стручковый перец, чеснок, соль, молотые корицу и гвоздику, яйцо и перемешайте, не повредив при этом зерен граната.

Скатайте из фарша продолговатые колбаски, смажьте растительным маслом и обжарьте на решетке. Перед подачей к столу украсьте нарезанным репчатым луком и полейте гранатовым соком.

Колбаски «Любительские»

500 г говяжьей мякоти
100 г говяжьего жира
4 луковицы
0,5 стакана воды
1 ч. ложка хмели-сунели
1 пучок зелени петрушки
1 ч. ложка соли
1/2 ч. ложки черного молотого перца

Все ингредиенты пропустите через мясорубку, тщательно перемешайте, набейте фаршем обработанную, хорошо промытую свиную кишку, используя специальный шприц. Полученным колбаскам придайте форму подков и обжарьте на умеренно разогретой решетке в течение 15 минут.

Подавайте с соусом сацибели и обжаренными на решетке помидорами и сладким перцем.

С какой стороны от барбекю ни становитесь, дым все равно будет идти прямо в глаза.

Из законов Мэрфи для барбекю

Мититей

Рецепт этого блюда молдавской и румынской кухни мне дал известный кулинарный журналист и писатель Борис Бурда.

1 кг говядины
1 головка чеснока
1 ч. ложка молотого тмина
5–6 ст. ложек крепкого мясного бульона
20 горошин черного перца
соль по вкусу
сода – на кончике ножа

Пропустите мясо, чеснок и специи через мясорубку дважды. Добавьте бульон. Вымешайте и выбейте фарш до пастообразного состояния. Поставьте миску с фаршем на несколько часов в холодильник. Если собираетесь жарить это блюдо на природе, то обязательно везите фарш в сумке-холодильнике.

Накатайте из фарша колбаски. Жарьте на гратаре (так в Молдавии называют гриль). Желательно использовать угли деревьев плодовых пород. Время от времени поворачивайте колбаски и смазывайте их с помощью птичьего пера то подсолнечным маслом, то крепким мясным бульоном.

Подавайте горячими, прямо с углей, со свежими овощами и любыми острыми соусами.

Заметки на полях

Немцев недаром называют колбасниками: такого изобилия всевозможных сосисок, сарделек и колбасок не найдешь ни в одной другой стране мира. Но самые знаменитые, самые деликатесные делают в Баварии. Это мюнхенские белые колбаски – вайсвурсты. Придуманные в середине XIX века хозяином мюнхенского кабачка Йозефом Мозером, они быстро стали «визитной карточкой» сначала Мюнхена, а затем и всей Баварии. Про них до сих пор пишут очерки и рассказывают анекдоты, в их честь слагают стихи и баллады, о них защищают диссертации. И вот уже полтора века баварцы готовят свои вайсвурсты по классическому рецепту. Нужно взять три четверти свежайшей телятины и четверть свинины, отбить специальным деревянным молотком и приготовить нежный фарш с добавлением вареных телячьих мозгов, мелко нарезанной зелени петрушки, лимонной цедры, яичного белка и лука. Затем в фарш добавляют, для эластичности, мелко колотый лед и приправляют солью, перцем и мускатным орехом.

Секреты шефа

Баварские колбаски мало правильно приготовить, нужно еще уметь правильно их употребить. В Баварии считается едва ли не преступлением заказывать к вайсвурсту что-нибудь еще, кроме сладкой горчицы, свежеиспеченного соленого кренделя-бретцеля и конечно же пива.

Баварские колбаски с бананами

12 баварских белых колбасок
2–3 банана
200 г шпика
приправа карри

Бананы очистите и нарежьте кружочками. Шпик нарежьте тонкими полосками.
Предварительно слегка обжаренные колбаски разрежьте вдоль на половинки, положите между двух половинок по 3 кружочка банана и оберните каждую колбаску тонкой полоской шпика. Скрепите полоски предварительно вымоченными в воде деревянными зубочистками. Посыпьте карри.
Выложите упакованные таким образом колбаски на решетку и жарьте, переворачивая, пока шпик не станет золотистым и хрустящим.
Подавайте с рисом и зеленым салатом.

Баварские колбаски в пиве

6 баварских белых колбасок
1 банка любого пива (330 г)
1 средняя луковица
6 горошин черного перца
4 гвоздика гвоздики

Смешайте пиво, мелко нарезанный лук, давленый перец и гвоздику. Замаринуйте на 20 минут в этой смеси колбаски.
Зажарьте колбаски на решетке, периодически переворачивая, до коричневого цвета. Подавайте на продолговатых булочках с горчицей.

Баварские колбаски с грибным ассорти

12 баварских белых колбасок
1 кг смешанных грибов (белые грибы, лисички и шампиньоны)
2 ст. ложки масла
125 мл сливок
соль, перец по вкусу

Очистите, тонко нарежьте грибы, добавьте масло, соль и перец по вкусу и тушите в сковороде примерно 10 минут до готовности. В конце добавьте 125 мл сливок.
Обжарьте колбаски с двух сторон до золотистой корочки и выложите в грибы. В качестве гарнира подайте картофельное пюре.

Гамбургеры

Биг Мак и другие

Нас отвели в кафе фаст-фуда, где наш заказ был введен в компьютер. Наши гамбургеры были сделаны из химически окрашенного мяса, зажарены на угле из искусственного дерева, помещены между ломтиками ароматизированного картона и были поданы нам малолетними преступниками, находящимися на трудовом перевоспитании.

Жан-Мишель Шаперо.
Американская зима

С приветом от сарматов

Скажите, Александр Иванович, нет ли у вас холодной котлеты за пазухой?

Из записных книжек Ильи Ильфа

История возникновения гамбургера сокрыта во тьме веков. Не верите? Судите сами. Официальной датой рождения этого, как теперь любят говорить, культового блюда американской кухни обычно называют 1904 год, когда посетителям Всемирной ярмарки в Сент-Луисе была дана возможность полакомиться круглой мясной лепешкой на пшеничной булочке. Во всяком случае в вышедшем в 1912 году словаре американского сленга уже было отмечено появление новомодного жаргонного словечка «бургер» – так называли «любой горячий сандвич со всякими приправами, подаваемый, как правило, на разогретой булочке». Есть и гораздо более ранние упоминания о «гамбургском стейке», но, похоже, именно в Сент-Луисе произошла (использую уже наш современный возвышенно-идиотский сленг) судьбоносная для американской нации и всего жующего человечества встреча булочки и котлеты.

Казалось бы, одно ясно – это блюдо завезено в Америку переселенцами из Германии, еще точнее – из немецкого портового города Гамбурга. Но сами немцы от своих родительских прав открещиваются и кивают еще дальше, на восток, то есть на матушку-Россию. Что же тогда получается: наша родная котлета – старшая сестра гамбургеру, а «Макдоналдс» в двух шагах от Кремля – не более чем восстановление исторической справедливости?

Слава богу, мы здесь ни при чем (я имею в виду сомнительное кулинарное родство, а не месторасположение американской закусочной, – на кого обижаться, если мы сами вовремя не смогли наладить собственный общепит). Кулинарным дедушкой гамбургера провозглашен так называемый татарский бифштекс, довольно популярный в Германии и подаваемый в качестве экзотического блюда в ресторанах ряда других стран Западной и Центральной

Секреты шефа

Само слово «гамбургер» впервые появилось в печатном виде на страницах газеты «Бостон ивнинг джорнэл» в 1884 году; другие источники ссылаются на меню знаменитого нью-йоркского ресторана «Дельмонико», датируемое аж 1834 годом. Но тогда под этим словом понималась не рубленая котлета, а обычный хорошо отбитый бифштекс.

В разных вариациях и под разными фирменными названиями White Castle, Wimpy Burger, Big Boy (первый двойной гамбургер, появившийся в 1930 году) новое блюдо быстро завоевало сердца и желудки американцев. В 1948 году открылся первый «Макдоналдс», поначалу пробавлявшийся хот-догами, но в начале 50-х вторгнувшийся на новый для себя рынок. В 1968 году на «орбиту» был запущен Биг Мак.

Европы. Причем главная экзотика заключается в том, что вам приносят кучку рубленой сырой говядины, на которую сверху, для пущего пижонства, водружена половинка яичной скорлупы с желтком внутри. Если, соблазнившись на необычное название, вы с понтом закажете *steak tartar*, то вам, чтобы не осрамиться перед официантом, придется проделать следующее: вылить желток в фарш, все это дело посолить, поперчить, перемешать и слопать. (Помню, в детстве я не раз получал по рукам за то, что таскал из миски сырой фарш для котлет, – бабушка почему-то считала это не гурманством, а свинством.)

А на татар подобное сыроедство списывают потому, что они или даже, может быть, их предшественники сарматы во время своих бесконечных военных походов якобы питались сырым мясом, которое хранили под седлами своих лошадей. На мой взгляд, просоленное конским потом и вялившееся по ночам (когда нет мух) на ветерке мясо вряд ли можно считать сырым. И если этот древний «кулинарный» прием что-то напоминает, то уж никак не рубленую котлету, а скорее, скажем, приготовление бастурмы.

Но вернемся из тьмы веков, из-под сени этой развесистой американо-немецко-татарской клюквы в наше время. Сегодня каждый среднестатистический американец съедает по три гамбургера в неделю. В год в Штатах производится 38 миллиардов гамбургеров – только один «Макдоналдс» продал их уже столько, что каждому жителю Земли досталось бы по 12 штук. Даже чуть-чуть больше, так как я от причитающейся мне дюжины Биг Маков отказываюсь. Лучше сам нажарю себе и друзьям на решетке вкусных и сочных, с дымком, гамбургеров...

Секреты шефа

Приготовленные мясные лепешки могут несколько часов храниться в холодильнике; за это время пряности и другие ингредиенты лучше пропитают мясо.

Самый простой способ приготовления мясных лепешек: скатать шарик фарша, а потом расплющить его до нужной толщины между двумя листами вощеной бумаги или полиэтилена.

Самая вкусная пища – это та, в которой содержится как можно больше калорий.

Из законов Мэрфи для барбекю

Рецепты

Гамбургеры из индейки по-калифорнийски

500 г рубленой индейки
0,5 стакана мелко нарезанного розового лука
1 взбитое яйцо
2 ст. ложки панировки
2 ст. ложки мелко нарезанной кинзы
соусы вустерский и «Табаско»
ломтики швейцарского сыра
ломтики помидоров
ломтики огурцов с укропом
соль, перец по вкусу

Для соуса:

125 г белого йогурта (или кефира)
1 зубчик давленого чеснока
1 ст. ложка нарезанной кинзы
1 ч. ложка хрена
1 ч. ложка дижонской горчицы
соль, перец по вкусу

Смешайте ингредиенты фарша, накройте крышкой и поставьте на 2 часа в холодильник. Смешайте соус и тоже поставьте в холодильник.

Сформуйте гамбургеры, положите их на хорошо разогретую решетку и запекайте по 3–5 минут с каждой стороны.

За 2 минуты до того, как гамбургеры будут готовы, положите на них по ломтику сыра.

Когда будете вкладывать в обжаренные половинки булочек гамбургеры, положите на каждый кружочки помидоров и огурцов, полейте соусом и подавайте с зеленым салатом и жареной картошкой.

Гамбургеры из баранины с мятой

500 г рубленой молодой баранины
2 ст. ложки мелко нарезанной свежей мяты
1 давленый зубчик чеснока
1 ч. ложка сухого розмарина
сок 1 лимона
соль, перец по вкусу

Смешайте фарш с остальными ингредиентами и сформуйте 6 гамбургеров.

Положите гамбургеры на хорошо разогретую решетку и запекайте по 3–4 минуты с каждой стороны. Подавайте на обжаренных булочках с зеленым салатом, нарезанными кружочками помидорами и вашими любимыми приправами.

Гамбургеры из индейки очень острые

Рецепт для горячих американских парней. К одному такому гамбургеру полагается полдюжины банок пива.

500 г рубленой индейки
6 ст. ложек овсяных хлопьев

Для соуса:

1 ст. ложка уксуса
1 ст. ложка вустерского соуса
2 давленых зубчика чеснока
1/4–1/2 измельченного свежего перца чили
1/4 ч. ложки соуса «Табаско»
1/4 ч. ложки черного молотого перца

Смешайте ингредиенты соуса. Отлейте немного соуса – он пригодится при жарке.

В большой миске смешайте рубленое мясо с овсяными хлопьями. Добавьте в фарш большую часть соуса и хорошо перемешайте.

Сформуйте 4 продолговатые лепешки, положите их на хорошо разогретую решетку и запекайте по 5–7 минут с каждой стороны, смазывая оставшимся соусом.

Секреты шефа

Чтобы сырые гамбургеры не слипались между собой, проложите их целлофаном или вощеной бумагой.

Если вы не планируете сразу же жарить заготовленные гамбургеры, то положите их на широкое блюдо, неплотно прикройте пленкой или вощеной бумагой и поставьте в холодильник.

Снять готовую лепешку с листа можно пальцами, а еще лучше – с помощью скалки. И если вы, конечно, не суперпедант и зануда, совсем необязательно стремиться к идеально круглым формам.

Гамбургер по-парижски

Этот рецепт придуман не французами, а канадцами из Квебека, но галльские корни, безусловно, чувствуются.

500 г рубленой нежирной свинины
1 мелко нарезанная луковица
1 ст. ложка дижонской горчицы
мелко нарезанная цедра 1/2 лимона

Для соуса-ремулада:

125 г легкого майонеза
1 ст. ложка дижонской горчицы
по 1 ст. ложке мелко нарезанных каперсов и корнишонов
по 1 ст. ложке лимонного сока и нарезанной цедры
2 ст. ложки нарезанной петрушки
соль и свежемолотый перец по вкусу

Для начала приготовьте соус-ремулад, для чего смешайте майонез, горчицу, каперсы, корнишоны, лимонный сок, петрушку, приправьте все это солью и перцем и поставьте в холодильник.
Смешайте ингредиенты фарша, сформуйте гамбургеры и запекайте на решетке до готовности.
Подавайте на булочках с нарезанными помидорами, огурцами, зеленым салатом и соусом «Барбекю».

Гамбургеры с ананасом и беконом

В этом совсем незатейливом рецепте для приготовления самих гамбургеров используются всего два ингредиента, но зато в оформлении блюда проявлен недюжинный полет фантазии.

1 кг рубленой говядины (или свинины)
0,5 стакана покупного соуса «Барбекю»
4 кружка консервированных ананасов
8 тонких ломтиков бекона

Смешайте фарш и соус «Барбекю», посолите, поперчите по вкусу.
Сформуйте 4 мясных лепешки, на каждую положите по кружку ананаса.
Оберните крест-накрест каждую из этих конструкций двумя длинными и тонкими ломтиками бекона и закрепите их деревянными зубочистками.
Отгребите угли к боковым сторонам жаровни и запекайте гамбургеры там, где поменьше жара, а еще лучше – при закрытой крышке барбекю. Почаще переворачивайте и следите, чтобы бекон не пригорел.

Гамбургеры доктора Солсбери

Этот рецепт приписывается американскому врачу Джеймсу Солсбери, провозгласившему аж в 1888 году, что основной причиной всех болезней, которыми страдает человечество, является изобилие мучной пищи и блюд, содержащих крахмал. Он одним из первых стал пропагандировать протеиновую диету, предложив почаще есть рубленое нежирное мясо, то есть то, что позже стали называть гамбургерами. К началу XX века «стейк доктора Солсбери» стал широко распространенным, особенно на юго-западе США, блюдом и подавался обычно с грибной подливкой. Вот его современный вариант.

750 г рубленой говядины
0,5 стакана тертого твердого сыра
1/4 стакана мелко нарезанной кинзы
3–4 не очень острых зеленых маринованных перца
2 ст. ложки нарезанного зеленого лука
1 ст. ложка текилы
1–2 ч. ложки молотого перца чили
1 ч. ложка соли

Смешайте ингредиенты фарша и сформуйте 4 овальные лепешки толщиной в 1,5–2 см (можно сделать накануне и держать в холодильнике).
Готовьте на углях по 6 минут с каждой стороны. Подавайте с ломтиками авокадо, красным луком, замаринованным в лимонном соке, и соусом сальса по вашему вкусу.

Джанк-фуд и «пирожки с котятами»

Что такое патриотизм, если не любовь к пище нашего детства.

Лин Ютанг,
китайский философ

Гамбургеры немудрены в приготовлении, и все дело здесь в добросовестности и фантазии повара. В одной солидной американской книге по кулинарному искусству я нашел следующий рецепт: «Смешайте фарш с мелко нарезанной луковицей, панировкой, солью и перцем, добавьте в фарш покупного соуса «Барбекю». Из фарша лепятся плоские котлетки, которые надо запекать на смазанной растительным маслом решетке по 6–8 минут с каждой стороны, пока мясо в середке не потеряет красноватого оттенка». Не знаю, как вы, а я бы не стал разводить угли ради такого «шедевра».

Чего скрывать, я вообще не в восторге от американской кухни, особенно от всех этих блюд, что готовятся на скорую руку, а поедаются – на скорую ногу. Так уж повелось, что за «гамбургер» в наших уличных киосках обычно выдается волокнистая котлета из фарша сомнительного происхождения, засунутая вместе с пожухшим луком и пожелтевшим листом салата в квелую, как отсыревшая вата, булочку. Весь этот комок биомассы, вместе с упаковкой, засовывается в микроволновую печку и пару минут спустя выдается торопящемуся покупателю. В российских «Макдоналдсах», или, как их сейчас называет молодежь, в «макдачках», это выглядит поаппетитнее, но все равно напоминает процесс машинного кормления, а заодно, учитывая непомерно высокие цены, и доения.

Совсем другой коленкор – приготовить гамбургер самому, на углях, из хорошего мяса, да со всякими соусами, с помидорчиком, салатом и сырком, да на обжаренной здесь же румяной булочке...

Именно такие гамбургеры любят американцы. Они, безусловно, догадываются, что полезным для здоровья в покупных биг-маках и чизбургерах является лишь тоненькая прослойка воздуха между булкой и котлетой, а потому

Секреты шефа

Главный секрет хорошего гамбургера заключается в том, что мясо для фарша должно быть в меру жирным. Если вы собрались порадовать себя и других гамбургерами, забудьте на время о килокалориях. Оптимальное количество жира в фарше для сочного гамбургера должно составлять от 15 до 20 процентов.

Когда разожжете угли, достаньте блюдо с сырыми гамбургерами из холодильника – пусть полчасика согреются при комнатной температуре.

Подобно тому, как некогда штурманы ориентировались по звездам, вы можете пересечь эту страну, используя в качестве ориентиров забегаловки, где продают гамбургеры.

Чарлз Каралт, американский журналист

сами называют блюда забегаловок фаст-фуда не иначе как джанк-фуд (помоечная еда). И все же искренне к ней привязаны. Вот такая вот кулинарная ностальгия.

Но ведь и мы с улыбкой вспоминаем казавшиеся когда-то такими вкусными «пирожки с котятами» у метро и родные до боли в желудке котлеты по 6 копеек...

Рецепты

Гамбургеры по-тайски

500 г рубленой говядины
0,5 стакана панировки
2 ст. ложки нарезанного лимонного сорго
2 ст. ложки нарезанного базилика
2 ст. ложки нарезанного лука-резанца
1–2 мелко нарезанных красных чили (без семян)
1/4 стакана дробленого арахиса
соль, перец по вкусу

Смешайте фарш с остальными ингредиентами (если заготовка делается заранее, то арахис и соль надо добавить в последний момент, непосредственно перед жаркой).
Положите гамбургеры на хорошо разогретую решетку и запекайте по 3–5 минут с каждой стороны. Подавайте, полив лимонным соком.

Гамбургеры по-марокკански

750 г рубленой говядины
4 ст. ложки кедровых орешков
8 шт. кураги
цедра 1/2 лимона
1/2 ч. ложки корицы
1/2 ч. ложки сухого чеснока
1/2 ч. ложки тмина
1/2 ч. ложки кайенского перца

Смешайте рубленую говядину с остальными мелко нарезанными ингредиентами и пряностями, сформуйте гамбургеры.
Запекайте на хорошо разогретой решетке по 2–3 минуты с каждой стороны.

Гамбургеры по-бургундски

Если у вас есть знакомые французы, не показывайте им этот рецепт – они и так не любят американцев. Слава богу, что в нем используется не настоящее бургундское, а ординарное красное сухое вино. Этого бы французы не снесли и забрали назад у американцев статую Свободы. Но если не брать всерьез претенциозное название рецепта, блюдо получается вкусное.

1 кг рубленой говядины
1 небольшая мелко нарезанная луковица
1 стакан панировки
1 яйцо
3 ст. ложки красного сухого вина
1 ч. ложка соли
давленый черный перец

Для соуса:

3 ст. ложки сливочного масла или маргарина
1 небольшая мелко нарезанная луковица
3 ст. ложки красного сухого вина

Смешайте ингредиенты фарша и приготовьте 6 лепешек в 2,5 см толщиной.
Приготовьте соус. Для этого обжарьте лук в масле или маргарине (ой, бедные бургундцы!), а когда лук станет мягким, добавьте вино.
Смажьте этим соусом гамбургеры и жарьте на решетке примерно 9 минут, постоянно смазывая. Потом переверните и жарьте еще 4 минуты, продолжая смазывать соусом.
Подайте с нарезанным по диагонали, смазанным маслом и обжаренным на решетке французским хлебом и оставшимся подогретым соусом.

Гамбургер по-швейцарски

Почему его так обозвали в Америке, сказать трудно. Наверное, из-за входящего в этот рецепт швейцарского сыра? Одно радует – хоть шоколадом поливать не предложили...

500 г рубленой говядины
4 ст. ложки мелко нарезанных корнишонов
4 ст. ложки натертого швейцарского сыра
соль, перец по вкусу

Смешайте ингредиенты фарша и приготовьте 8 тонких мясных лепешек.
Положите на 4 лепешки ровным слоем по 1 ст. ложке нарезанных корнишонов и натертого сыра, накройте каждую второй лепешкой и слегка защепите края.
Обжарьте на решетке до готовности и подавайте на булочках с листьями салата.

Гамбургеры по-гречески

500 г рубленой баранины
1 мелко нарезанная луковица
1 ст. ложка дижонской горчицы
мелко нарезанная цедра 1/2 лимона
1 давленый зубчик чеснока
1/2 ч. ложки сухого розмарина
соль, перец по вкусу

Смешайте ингредиенты фарша, сформуйте гамбургеры и запекайте на решетке до готовности.
Подавайте на лепешке пита с нарезанными помидорами, огурцами и зеленым салатом.

С точностью до наоборот

Самое главное в приготовлении гамбургеров – это правильно выбрать мясо. Казалось бы, возьми кусок говядины, как для наших родных котлеток, – пожирнее и помоложе, а еще проще – купи готовый фарш. Но с этой американской котлетой немецкого происхождения поступать надо с точностью до наоборот. Да, жирное мясо вроде бы сочнее, но при жарке на решетке жир польется на угли, все будет дымиться, и в итоге гамбургеры получатся как будто усохшими, гораздо меньшими по размеру, чем они были в сыром виде, и к тому же обугленными.

Что касается возраста говядины, то в данном случае молодое мясо, а тем более телятина, ни к чему: сухо, постно получится, без аромата. Это совсем не значит, что надо отправляться на поиск коровьих долгожителей – прекрасно подойдет мясо двух-трехлетнего животного. И не нужно покупать вырезку – она слишком постна; возьмите огузок или тонкий край.

А вот чего совсем не советую, так это брать готовый фарш. Кто, в чем, когда, из чего его молол – зачем вам эта «угадай-ка», особенно при богатом воображении? Выберите хороший кусок нежирной зрелой говядины, срежьте с него пленки и жилки, а потом проверните на ручной мясорубке, желательно покрупнее.

Если для котлет нужен хорошо вымешанный фарш, то для гамбургеров – это опять же смерть. Чем меньше вы будете теребить рубленое мясо, добавляя в него пряности и все прочее, тем более нежными и сочными будут гамбургеры. Для перемешивания фарша пользуйтесь вилкой, а не ложкой или пальцами, памятуя о том, что гамбургер, загостившийся в ваших руках, становится при жарке более плотным и сухим. То, что русской котлете хорошо, то американскому гамбургеру – карачун...

То, что русскому хорошо,
то немцу – карачун.

М.Е. Салтыков-Щедрин,
русский писатель

Секреты шефа

А вот соль класть в фарш не рекомендую, хотя этот ингредиент встречается во многих американских кулинарных книгах. Если вы по такому рецепту приготовите фарш заранее, то соль отожмет из мяса все соки, и ваши гамбургеры смогут соревноваться по твердости с хоккейными шайбами. Лучше солить гамбургер только в тот момент, когда укладываешь его на горячую решетку.

Секреты типовой сборки

Хороший гамбургер –
аж уши грязные!

*вольный перевод
с американского*

Секреты шефа

В фарш для гамбургеров можно добавлять все, что заблагорассудится: измельченный лук и чеснок, свежие или сушеные травы и специи, разные сыры, нарезанные бекон, колбасу, ветчину и прочие копчености; всякие готовые соусы и заправки для салата, оливки, каперсы, перец чили и сладкий перец, помидоры и т.д. и т.п. Дерзайте!

И вот, наконец, лопатка у вас в правой руке и бокал с чем-нибудь холодным – в левой. Отхлебнули и поехали!

Пробуем знакомым ручным способом, хороши ли угли: раз, два, о-ой! – угли замечательные. Кладем гамбургер на разогретую и смазанную растительным маслом решетку. И он сразу же к ней прилипает – порядок, так и должно быть! Кладите один за другим все следующие. Не теребите их, не придавливайте сверху лопаткой, от этого они не приготовятся быстрее, а лишь потеряют сок. И вообще, обращайтесь с ними, как с женщинами: смело, но нежно и без какого-либо принуждения.

Следите за боковой кромкой гамбургера: если она красная – еще сырой, начала коричневеть – скоро пора переворачивать. Нежно испытываем лопаткой прочность союза гамбургера и решетки, – как только отлепится, сразу переворачиваем.

В это время можно, если вы задумали чизбургер, положить сверху ломтик сыра. Будьте внимательны и не переверните в запале уже увенчанную сыром лепешку – испортите и себе настроение, и решетку.

Снимаем на пробу первым попавший на угли гамбургер, аккуратно прокалываем вилкой в центре: если серединка прожарилась, можно отправлять готовый гамбургер на блюдо, а за ним и все остальные.

Даю порядок сборки типового гамбургера: на нижнюю часть булочки кладется мелко нарезанный сырой лук, затем мясная лепешка, нарезанные маринованные огурчики и кружочки свежих помидоров, а сверху лист зеленого салата. Если хотите положить ломтик сыра, то его место между мясом и маринованными огурцами. Горчица или майонез, прочие соусы мажутся на верхнюю часть булочки. Обе половинки складываются вместе, а дальше главное – не вывихнуть челюсть!

От латинского «маринара»

Самой лучшей приправой
является аппетит.

Ксенофон Эфесский,
греческий античный романист

Для сочности и аромата

Не все знают, что слово «маринад» происходит от латинского *marinara*, что в переводе означает «морской». Когда-то для сохранения и смягчения мяса и рыбы действительно использовалась морская вода, в которую позднее стали добавлять пряности. В состав маринадов сейчас обычно включают различные травы и специи, а также овощи с сильным запахом, например лук и чеснок.

Отметим сразу, что не всякое мясо стоит мариновать. Молодой барашек, парная свиная шейка или говяжья вырезка в этом вряд ли нуждаются. Другое дело, если вы хотите придать блюду особый вкус и аромат. Но и в этом случае их достаточно лишь недолго подержать в маринаде – от нескольких минут до 2–3 часов, но никак не более.

Наиболее часто (и не всегда к месту) используют составы с кислой основой – обычно это уксус, сухое вино, сок лимона или других цитрусовых, помидоры. Такой маринад разрушает мышечные волокна, на какое-то время делая мясо более нежным. Но ненадолго! Если поначалу как бы «обожженная» кислотой поверхность куска удерживает внутри все соки, то спустя несколько часов мясо теряет влагу и становится более жестким.

После 10–12 часов «кислый» маринад уже начинает «варить» мясо, оно становится словно резиновым – после жарки кусать его вроде бы мягко, но жевать трудно. Для того чтобы этого избежать, в подобные маринады добавляют растительное масло – оно помогает сохранить сочность кусков. Так что не усердствуйте, добавляя в ваш маринад вино и тем более уксус, ну а если уж от широты души перелили, не передерживайте в нем мясо.

В южных странах часто используют как основу для маринада плоды тропических фруктов – киви, папайю, ананас, некоторые сорта дыни и даже свежие плоды

...будешь давить оливки,
и не будешь умащаться елеем;
выжмешь виноградный сок,
а вина пить не будешь.

Ветхий Завет,
Книга пророка Михея, 6:15

Секреты шефа

Маринование мяса в течение 12 и более часов сокращает время готовки примерно на одну треть. Так что, если хотите поменьше коптиться у мангала и подольше побыть с гостями за столом, кормите их не столь нежным (но вполне мягким) мясом. Выбор за вами!

Разнообразие – вот истинная приправа нашей жизни, придающая ей истинный аромат.

Уильям Купер, английский поэт

Заметки на полях

Перемешивать маринад надо деревянной ложкой. Лучше всего подходит для маринования стеклянная, керамическая или металлическая эмалированная посуда. Но ни в коем случае не алюминиевая, поскольку она вступает в реакцию с кислотой, содержащейся в маринаде. По той же причине не стоит использовать для этих целей и алюминиевую фольгу. Ведь наша с вами задача – приготовление чего-нибудь очень вкусного, нежного и ароматного, а не производство ядохимикатов.

И конечно же мариновать любые продукты надо только в холодильнике: теплая среда – это рай для бактерий, которые только и ждут, чтобы испортить вам желудок. А коль уж речь все равно пошла о неприятном, добавлю: никогда не используйте остатки маринада для смазывания почти готового мяса и тем более в виде соуса. Особенно если речь идет о блюдах из курицы или свинины. Из некоторых маринадов действительно получаются прекрасные соусы, но для этого их надо обязательно прокипятить в течение хотя бы 5 минут.

Секреты шефа

Приготовленному маринаду лучше дать настояться примерно час.

финикового дерева. Как недавно выяснили ученые, эти плоды содержат протеиновые энзимы, тоже размягчающие мышечные волокна. Но, как и в «кислом» маринаде, мясо в компании с энзимами долго держать не стоит – оно станет как каша.

Очень хорошо использовать в качестве маринада молочные продукты, например йогурт, кефир или нежирное молоко. Содержащаяся в них легкая кислота действительно делает мясо более нежным, но в то же время не «варит» его.

Можете убедиться сами. Вот очень простой рецепт, годящийся не столько для праздничного барбекю, сколько для повседневной жизни: положите в стеклянную банку небольшие отбитые куски говядины или свинины, пусть даже довольно жесткие, и залейте молоком. Поставьте на ночь в холодильник.

Когда на следующий день захочется мясца, обваляйте несколько кусочков в панировочных сухарях и быстро зажарьте на сковороде – мягкость и сочность гарантирую! Солить надо на столе или непосредственно перед тем, как отправляете мясо на сковороду. Хранить мясо в молоке можно 3–4 дня. Очень удобно для занятых, но тем не менее уважающих свой желудок людей.

Для того чтобы определить, сколько потребуется маринада, можно исходить из очень простого расчета: полстакана жидкости на каждые полкило мяса. Обычно этого хватает, чтобы куски были полностью покрыты маринадом. В противном случае вам придется время от времени переворачивать мясо, дабы каждый кусочек получил свое и пропитался не хуже других. Ничего не поделаешь – даже здесь необходимо равноправие...

Рецепты 

Приготовить хороший салат и быть искусным дипломатом – дело одинаково тонкое: и в том, и в другом случае важно в точности знать, сколько употребить масла, а сколько уксуса.

Оскар Уайльд

Маринад из йогурта и кураги для баранины, свинины и курицы

1 нарезанная средняя луковица
0,5 стакана белого йогурта или кефира
1 давленый зубчик чеснока
1 пучок петрушки
3 ст. ложки мелко нарезанной кураги
1/4 ч. ложки корицы
соль, перец по вкусу

Маринуйте не более 2 часов.

Маринад с джином для свинины и говядины

Этот маринад дает при жарке на углях золотистую хрустящую корочку и нежный оригинальный аромат. Указанного в рецепте количества хватит на то, чтобы замариновать 2–3 свиные вырезки или 4 бифштекса.

1 стакан соевого соуса
8 ст. ложек растительного масла
4 ст. ложки джина
3–4 давленых зубчика чеснока

Маринуйте не более 6–10 часов.

Кубинский маринад для курицы, свинины, говядины и рыбы

1 нарезанная средняя луковица
1 давленый зубчик чеснока
0,5 стакана сока зеленых апельсинов (или 5 ст. ложек сока лайма)
по 1/2 ч. ложки сухого майорана и тмина
1/4 ч. ложки соли
0,5 стакана воды

Мясо можно замариновать на ночь, курицу – на 3–4 часа, рыбу – на 1–2 часа.

Маринад с мелиссой для белого мяса птицы

2 ст. ложки ароматного уксуса
1 стакан растительного масла
горсть свежей мелиссы
1 давленый зубчик чеснока

Маринуйте не более 10–12 часов.

Маринад на кетчупе для говядины и курицы

Перед жаркой замаринованные в этом маринаде куски необходимо насухо вытереть. Смазывайте им готовящееся блюдо в самом конце – чтобы не пригорели содержащиеся в маринаде кетчуп и мед.

8 ст. ложек кетчупа
3 ст. ложки оливкового масла
4 ст. ложки соуса чили
1/2 ч. ложки хрена
4 ст. ложки винного уксуса
3 ст. ложки меда
1 ст. ложка мелко нарезанного лука-шалота
по несколько капель соуса «Табаско» и соевого соуса
черный молотый перец по вкусу

Маринуйте не более 4–6 часов.

Секреты шефа

Мариновать продукты необходимо, обязательно используя растительное масло. Все ароматы по своей химической природе – эфиры, а эфиры растворяются в органических растворителях. Вот растительное масло и есть такой растворитель, которому специи отдают свой вкус. Масло, обволакивая мясо тонкой пленкой, в свою очередь, отдает ему вкус специй.

Я люблю мариновать продукты в менее «агрессивной» среде, например в натуральном йогурте, добавив в него растительное масло. Кстати, йогурт дает хорошую корочку. Можно мариновать в томатном соке, в крайнем случае в белом вине, но не в уксусе.

Илья Лазерсон, президент Коллегии шеф-поваров Санкт-Петербурга

Искусство кулинарии требует английской тщательности, французской изощренности и арабского гостеприимства, оно подразумевает знание всех плодов, трав, бальзамов и специй; оно означает осторожность, изобретательность и внимание.

Джон Раскин, английский писатель и художник

Заметки на полях

Для белого, нежного по своей текстуре мяса подходит легкий маринад, причем долго в нем держать мясо не требуется. Например, для того, чтобы сделать нежной и ароматной куриную или индюшачью грудку, достаточно одного часа.

Такой маринад затем можно использовать для смазывания мяса во время жарки и в качестве основы для соуса. Главными ингредиентами здесь служат оливковое или другое растительное масло (рафинированное, без запаха!) и какой-нибудь «окислитель»: сок лимона или лайма, уксус фруктовый, винный или спиртовой, белое сухое вино. Примерное соотношение масла и «окислителя» – 250 и 50 г соответственно.

Можно также использовать белый натуральный йогурт или кефир.

Это – «база», а далее по своему вкусу и наитию сооружаете «надстройку» из трав и пряностей (чабрец, лавровый лист, петрушка, розмарин, анис). Прекрасно подойдет мелко нарезанный лук-шалот, лук-резанец или просто красный или белый лук.

Восточный маринад для свинины, говядины и телятины

Перед жаркой замаринованные в этом маринаде куски необходимо насухо вытереть. Смазывайте им готовящееся блюдо в самом конце, чтобы не пригорел содержащийся в маринаде мед.

2 ст. ложки сухого хереса
3 ст. ложки крепко заваренного черного чая
1–2 ст. ложки меда
2 ст. ложки соевого соуса
1 ч. ложка корицы
1–2 давленых зубчика чеснока
черный перец от души

Маринуйте не более 6–10 часов.

Маринад основной для курицы (3 варианта)

Вариант 1

8 ст. ложек белого сухого вина
3 ст. ложки оливкового масла
1 пучок петрушки
1 ч. ложка молотого чабреца
1/2 ч. ложки молотого эстрагона
соль, перец по вкусу

Вариант 2

3/4 стакана растительного масла
8 ст. ложек уксуса
1 мелко нарезанная луковица
1–2 давленых зубчика чеснока
1/4 ч. ложки молотого перца
по 1/2 ч. ложки сухой горчицы и паприки
по 1/4 ч. ложки шалфея, розмарина и чабреца
1 ч. ложка соли

Вариант 3

1 стакан оливкового масла
сок 1 лимона
по 1 измельченной луковице обычного лука и лука-шалота
1 давленый зубчик чеснока
чабрец, лавровый лист
несколько веточек петрушки
соль, перец по вкусу

В этих маринадах куски курицы можно мариновать не более 4–6 часов.

Пивной маринад

Этот легкий пикантный маринад подойдет для приготовления небольших кусков говядины, баранины и курятины, а также для рыбы и морепродуктов.

400 мл светлого пива
1/4 стакана оливкового масла
1 ст. ложка сухой горчицы
1 ч. ложка молотого имбиря
3 ст. ложки соевого соуса
1/4 ч. ложки соуса «Табаско»
2 ст. ложки коричневого сахара
4 ст. ложки апельсинового джема
2 давленых зубчика чеснока
1/2 ч. ложки соли

Влейте в пиво, постоянно помешивая, оливковое масло. Добавьте остальные ингредиенты и хорошо перемешайте.
Перед жаркой замаринованные в этом маринаде куски необходимо насухо вытереть. Смазывайте им готовящееся блюдо в самом конце – чтобы не пригорели содержащиеся в маринаде сахар и джем.

Маринуйте не более 12 часов.

Маринад «Дыхание дракона» для свинины

Этот рецепт, как следует из его названия, предназначен для тех, кто любит блюда поострее.

200 г ананасового сока
8 ст. ложек соуса чили
1/2 ч. ложки корицы
1/2 ч. ложки молотого перца чили
1/2 ч. ложки луковой соли
1/4 ч. ложки кайенского перца

Маринуйте не более 4 часов.

Греческий маринад для куриных грудок

3 ст. ложки майонеза
2 ст. ложки майорана
4 ст. ложки растительного масла
3 ст. ложки лимонного сока
1 ч. ложка сухого лука
2 давленых зубчика чеснока
1 ст. ложка дижонской горчицы
соль, перец по вкусу

Маринуйте не более 2–4 часов.

Кисломолочный маринад

Попробуйте и такой, широко распространенный в странах Ближнего Востока рецепт. В такой кефирной ванне курице достаточно прохлаждаться всего 30 минут.

750 г белого йогурта, кефира или простокваши
1 зубчик давленого чеснока
1 ч. ложка измельченных зерен аниса
6 давленых горошин черного перца
по щепотке молотого кардамона и соли

Нормандский маринад для свинины

1 ст. ложка кальвадоса (яблочной водки)
1 стакан оливкового масла
несколько листочков шалфея
1 ч. ложка чабреца
1 лавровый лист
перец по вкусу

Маринуйте не более 4–6 часов.
Посолите блюдо в самом конце готовки или уже на столе.

Яблочно-имбирный маринад для курицы

Перед жаркой замаринованные в этом маринаде куски необходимо насухо вытереть. Смазывайте им готовящееся блюдо в самом конце, чтобы не пригорел содержащийся в маринаде мед.

1,5 стакана яблочного сока
8 ст. ложек растительного масла
8 ст. ложек яблочного уксуса
4 ст. ложки меда
4 ст. ложки соевого соуса
1 ч. ложка молотого имбиря
3 давленых зубчика чеснока

Хорошо перемешайте все ингредиенты в миксере. Медленно доведите маринад до кипения и потомите на огне примерно 10 минут. Охладите и храните в холодильнике.
Маринуйте куриные грудки или другие куски не более 8 часов.

Маринад с кока-колой для свиных отбивных, ребер и шашлыков

Перед жаркой замаринованные куски необходимо насухо вытереть. Смазывайте маринадом готовящееся блюдо в самом конце, чтобы не пригорели содержащиеся в маринаде кетчуп и мед.

1 ст. ложка кетчупа
1 ст. ложка горчицы
1 стакан кока-колы
1 ст. ложка меда
4 ст. ложки растительного масла
1–2 давленых зубчика чеснока
2 ст. ложки нарезанной петрушки
2 ч. ложки прованских трав
соль, перец по вкусу

Маринуйте не более 4–6 часов.

Цитрусовый маринад для птицы

по 0,5 стакана свежего лимонного и апельсинового сока
0,5 стакана арахисового масла
4 давленых зубчика чеснока
2 ч. ложки давленого черного перца
1 пучок кинзы

Маринуйте не более 4–6 часов.

Секреты шефа

Очень удобно мариновать продукты в плотном пластиковом пакете – герметично, гигиенично и к тому же гарантирует, что все куски промаринуются одинаково. Не забывайте только время от времени переворачивать мешок. И еще: перед тем как закрыть на молнию или завязать мешок, не забудьте выпустить из него лишний воздух.

Когда кладете в маринад зелень, не надо ее измельчать. Отчистить ее потом от мяса или рыбы почти невозможно, и она будет гореть при жарке на углях, портя внешний вид и аромат вашего блюда. Поэтому зелень лучше класть пучком – и аромат будет, и вытаскивать легче.

Заметки на полях

Красное мясо (прежде всего, говядина и крупная дичь) требует более крепкого маринада. В отличие от белого мяса, его надо выдерживать не менее 6 часов, иногда всю ночь, а некоторые виды мяса и части туши до двух и более суток.

Такой маринад затем можно использовать для смазывания мяса во время жарки и в качестве основы для соуса. Главными ингредиентами (в следующем примерном соотношении) здесь служат красное сухое вино (иногда бренди или коньяк), оливковое или другое растительное масло – если нужно замедлить процесс окисления и позволить мясу лучше впитать аромат трав и специй. А далее, в различных вариантах, добавляются розмарин, лавровый лист, петрушка, кинза, давленый черный перец, ягоды можжевельника, давленый чеснок и мелко нарезанный лук.

По желанию можно добавить цедру апельсина или лимона, к дичи – желе красной смородины.

Секреты шефа

Соль в маринад для рыбы класть не надо – лучше просто посолить блюдо в конце готовки. Не держите куски рыбы подолгу в маринаде – содержащаяся в нем кислота начнет рыбу «варить».

Маринад для красного мяса (4 варианта)

Вариант 1

1 стакан оливкового масла
сок 1 лимона
1 мелко нарезанная луковица
несколько веточек петрушки
1 ч. ложка чабреца
1 лавровый лист
перец по вкусу

Вариант 2

1 стакан оливкового масла
сок 1 лимона
1 ч. ложка чабреца
1 лавровый лист
несколько давленых зерен кориандра
1/2 ч. ложки молотого имбиря

Вариант 3

1 стакан оливкового масла
сок 3 лаймов
1 большой давленый зубчик чеснока
1 мелко нарезанная луковица
перец по вкусу

Вариант 4

2 ст. ложки белого сухого вина
1 стакан оливкового масла
5 ст. ложек белого винного уксуса
1 мелко нарезанная луковица
1 мелко нарезанная луковица лука-шалота
1 давленый зубчик чеснока
1 гвоздик гвоздики
1 веточка эстрагона

Маринад для бифштексов

2 стакана красного сухого вина
1 лавровый лист
3 ст. ложки оливкового масла
1/2 ч. ложки давленых зерен кориандра
10–12 давленых горошин черного перца

Бразильский маринад для баранины

Этот маринад предназначен для кусков баранины с костью или без, например для запекания на углях бараньих ножек.

1 средняя луковица
6 зубчиков чеснока
1 пучок зеленого лука
1 пучок кинзы
2 лавровых листа
1 ч. ложка свежемолотого черного перца
0,5 стакана белого сухого вина
8 ст. ложек оливкового масла
1 ч. ложка соли

Маринуйте не более 24 часов.

Маринад для жестких кусков говядины и для крупной дичи (медвежатина, оленина, лосятина)

2 стакана воды
1 стакан вустерского соуса
1 стакан уксуса
2 измельченных лавровых листа
2 давленых зубчика чеснока
1 нарезанная средняя луковица
2 корешка сельдерея вместе с листьями
6 давленых ягод можжевельника

Смешайте все ингредиенты в кастрюле, вскипятите и потомите на огне 10–15 минут, затем остудите.
Залейте маринадом мясо и поставьте в холодильник (от 2 до 48 часов), время от времени переворачивая куски, чтобы равномерно пропитались.

Маринад основной для рыбы (5 вариантов)

В любом из этих маринадов рыбу можно держать не более 1 часа.

Вариант 1

1 л белого сухого вина
2 ст. ложки оливкового масла
1 давленый зубчик чеснока
по 1/4 ч. ложки кориандра и тимьяна
2 измельченных лавровых листа
1 пучок зелени петрушки

Вариант 2

1 стакан оливкового масла
сок 1/2 лимона
2 мелко искрошенных лавровых листа
по 1/4 ч. ложки розмарина и тимьяна
перец по вкусу

Вариант 3

сок 3 лимонов
1 давленый зубчик чеснока
по 1/4 ч. ложки кориандра, тимьяна и паприки

Вариант 4

сок 3 лимонов
0,5 стакана сухого белого вина
1 мелко нарезанный лук-шалот
1 стакан оливкового масла
1 шт. гвоздики
1 лавровый лист
по 1/4 ч. ложки тимьяна, мяты и эстрагона
перец по вкусу

Вариант 5

1 стакан белого сухого вина
2 ст. ложки белого вермута
2 ст. ложки оливкового масла
по 1 ч. ложке сухого кервеля и розмарина
1/2 ч. ложки молотого черного перца

Острый маринад для рыбы

1/2 маленькой луковицы
1 ст. ложка коричневого сахара
4 ст. ложки яблочного уксуса
2 ст. ложки кетчупа
2 ст. ложки сухой горчицы
1 ч. ложка вустерского соуса
по 1/4 ч. ложки молотой гвоздики и кайенского перца
1 ч. ложка молотого перца чили

Обжарьте до прозрачности в небольшой сковороде мелко нарезанный лук в небольшом количестве растительного масла.

Смешайте обжаренный лук с остальными ингредиентами, доведите до кипения и томите на небольшом огне, пока смесь не уменьшится наполовину.

Измельчите полученное пюре в миксере или мутовкой. Охладите и смажьте рыбу непосредственно перед готовкой.

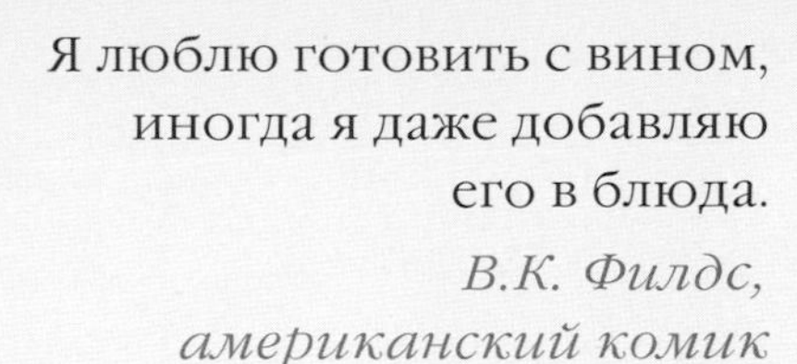

Я люблю готовить с вином, иногда я даже добавляю его в блюда.

В.К. Филдс, американский комик

Заметки на полях

Вообще-то рыба, особенно только что пойманная, для того чтобы стать мягкой и аппетитной в вашей тарелке, не нуждается в предварительном мариновании. Это делается скорее ради кулинарного искусства – для достижения особого вкуса и аромата.

Обычно добавляют оливковое масло, лимонный сок и немного свежей или сушеной зелени (базилика, укропа, петрушки, кинзы – все зависит от вкуса). Всегда можно создать запасец такого «маринада для любой рыбы». Выглядит он так: одна часть лимонного сока на три части оливкового масла плюс разумное количество ваших любимых пряностей или трав. Щедро смажьте им рыбу и не забудьте ее посолить, но только в самом конце готовки.

Секреты шефа

Уксусные маринады – это отголоски нашего советского прошлого, дефицита качественных продуктов. Мариновали мы по большому счету от безысходности. Потому что если взять хороший правильный кусок мяса, то его достаточно обжарить с двух сторон – и все, подавай к столу и наслаждайся вкусом.

Игорь Бухаров, президент Федерации рестораторов и отельеров России

Интуиция плюс чувство меры

Бог создал пищу, а дьявол – приправы.

Джеймс Джойс, ирландский писатель

Секреты шефа

Если пряная трава высушена по всем правилам и хранится в герметически закрытой, предварительно хорошо просушенной стеклянной посуде, то уже после двух-трех недель хранения у нее развивается сильный аромат, она, что называется, «настаивается». При аккуратном хранении она способна сохранять свои свойства в течение нескольких лет.

Прекрасный знаток кухни Вильям Похлебкин в своей книге «Все о пряностях» писал: «Известно, что правильно посолить – уже своего рода уменье, данное далеко не каждому. Для этого требуется и аккуратность, и интуиция, и чувство меры, и хорошее обоняние и осязание. Тем более все эти качества пригодятся во время приготовления пищи с пряностями. Здесь необходимо совершенно особое уменье, помноженное на знания и способности кулинара».

По его мнению, сейчас сплошь и рядом не только в быту, но и в кулинарии и даже в научной литературе путают пряности, приправы и просто душистые вещества, используемые для ароматизации некоторых пищевых продуктов. Между тем каждый из этих терминов относится только к одной определенной группе веществ, наделенных совершенно отличными от других групп свойствами. Пряности – продукт исключительно растительного происхождения. Приправы придают пище только определенный вкус – соленый, кислый, сладкий, горький – и их сочетания: кисло-сладкий, горько-соленый и т.д. Ароматические вещества способны придавать пище только аромат. Пряности же сообщают аромат в сочетании с характерным привкусом, заметным лишь в пище и особенно при нагревании.

Помимо «жидких» существуют и «сухие» маринады. Они хороши именно для готовки на углях, когда поверхность продукта должна оставаться практически сухой, чтобы блюдо не изошло соком и быстрее зажарилось. В данном случае главное – не смягчение или консервация исходного продукта, а придание блюду особого аромата.

При подборе сухого маринада надо иметь в виду такое правило: если входящие в него пряности сочетаются с каким-либо продуктом каждая в отдельности, то они сочетаются с ним и все вместе. Например, к курятине порознь подходят лук, укроп, чеснок, корица, красный перец, чабер, лавровый лист, бадьян. Значит, все они, вместе взятые, или в любых парах и иных сочетаниях также могут употребляться с куриным мясом. Или пример с рыбой – лук, петрушка, укроп, черный перец, кардамон, мускатный орех, шафран сочетаются с ней и по отдельности, и в любых комбинациях. Но, скажем, тмин явно не подходит к рыбе, и, следовательно, его добавление к любой из «рыбных» комбинаций испортит все дело.

Покупать пряности лучше в небольших количествах и не в виде готовых смесей, а по отдельности, в недробленом и немолотом виде, так как они при этом меньше выдыхаются. При приготовлении сухой смеси помол всех ее

Разве благородство, красота, рост,
красноречие, мужественность,
знания, щедрость, доблесть, юность
не украшают каждого мужчину,
подобно тому, как соль
или пряности сдабривают пищу?

Уильям Шекспир.
Троил и Крессида

Секреты шефа

Избегайте больших доз гвоздики в сочетаниях с уксусом, вином и вообще спиртосодержащими жидкостями. В них гораздо сильнее экстрагируются горькие фракции гвоздики, которые не только неприятны сами по себе, но и вредны. Однако в сухих маринадах гвоздика ведет себя очень достойно.

Красный перец придает блюдам не только жгучесть, но и красивый цвет, особенно паприка, для приготовления которой идет исключительно оболочка перца, без семян и внутренних перегородок.

Шафран кладите в крайне малых дозах, поскольку это очень сильная пряность. Переложив его, можно испортить вкус блюда – оно будет неприятно горчить.

Неудача – это пряность, которая придает вкус успеху.

Трумен Капоте, американский писатель

частей должен быть одинаковым, а все компоненты смеси должны быть хорошо высушены. В плотно закрытой, непроницаемой для света посуде, в сухом прохладном месте такие смеси могут храниться до 6 месяцев. Но самый лучший вариант – смешать сухой маринад непосредственно перед готовкой: все его компоненты измельчить и перемолоть, а еще лучше – раздробить по отдельности в ступке и только затем перемешать.

Лучше всего хранить пряности в герметичных емкостях и так, чтобы на них не попадали прямые солнечные лучи, поскольку на свету они быстро выцветают и теряют свой аромат. Соответственно место хранения должно быть сухим, темным и прохладным, например полка в кухонном шкафу, стоящем подальше от плиты, поскольку из-за тепла и образующегося конденсата пряности быстро портятся.

Как правило, сухие маринады используются для ароматизации относительно больших кусков: говяжье и свиное филе, грудки курицы или индейки, а также дары моря (омары, лангусты, крупные креветки, кальмары, морской гребешок и пр.).

Сухие маринады, а проще сказать, натирки (американцы их так и называют – *rub*) могут быть совсем простыми, например из крупной соли, молотого красного перца и чеснока или из цедры лимона и давленого перца горошком. Можно использовать любое, самое экзотическое сочетание отдельных специй: аниса, корицы, гвоздики, розмарина, шалфея, чабреца, майорана, а также традиционные сочетания пряностей, такие как карри, гарам-масала, хмели-сунели, прованские травы...

Но принцип всегда остается прежним: кусок мяса (и всего прочего) обмазывается тонким слоем растительного масла, натирается пряностями или обваливается в них, а в заключение сбрызгивается соком лимона. Затем надо примерно на час оставить мясо пропитаться пряностями и наконец жарить на углях.

Секреты шефа

Чтобы самому сделать такую простую пряность, как чесночную соль, высушите предварительно раздавленные или мелко нарезанные зубчики чеснока, затем разотрите их в порошок и смешайте в равных долях с мелкой солью.

Рецепты

Маринад сухой для бифштексов, курицы, говяжьих и свиных ребер

2 ст. ложки сладкой паприки
2 ст. ложки коричневого сахара
2 ч. ложки молотого красного перца
1 ч. ложка сухой горчицы
2 ст. ложки крупной соли

Маринад сухой для рыбного филе, курицы и говядины

4 ст. ложки молотой сладкой паприки
4 ст. ложки обжаренных давленых зерен кориандра
4 ст. ложки обжаренных давленых зерен тмина
4 ст. ложки коричневого сахара
соль, перец по вкусу

Маринад сухой с карри для курицы

4 ст. ложки молотого перца чили
1 ст. ложка карри
1 ч. ложка сухого лука
1 ч. ложка сухого чеснока
1 ч. ложка сухой горчицы
1 ч. ложка белого молотого перца
1 ч. ложка сухой петрушки
2 ч. ложки сельдерейной соли

Маринад сухой для бифштексов, вырезки и антрекотов

1 ч. ложка корицы
1 ст. ложка сладкой паприки
1 ст. ложка молотого кориандра
1 ст. ложка сахара
2 ч. ложки кайенского перца
1 ст. ложка крупной соли

Азиатский сухой маринад для говядины, баранины, шашлыков и кебабов

2 ст. ложки перца чили
2 ч. ложки сладкой паприки
1 ч. ложка молотого тмина
1 ч. ложка молотого кориандра
1 ч. ложка сухого лука
1 ч. ложка сухого чеснока
1/2 ч. ложки сухой горчицы
1/2 ч. ложки молотого черного перца
1/2 ч. ложки карри
1 ч. ложка крупной соли

Маринад сухой по-каролински для ростбифа и свиных ребер

2 ч. ложки крупной соли
2 ч. ложки коричневого сахара
2 ч. ложки тмина
2 ч. ложки молотого перца чили
2 ч. ложки черного молотого перца
1 ч. ложка кайенского перца
4 ст. ложки сладкой паприки

Креольский сухой маринад для морепродуктов и курицы

2 ст. ложки паприки
1 ст. ложка сухого чеснока
1 ст. ложка черного свежемолотого перца
1 ст. ложка сухого лука
1 ст. ложка кайенского перца
1 ст. ложка сухого майорана
1 ст. ложка чабреца
2 ст. ложки крупной соли

Средиземноморский сухой маринад для баранины и говядины

0,5 стакана сухой петрушки
3 ст. ложки сухого чеснока
3 ст. ложки давленого или молотого кориандра
2 ст. ложки давленого черного перца горошком
2 ст. ложки измельченного сухого красного перца
2 ст. ложки крупной соли

Корейская кунжутная соль для мяса и морепродуктов

4 ст. ложки зерен кунжута
2 ч. ложки давленого черного перца горошком
1 ч. ложка измельченного красного стручкового перца
2 ст. ложки крупной соли

Самые важные в истории человечества географические открытия, чтобы получить доступ к пряностям. В 1408 году Васко да Гама морским путем добрался до Индии, первым обогнув Африку; он привез перец, гвоздику, корицу, имбирь. А Колумб, пересекая Атлантику в поисках нового пути в Индию, в итоге нашел новый континент и путь к жгучему перцу чили, какао и кофе.

В кулинарии, как считают некоторые историки кухни, пряности поначалу служили не столько для улучшения вкуса блюд, сколько для консервации продуктов и для того, чтобы отбить запах портящегося мяса, – холодильников, как известно, тогда не было даже у королей. Но в любом случае возможность пользоваться пряностями была свидетельством роскоши, поскольку стоили они неимоверно дорого. За фунт шафрана отдавали лошадь, за 2 фунта мускатного цвета – корову, за фунт имбиря – овцу. «Дорогой, как перец», – говорили в те времена. Перец даже использовался как своеобразный магарыч – его дарили судьям после удачно завершенного процесса, и во французском языке до сих пор существует выражение les épices de chambre – «судейские пряности», означающее в наше время вполне легальные судебные издержки.

Заметки на полях

В Средние века торговцы пряностями были одновременно первыми аптекарями и входили в число самых уважаемых профессий. Чтобы получить право торговать пряностями, требовалась сложная и длительная подготовка, а кандидатов в торговцы утверждал сам королевский прокурор. Может быть, поэтому именно торговцы пряностями считались в те времена самыми точными людьми, отчего хранение мер и весов во Франции, вплоть до революции 1789 года, находилось в руках корпорации по торговле пряностями.

За подделку пряностей в те же Средние века строго карали. Во Франции за продажу «паленого» молотого перца в первый раз полагался штраф в 1000 парижских ливров (почти 60 килограммов чистого серебра), а при вторичной попытке – полная конфискация имущества, закрытие торговли и арест. В Германии за подделку шафрана с фальсификаторами боролись с немецкой радикальностью – их либо сжигали, либо закапывали живьем в землю вместе с подделанным товаром.

Если уж блюдо испорчено, все, что бы вы ни добавляли для его спасения, только ухудшит дело.

Из законов Мэрфи для барбекю

Еврейский сухой маринад для мяса и морепродуктов

6 ст. ложек черного перца горошком
5 ст. ложек тмина
1 ч. ложка гвоздики
1 ч. ложка зерен кардамона
3 ст. ложки куркумы

Обжарьте, встряхивая и перемешивая, черный перец, тмин, гвоздику и кардамон на сухой сковороде в течение примерно 3 минут. Остудите.
Добавьте куркуму и измельчите в кофемолке все ингредиенты.

Прованские травы для баранины, говядины, курицы и морепродуктов

Эта пряная смесь трав, широко использующаяся во французской кухне, продается в магазинах под названием Herbes de Provence. Но ее можно приготовить и самому.

Прованскими травами можно натереть мясо перед жаркой, но очень вкусно посыпать ими уже зажаренный на углях бифштекс, сдобрив его предварительно куском сливочного масла.

3 ст. ложки сухого розмарина
3 измельченных лавровых листа
3 ст. ложки сухого базилика
3 ст. ложки сухого майорана
3 ст. ложки сухого садового чабера
2 ст. ложки чабреца
2 ч. ложки зерен фенхеля
1 ч. ложка сухой лаванды
1 ч. ложка свежемолотого белого перца
1 ч. ложка молотого кориандра

Марокканский сухой маринад для жареной баранины

2 ст. ложки зерен кориандра
2 ст. ложки зерен тмина
1 ст. ложка черного перца горошком
2 ст. ложки молотого имбиря
2 ст. ложки крупной соли (по желанию)

Обжарьте, встряхивая и перемешивая, кориандр, тмин и черный перец на сухой сковороде в течение примерно 3 минут. Остудите.
Измельчите эту смесь в кофемолке или ступке. Добавьте имбирь и (по желанию) соль.

Индийский сухой маринад

Этот маринад подходит для ростбифа, говяжьих и бараньих шашлычков. В небольшом количестве он также хорош для креветок, моллюсков и для рыбы – в этом случае его добавляют непосредственно перед готовкой на углях.

1 $^1/_2$ ч. ложки молотого имбиря
1 $^1/_2$ ст. ложки гарам-масалы
1 ст. ложка молотого кориандра
1 $^1/_2$ ч. ложки куркумы
1 ч. ложка молотого тмина
1/4 ч. ложки молотой гвоздики
1 ст. ложка коричневого сахара

Гарам-масала (2 варианта)

Название этой популярной индийской приправы переводится как «горячие пряности». Ею сдабривают блюдо в самом конце приготовления или непосредственно перед подачей к столу. Гарам-масала обязательно добавляется в индийские маринады для приготовления блюд в тандуре – глиняной конусообразной печи, объединяющей в себе свойства мангала и гигантской духовки.

Существует бесконечное разнообразие вариантов гарам-масалы. Вот два из них.

Вариант 1

4 ст. ложки семян кориандра
2 ст. ложки тмина
2 ст. ложки черного перца горошком
2 ч. ложки семян кардамона
2 ч. ложки гвоздики
2 палочки корицы длиной по 2,5 см

Вариант 2

3 ст. ложки тмина
3 ст. ложки семян кориандра
1 ст. ложка черного перца горошком
1 ч. ложка зеленых стручков кардамона
1 палочка корицы длиной 2,5 см
1/2 мускатного ореха
2 лавровых листа
1/2 ч. ложки мускатного цвета
1/4 ч. ложки гвоздики
1 ч. ложка молотого имбиря

По всем правилам индийской кухни каждую специю надо обжарить по отдельности на сухой чугунной сковороде примерно по 3 минуты.
Затем им дают остыть и измельчают в кофемолке или ступке (в классической индийской кухне – с помощью жернова).

Телятина

Телячьи нежности

С лестницы доносилось: «Нет уж, позвольте, Лавр Федотович... Бифштекс без крови, Лавр Федотович, – это хуже, чем выпить и не закусить...» – «Наука полагает, что... эта... с лучком, значить...» – «Народ любит хорошее мясо... например, бифштексы... »

Аркадий и Борис Стругацкие.
Сказка о тройке

Бедный ласковый теленок

Так уж повелось, что под словом «мясо» в разных концах света испокон веков подразумевалось разное: для жителей Средней Азии или Ближнего Востока традиционно любима баранина, для немца, чеха или украинца – конечно же свинина, для русского, француза или англичанина – это прежде всего говядина. И только, наверное, телятина может считаться неким общим знаменателем в гастрономических пристрастиях большинства народов, за исключением, пожалуй, индийцев, не употребляющих в пищу мясо священных для них коров и как следствие их потомства.

Во всяком случае, вкушение именно телятины с незапамятных времен связывалось с представлением о празднике, радостном событии или торжественном ритуале.

Археологические раскопки подтверждают, что бык стал домашним животным в Македонии, Анатолии и на острове Крит еще в седьмом тысячелетии до нашей эры. Тогда это были гораздо более крупные и мощные животные, отсюда, наверное, и легенда о Минотавре, у которого Тесей отбил охоту обижать красивых девушек. Или о критском быке из седьмого подвига Геракла, которого могучий герой поймал и принес домой на своих плечах. А затем, надо полагать, зажарил и в хорошей компании съел.

Будь то дикий или домашний, бык всегда был в почете у людей. В Древнем Египте одним из самых уважаемых божеств был бог-бык Апис – символ плодородия. А древние иудеи поклонялись идолу – Золотому тельцу, что привело к конфликту с пророком Моисеем при их бегстве из Египта в Землю обетованную. «Не сотвори себе кумира!» – советовал и мудрый царь Соломон, но до сих пор, когда оперный Мефистофель в «Фаусте» Гуно ехидным басом заявляет, что

Пока мужчина влюблен в женщину, даже самую ничтожную из них, он пребывает в рабстве, как теленок, вскармливаемый его матерью.

Будда

Секреты шефа

Телятина практически вся – любая мягкая часть туши – годится для приготовления на шампурах или решетке. Главное требование – мясо должно быть свежим, лучше парным, а значит, упругим и в меру влажным. На срезе должны быть четко видны крупинки жира. Не прослойки жира, а именно крупинки внутри. Благодаря этому при жарке мясо получается сочным, ароматным и вкусным.

Заметки на полях

Известный рецепт – телячьи отбивные Фуайо – связан с именем повара французского короля Луи-Филиппа. После свержения монархии бывший повар «короля-гражданина» открыл на улице де Турнон очень скоро прославившийся на весь Париж ресторан, а при нем и гостиницу. Человек он был, судя по всему, хваткий и остроумный. Когда остановившийся в гостинице инкогнито австрийский император Иосиф II, удивленный непомерным счетом на поданные ему персики, спросил у хозяина, неужели они так редки в Париже, то незамедлительно получил ответ: «Редки не персики, ваше величество, а императоры!»

А свои телячьи отбивные Фуайо готовил вот как. Каждая из отбивных состояла из двух: настоящей – хорошего куска мяса на косточке – и фальшивой, которая заранее лепилась по форме настоящей из примерно равных частей сливочного масла, белого мякиша и натертого сыра грюйер. На обжаренную отбивную выкладывалась ее сырно-хлебная копия, и все это сооружение запекалось до полной готовности. Что и вы можете с успехом проделать на решетке вашего барбекю.

Секреты шефа

Когда покупаете телячью вырезку, смотрите, чтобы вам не подсунули грудку индейки. Они похожи по цвету и консистенции, но различаются, конечно, и по цене, и по вкусу.

«пра-а-а-вит там телец златой», он, похоже, имеет в виду и наше время, и весь земной шарик.

В античные времена, да и позже, телец считался символом богатства и могущества, так как только состоятельные люди могли позволить себе забить для еды животное, еще не набравшее настоящего веса. Вспомните хотя бы библейскую притчу о блудном сыне: раскаявшись, он вернулся домой и был радушно принят отцом, который одел его в лучшие одежды и устроил в его честь пир: «И приведите откормленного теленка и заколите: станем есть и веселиться»...

В Средние века вкушение телятины было привилегией богатых и знатных, церковные власти даже ввели особый налог, так называемую телячью десятину. Наивысшим лакомством считались особым способом приготовленные глаза теленка. Именно с тех пор во французском языке, похоже, появилась идиома *coûter les yeux de la tête*, что в примерном переводе означает: «стоить дороже глаз», то есть поистине сумасшедших денег.

В отличие от остального человечества, мясники проявляют свое уважение к быку довольно обидным образом – именно мужская половина этих парнокопытных раньше обретает шанс стать «телятиной».

«Ласковый теленок двух маток сосет», – гласит поговорка. Знал бы он, этот обходительный сосунок, какая судьба ему уготовлена, – ведь молочным телятам отпущено жизни лишь несколько недель. Телкам лучше – им еще предстоит оправдать звание «млекопитающего».

Когда-то в старые времена телятам полагалось по 10–12 литров мамашиного молочка в день, их кормили сырыми яйцами, хлебом и даже бисквитами, вымоченными в молоке. И тогда мясо становилось удивительно нежным и вкусным, а по цвету – светло-розовым, почти белым, как молоко. Кстати, хорошая телятина и пахнет молоком.

Сейчас животноводы стали поприжимистее и, чтобы сэкономить сырье для производства молочных продуктов и сыров, отправляют телят на бойню уже в двухнедельном возрасте. А ведь это еще не мясо, а незнамо что. Лучшая молочная телятина – 6–8-недельная, а после 4 месяцев она вообще лишается права так называться. Когда животное начинает питаться травой, сеном и зерном, его мясо приобретает красный цвет, оно теряет особую мягкость, а блюда из него – тот аромат, который присущ только телятине.

Дороговизна мяса
придает ему вкус.
Мишель Монтень

Рецепты

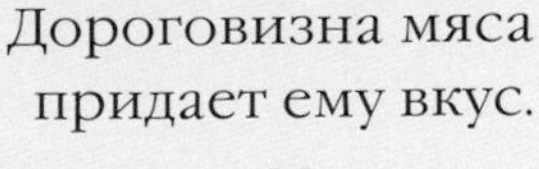

Телятина со спаржей

4 куска мякоти по 150–200 г каждый
1 банка (300 г) консервированной спаржи
1 красный сладкий перец
8 салатных листьев
1 ч. ложка зерен кунжута

Для маринада:

8 ст. ложек оливкового масла
2 ст. ложки винного уксуса
2 давленых зубчика чеснока
соль, перец по вкусу

Смешайте ингредиенты маринада, отлейте примерно четверть и замаринуйте в этом количестве телятину на 1 час. Держите в холодильнике, один раз перевернув мясо.

В небольшой кастрюльке вскипятите оставшийся маринад, убавьте жар и томите еще 1 минуту. Оставьте в тепле.

Обжарьте телятину на сильном жару примерно по 1–2 минуты с каждой стороны.

Когда мясо «схватится», перенесите куски в менее жаркую часть барбекю и жарьте еще примерно по 4–5 минут с каждой стороны, периодически смазывая маринадом.

Выдержите готовое мясо 5 минут на теплом блюде, затем нарежьте по диагонали на тонкие ломтики. Выложите на теплые тарелки, выстеленные листьями салата, телятину, спаржу и нарезанный колечками красный сладкий перец. Полейте горячим маринадом, посыпьте зернами кунжута и сразу же подавайте.

Телятина в ромовом масле

4 куска мякоти толщиной 2–2,5 см
150 мл темного рома
4 ст. ложки нарезанного лука-шалота
1 ст. ложка лимонного сока
3 ст. ложки сливочного масла
1 ст. ложка мелко нарезанной петрушки
1/2 ч. ложки давленого черного перца
1/2 ч. ложки соли

Смешайте половину рома, лука-шалота, лимонного сока и перца, смажьте этой смесью мясо и оставьте мариноваться на полчаса-час. Слегка посолите.

Оставшиеся ром, лук-шалот, лимонный сок и перец разогрейте в небольшой сковороде, постепенно добавляя сливочное масло. Добавьте и хорошо размешайте нарезанную зелень петрушки.

Получившимся ромовым маслом смажьте куски телятины и запеките с одной стороны в течение 5 минут.

Затем переверните, обильно смажьте оставшимся ромовым маслом уже поджаренную сторону и готовьте еще примерно 6 минут.

Телятина, фаршированная оливками

кусок оковалка в 2 кг весом
баночка зеленых оливок, фаршированных перцем
4 ст. ложки винного уксуса
6 ст. ложек оливкового масла
1 ст. ложка сладкой горчицы
1 мелко нарезанная луковица
1 ч. ложка смеси черного перца и цедры лимона

Острым тонким ножом сделайте глубокие надрезы в мясе, вложив в каждый надрез по оливке.

Смешайте маринад, залейте его в пластиковый мешок, туда же положите нафаршированную оливками телятину, завяжите мешок и поставьте в холодильник на 6–8 часов. Время от времени мешок с маринадом переворачивайте.

Обжарьте телятину на сильном жару примерно по 2 минуты с каждой стороны.

Когда мясо «схватится», перенесите куски в менее жаркую часть барбекю и жарьте еще примерно 25 минут, периодически переворачивая и смазывая маринадом.

Выдержите готовое мясо 5–10 минут на теплом блюде, затем нарежьте по диагонали на куски толщиной 1–1,5 см. Подавайте с зеленым салатом и дольками лимона.

Телячий филей с клубникой

4 куска филея (вырезки) по 150 г каждый

Для маринада:

0,5 стакана клубники
0,5 стакана фруктового уксуса
2 измельченных зубчика чеснока
1 мелко нарезанная луковица
3 ст. ложки нарезанного свежего базилика
4 ст. ложки оливкового масла
цедра 1/2 апельсина
свежемолотый перец по вкусу

Смешайте все ингредиенты маринада в блендере и оставьте мясо мариноваться на 6–8 часов в холодильнике.

Жарьте по 3–4 минуты с каждой стороны, часто смазывая маринадом.

Порция размером с мышку

Толстые живут меньше,
зато едят больше.
Ежи Лец

Секреты шефа

Приготовление телятины имеет свои тонкости – это совсем нежирное мясо, его легко пересушить, а значит, испортить. Если жарится большой кусок, его надо нашпиговать салом, если речь идет о бифштексах и эскалопах, то их надо хорошенько смазать растительным или растопленным сливочным маслом.

Итак, вы решили на следующем воскресном барбекю побаловать себя и гостей телятинкой. Как выбрать хороший кусок? Чем белее, мясистее и жирнее он будет, тем лучше. Мясо должно быть упругим, жир белым, а запах приятным.

Для приготовления телятины подходят многие травы и специи: шалфей, эстрагон, базилик, тимьян, розмарин, майоран, горчица, молотый перец и конечно же чеснок. С ней прекрасно сочетаются мед, яблочный сок, коньяк, сухое вино и пиво, а такие фрукты и ягоды, как апельсины, лимон, клубника, яблоки, сливы и виноград, придают блюдам тонкий «солнечный» аромат.

Хотя телятина по своим питательным качествам не уступает другим видам мяса, она, что называется, легко идет, и съесть ее можно больше, чем, скажем, свинины или говядины. Запасаясь мясом, следует исходить из следующего расчета на каждого гостя:

турнедо	– по 150 г
медальоны	– по 150 г
шатобриан	– по 150–200 г
антрекот	– по 200–250 г
отбивная	– по 200–250 г
брошеты	– по 150 г.

Как и все рекомендации, эта таблица содержит общие, усредненные цифры. Но если вы ожидаете хороших едоков, то увеличьте количество мяса на одну четверть, а хорошенько подумав и сделав поправку на свежий воздух и холодную водку – на добрую треть. И не беспокойтесь, что останется много еды. Во-первых, к сожалению, не останется, а во-вторых, все равно не пропадет (см. главу «Рецепты доедалкина дня»).

И приведите откормленного теленка и заколите: станем есть и веселиться.

Евангелие от Луки, 15:23

В итоге с запасом или без, но вы закупили мясо. Как его поделить на порции, не взвешивать же каждый кусок? Для отбивных все просто, здесь размеры определяют ребра: для бараньих отбивных – по два куска, для свинины и говядины – по одному. А для бескостной мякоти можно воспользоваться остроумной рекомендацией, которая попалась мне на одном из французских кулинарных сайтов. На одну порцию там предлагался кусок мяса размером с мышь. (Прошу милых дам не взвизгивать – речь идет о мыши для компьютера.)

Я не поленился и проверил рекомендацию, оказалось всего 90 граммов. Поэтому хочу поправить малоежек из французского Интернета – на порцию надо две «мышки». И вношу свой вклад в разработку компьютерной таблицы кулинарных мер и весов. На основе длительных экспериментов мною установлено: на экране монитора с диагональю 15 дюймов умещается 64 пельменя – нормальный перекусон для 4 хакеров. Примечание: мониторы со сверхплоским экраном не использовать – пельмени соскальзывают.

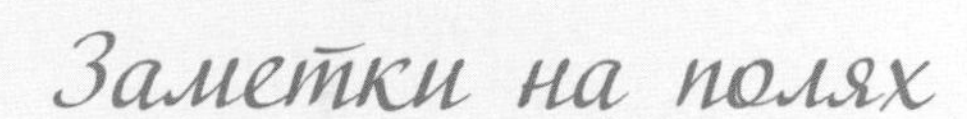

В России, где традиционно было принято подавать мясо большими кусками, телятину в старые времена обычно готовили в виде жаркого. Иногда теленок или молодой бычок запекался целиком, но обычно на жаркое шли задние четверти туши с почками и двумя ребрами. Мясо почти сутки вымачивали в молоке, потом шпиговали свежим салом и жарили на вертеле или на большом противне в духовой печи. Почечную часть или филей жарили и подавали с различными соусами, в основном позаимствованными, вместе с поварами, из европейской, прежде всего французской, кухни. Грудинка же, как всегда, шла на супы, лопатка – на рубленые котлеты и фарши. Ну и конечно, не надо забывать про телячьи отбивные, считавшиеся изысканным блюдом.

Рецепты

Телячьи отбивные с грибами

4 отбивные по 225 г

Для соуса:

свежие белые грибы (или банка консервированных шампиньонов)
1 ст. ложка сливочного масла
1 ст. ложка муки
0,5 стакана мясного бульона
200 г нежирной сметаны
1 ст. ложка томатной пасты
2 ст. ложки мадеры
соль, перец по вкусу

Сначала приготовьте соус. Обжарьте в сливочном масле до готовности мелко нарезанные грибы. Затем там же обжарьте муку, разведите бульоном и прокипятите. Добавьте сметану, томатную пасту, вино, соль и перец.

Поджарьте на углях телячьи отбивные, полейте соусом и подавайте.

Антрекоты из телятины в перечном соусе

4 антрекота по 250 г каждый
0,5 стакана черного перца горошком
1 ст. ложка сладкой паприки
1 ст. ложка сухого чеснока
0,5 стакана винного уксуса
1/4 стакана вустерского соуса
1/4 стакана соевого соуса
1/4 стакана воды

Раздробите перец, добавьте паприку и сухой чеснок. Отдельно смешайте уксус, соусы, воду и залейте этой смесью стейки. Добавьте перечную смесь и вдавите ее пальцами в мясо. Оставьте мариноваться не менее чем на 1 час.

Оботрите мясо от маринада и жарьте на углях в течение 10–15 минут – в зависимости от желаемой степени готовности.

Телячьи отбивные с кинзой

4 отбивные по 225 г

Для маринада:

1 лимон
1 пучок кинзы
4 ст. ложки растительного масла
соль, перец по вкусу

Для маринада смешайте лимонный сок, растительное масло, соль, перец и мелко нарезанную кинзу. Поставьте маринад на 2 часа настояться в холодильник, затем пропустите его через ситечко.

Смажьте маринадом отбивные и жарьте на углях по 5 минут с каждой стороны, продолжая кисточкой смазывать мясо, чтобы не пересохло.

Антрекоты из телятины с ромом

4 антрекота по 250 г каждый

Для маринада:

200 мл рома
2 давленых зубчика чеснока
1 ч. ложка молотого чили
1 ст. ложка мелко нарезанной кинзы
1/2 ч. ложки соуса «Табаско»

Смешайте маринад и залейте им мясо. Закройте крышкой и оставьте не менее чем на 20 минут, а лучше на несколько часов в холодильнике.

Достаньте мясо из маринада и хорошо оботрите. Зажарьте бифштексы на решетке, периодически смазывая маринадом.

Нарежьте мясо на тонкие ломтики. Подавайте с мексиканским рисом и салатом.

Телячьи отбивные «Перигор»

Это блюдо получило название от небольшой области на юго-западе Франции, известной на весь гастрономический мир своими трюфелями и гусиной печенкой. Особенностью местной кухни является и то, что большинство ее блюд готовится с обилием пряностей и на свином сале.

Одно только слово «Перигор» заставляет чувственно дрожать ноздри настоящего ценителя французской кухни. Вот что сказал о нем знаменитый кулинарный критик Франции Морис Эдмон Сайан Курнонски, прозванный «принцем гастрономов»: «Перигор – это один из районов нашей прекрасной страны, где можно наиболее вкусно поесть, причем уже в течение многих веков».

4 отбивные по 225 г
150 г соленого свиного сала
2 зубчика чеснока
1 ст. ложка нарезанной зелени кервеля
4 ст. ложки нарезанного лука-шалота
перец по вкусу

Приготовьте смесь из мелко нарезанного сала, чеснока, кервеля и лука-шалота.

Слегка смажьте растительным маслом отбивные и положите на хорошо разогретую решетку.

Когда отбивные обжарятся с одной стороны, переверните их и обильно смажьте обжаренную сторону приготовленной смесью. Подавайте, как только отбивные припекутся и с другой стороны.

> Поцелуй с безусым мужчиной –
> это как бифштекс без горчицы.
> *Итальянская поговорка*

Рецепты

Брошеты из телятины «Сенсация»

Это красивое и необычное блюдо рассчитано на 6–8 человек.

1 кг филея (вырезки)
2 зеленых сладких перца
250 г шляпок свежих шампиньонов
маленькие помидоры
1 свежий ананас

Для маринада:

4 ст. ложки соевого соуса
1/2 ст. ложки коричневого сахара
3 ст. ложки винного уксуса
1/2 ч. ложки сухого чеснока
1 ч. ложка приправы типа «Вегета»
1/4 стакана газированного лимонного напитка

Смешайте маринад, залейте его в пластиковый мешок, туда же положите нарезанную кубиками телятину, завяжите мешок и поставьте в холодильник на 1–2 часа. Время от времени переворачивайте мешок с замаринованным мясом.

Положите зеленые перцы в холодную воду, доведите до кипения и варите примерно 1 минуту. Слейте воду, охладите.

На деревянные или металлические шпажки (брошеты) вперемежку наколите кубики телятины, нарезанный перец, шляпки грибов, маленькие помидоры и очищенный и нарезанный на кубики ананас.

Хорошо смажьте оставшимся маринадом готовые брошеты и жарьте на углях, переворачивая, примерно 10–15 минут до готовности.

Брошеты из телячьих почек

Две подготовленные и промытые телячьи почки нарежьте кружочками толщиной 7–8 мм, посолите, поперчите и слегка обжарьте в сливочном масле.

Нанижите на замоченные предварительно в воде деревянные шпажки (брошеты) вперемежку с кусочками копченого сала и шляпками шампиньонов, тоже слегка припущенными в масле. Жарьте на решетке в течение 10–12 минут.

Брошеты из телятины по-вьетнамски

700 г телятины, нарезанной тонкими полосками в 5 см длиной
3 ст. ложки слегка обжаренных зерен сезама

Для маринада:

5 ст. ложек оливкового масла
2 ст. ложки ароматного уксуса или красного сухого вина
1 ст. ложка дижонской горчицы
1 давленый зубчик чеснока
1 ст. ложка хереса
1 ст. ложка коричневого сахара
1 ст. ложка соевого соуса

Смешайте ингредиенты маринада, добавьте нарезанную кубиками телятину и оставьте в холодильнике на 12–24 часа.

Нанижите полоски мяса, оборачивая их вокруг шпажек (брошетов) и прокалывая каждую в двух местах. Жарьте в течение нескольких минут над углями, смазывая маринадом. Подавайте, посыпав зернами сезама, с рисовой лапшой и отварными овощами.

Брошеты из телятины с шампиньонами и перцами

600 г грудинки
200 г свежих шампиньонов
2 средние луковицы
по 1 красному и зеленому сладкому перцу

Для маринада:

0,5 стакана растительного масла
молотый тимьян, лавровый лист, розмарин, паприка
соль, перец по вкусу

Замаринуйте на 2 часа в ароматизированном пряностями масле нарезанное небольшими кубиками мясо.

Нанижите на замоченные предварительно в воде деревянные шпажки (брошеты) кусочки мяса вперемежку со шляпками шампиньонов, кусочками лука и нарезанными на квадратики, предварительно бланшированными перцами. Жарьте на решетке в течение 10–12 минут, постоянно переворачивая и смазывая маринадом.

Сатэ из телятины

Это пряное индонезийское блюдо тоже готовится на шпажках (брошетах).

700 г телятины

Для маринада:

4 ст. ложки кокосового молока
1 ст. ложка натертой лимонной цедры
1 ст. ложка коричневого сахара
2 ч. ложки куркумы
1 ч. ложка карри
1 ч. ложка молотого тмина
соль по вкусу

Нарежьте телятину на ровные кубики толщиной 2,5 см.

Смешайте маринад, залейте им мясо и оставьте на 1 час в холодильнике, переворачивая каждые 15 минут.

Нанижите мясо (по 4–5 кубиков) на замоченные предварительно в воде деревянные шпажки (брошеты) и жарьте на решетке примерно по 3 минуты с каждой стороны, постоянно смазывая маринадом.

Брошеты из телятины и печени

300 г телятины
200 г телячьей печенки
100 г сала
2 сладких перца

Для маринада:

2 ст. ложки оливкового масла
1 стакан белого сухого вина
1 ч. ложка молотого шалфея
соль, перец по вкусу

Нарежьте мясо и печень кубиками и замаринуйте на 2 часа в смеси оливкового масла, вина и пряностей.

Слегка обжарьте перцы, очистите их от кожи и семечек, нарежьте на кусочки.

Нанижите мясо, печень, кусочки перца и сала на замоченные предварительно в воде деревянные шпажки (брошеты), смажьте маринадом и жарьте на решетке 15–20 минут, часто переворачивая.

Рулеты «а-ля Ришелье»

Если бы Господь хотел запретить вино, разве он сделал бы его таким вкусным?

Кардинал Ришелье

Секреты шефа

Главное при приготовлении рулетов – соблюсти разумную пропорцию между количеством мяса и фарша. Эскалопы отбивайте до толщины блина, а чтобы фарш не забивал вкус мяса, сами рулеты делайте небольшими.

Из тонко отбитых телячьих эскалопов можно легко приготовить блюдо, которое по-французски называется *paupiette*, по-итальянски *polpetta*, а по-русски могло бы называться голубцами, с той только разницей, что капустный лист, оборачивающий фарш, здесь заменен тонко отбитым куском мяса.

С этимологией кулинарных терминов зачастую бывает сложно разобраться, поскольку, переходя границы времени и пространства, блюда причудливо меняют свои названия. Если итальянцы и французы в данном случае, похоже, плясали от латинского *pulpa* (бумага), то славяне углядели в форме блюда что-то птичье: поляки так и называют наше капустное творение «московскими голубями», а чехи почему-то окрестили его вариант с мясной оберткой *španelsky ptachek*, что в переводе означает «испанская птичка». Вот и пойди разберись!

Но как говорят еще одни наши братья славяне, словаки, «длинные колбасы лучше длинных речей», а потому вернемся на кухню. В данном случае все же на итальянскую, потому что блюдо, которое мы из-за отсутствия другого термина обзовем «рулетами», родилось в Италии. Вместе с поварами Марии Медичи, будущей жены Генриха IV, оно попало во Францию и уже оттуда разошлось по Европе в птичьем и прочем обличье. Готовится оно так. Пропустите через мясорубку свинину и предварительно обжаренные (и охлажденные!) грибы, посолите, поперчите. Из приправ могу рекомендовать разные вариации: майоран и мускатный орех; тимьян и шалфей; просто немного хмели-сунели. Нарежьте телятину на тонкие, желательно прямоугольные куски. Отбейте каждый кусок между двумя листами плотного полиэтилена или вощеной бумаги до толщины примерно 2–3 мм. На полученные эскалопы выложите фарш, отступая на 1 см от края мяса, заверните в подобие рулета и заколите края деревянной шпажкой. Жарьте на средних углях по 4–5 минут с каждой стороны.

Варианты могут быть самыми разными, все зависит от вашей фантазии. На «подстилке» из обжаренных помидоров, прикрытых ломтиками копченой грудинки и посыпанных мелко нарезанными грибами, рулеты станут «а-ля Ришелье»; «эльзасскими» – если внутрь вместо фарша завернуть тонкий ломтик копченого сала; «итальянскими» – с ломтиками сыра и ветчины; «креольскими» – когда в фарш добавлен кайенский перец и рис, «греческими» – если эскалоп сверху сам обернут ломтем ветчины...

Не забудьте подобрать к вашим рулетам правильный соус и тоже с национальным колоритом. Но, учитывая вкусовое разнообразие фарша, можно ограничиться чем-нибудь несложным, вроде масла «а-ля метрдотель» (см. указатель рецептов в конце книги).

Ну а вкушать все это надо, памятуя мудрые слова кардинала Ришелье, с добрым красным вином.

Единственно подходящее время для употребления диетической пищи – это когда вы дожидаетесь, пока приготовится бифштекс.

Джулия Чайлд, автор кулинарных книг (США)

Рецепты

Рулеты из телятины с анчоусами и каперсами

800 г телятины

Для начинки:

100 г жирной ветчины
6 филе анчоусов
1 ст. ложка каперсов
1 зубчик чеснока
1 ст. ложка нарезанной зелени петрушки
3 ст. ложки панировочных сухарей
2 ст. ложки сливочного масла
соль, перец по вкусу

Нарежьте мясо на тонкие эскалопы и отбейте.

Измельчите все ингредиенты начинки до получения густого фарша. Положите на каждый эскалоп по ложке начинки, скатайте рулеты и сколите каждый зубочистками или обвяжите толстой ниткой.

Смажьте рулеты растительным маслом и жарьте на решетке до готовности. Подавайте со свежими овощами и маслом «а-ля метрдотель».

При подаче не забудьте снять зубочистки и нитки!

Рулеты из телятины с печенкой

800 г мякоти телятины

Для начинки:

1 луковица
150 г телячьей, говяжьей или бараньей печени
зелень петрушки
1 зубчик чеснока
1 ст. ложка сливочного масла
соль, перец по вкусу

Нарежьте мясо на тонкие эскалопы и отбейте.

Приготовьте начинку: мелко нарежьте печень, жарьте до готовности с мелко нашинкованным репчатым луком, охладите, посолите, поперчите, заправьте зеленью, чесноком и сливочным маслом.

Положите на каждый эскалоп по ложке начинки, скатайте рулеты и сколите каждый зубочистками или обвяжите толстой ниткой.

Смажьте рулеты растительным маслом и жарьте на решетке до готовности. Подавайте со свежими овощами и острым томатным соусом, украсив зеленью петрушки и нашинкованным луком.

Секреты шефа

При всем разнообразии начинок для рулетов в них обязательно должен присутствовать жир, будь то нарезанный бекон или ветчина, кусочки жирной колбасы или прочих копченостей, наконец, просто кусочек сливочного масла. Особенно это важно, когда готовишь рулеты из такого постного мяса, как телятина.

Телячьи эскалопы с соусом из лимонов и каперсов

8 эскалопов по 90 г каждый

Для соуса:

1 лимон
3 ст. ложки сметаны
1 ч. ложка сливочного масла
1/2 ст. ложки муки
2 ст. ложки каперсов
зелень петрушки
соль, перец по вкусу

Сначала приготовьте соус. Снимите цедру с лимона, тонко нарежьте ее и пару минут бланшируйте в кипящей воде. Выжмите сок из лимона и процедите сквозь ситечко. Обжарьте до золотистого цвета в сливочном масле муку, влейте лимонный сок и прокипятите 1 минуту. Добавьте, постоянно помешивая, сметану, а затем каперсы и цедру.

Обжарьте эскалопы на решетке, посолите, поперчите, полейте горячим соусом и посыпьте зеленью петрушки. Подавайте со спагетти.

Телячьи эскалопы с соусом из мадеры и шампиньонов

8 эскалопов по 90 г каждый

Для соуса:

маленькая банка консервированных шампиньонов
1 ч. ложка сливочного масла
1 ст. ложка муки
200 г сметаны
3 ст. ложки мадеры
соль, перец по вкусу

Сначала приготовьте соус. Для этого обжарьте муку в сливочном масле, добавьте нарезанные лепестками грибы, потушите, добавив немного заливки из банки с грибами. Влейте мадеру и половину сметаны. Доведите до кипения и добавьте, помешивая, вторую половину сметаны. Посолите, поперчите.

Обжарьте эскалопы на углях и подавайте с соусом.

Секреты шефа

Перчить и солить мясо, а также приправлять специями надо только тогда, когда оно уже «прихватилось», и только с уже поджаренной стороны.

Рулеты из телятины на брошетах

750–800 г телятины
18 больших лавровых листов (желательно свежих)
соль, перец по вкусу

Для фарша:

2 ст. ложки изюма без косточек
1 маленькая луковица
1 стакан панировочных сухарей (плюс еще для панировки)
2 стакана мелко нарезанного сыра моцарелла
2 ст. ложки чищеных кедровых орешков
1 ломтик сырокопченой грудинки

Если вы используете сухой лавровый лист, замочите его на 30 минут в теплой воде. Отдельно замочите на 15 минут в теплой воде изюм.

Смешайте мелко нарезанный лук, панировочные сухари, сыр, кедровые орешки (можно заменить другими дроблеными орехами) и мелко нарезанную грудинку. Добавьте вымоченный изюм.

На тонко отбитые эскалопы положите по ложке фарша. Аккуратно сверните рулеты и заколите деревянными зубочистками. Должно получиться 12 маленьких рулетов.

Затем рулеты вперемежку с лавровым листом насадите на вымоченные предварительно в воде деревянные шпажки (брошеты). Делается это так: зажмите за концы между большим и указательным пальцами два брошета так, чтобы они находились параллельно примерно в 1,5 см друг от друга. Накалывайте одновременно на оба брошета лавровый лист, затем рулет, лавровый лист и т.д. На каждой такой «связке» должно разместиться по три лавровых листа и два рулета.

Смажьте оливковым маслом рулеты и жарьте на решетке 7 минут с одной стороны. Затем снова смажьте их маслом и жарьте еще 7 минут с другой стороны. Подавайте на теплых тарелках с зеленым салатом.

Телячьи эскалопы «Калипсо»

8 эскалопов по 90 г каждый

Для маринада-соуса:

1 маленькая луковица
4 ст. ложки соевого соуса
3 ст. ложки меда
2 ст. ложки оливкового масла
3 ст. ложки лимонного сока
1/4 ч. ложки молотого имбиря
1 красный сладкий перец
3 зубчика чеснока
1 ст. ложка сладкой горчицы
1 ч. ложка тимьяна
1 ч. ложка паприки

Смешайте в кухонном комбайне все ингредиенты маринада до получения однородного пюре. Замаринуйте эскалопы не более чем на 30 минут, пока разгораются угли.

Достаньте эскалопы и оботрите от маринада. Маринад прокипятите. Обжарьте эскалопы на углях. Подавайте с маринадом-соусом и отварным рисом.

Медальоны из телятины с сыром и ветчиной

4 медальона по 125 г каждый
4 ломтика вареной ветчины
8 ломтиков сыра моцарелла

Для маринада:

1 пучок петрушки
1 пучок розмарина
4 ст. ложки оливкового масла
1 ч. ложка лимонного сока
соль, перец по вкусу

Петрушку и розмарин смешайте в блендере с оливковым маслом, лимонным соком и перцем. Этой смесью обмажьте телятину с обеих сторон и оставьте мариноваться под крышкой на 1–2 часа.

Мясо выложите на решетку и запекайте 4 минуты с одной стороны. Переверните медальоны, посолите, положите на каждый кусок по ломтику ветчины и сыра и жарьте до тех пор, пока сыр не расплавится. Посыпьте готовое блюдо свежей зеленью и подавайте.

Говядина

Его Величество Бифштекс

Представьте себе несчастного изгнанника, затем представьте ангела, появляющегося внезапно из заоблачных далей и ставящего перед путником большущий кусок отборного говяжьего филея, толщиной около полутора дюймов, пышущий жаром, посыпанный душистым перцем, украшенный тающими кусочками масла самой что ни на есть первейшей свежести и покрытый каплями мясного сока...

Марк Твен

Советы знакомого мясника

Для того чтобы отведать хороший бифштекс, надо сделать всего две вещи: первое – найти хороший кусок мяса, второе – не испортить его при готовке. Есть, правда, и третье условие, но о нем рано говорить, пока мы не справимся с первыми двумя.

Как же не ошибиться и купить подходящее для жарки мясо? Самый верный способ – завести на рынке знакомого мясника. Принцип выбора тот же, как при покупкс квашеной капусты или соленых огурцов: продавщица должна быть ядреная, чистенькая, симпатичная – у пее и товар соответствующий. Однако в мясных рядах лучше присмотреть добра молодца, поскольку женщины безошибочно посоветуют вам хороший кусок на первое или на котлеты, но мясо для приготовления на углях – это не их стихия. Пройдитесь по рядам, присмотритесь: прилавок чистый, продавец опрятный, степенный – это уже хороший признак. Ходите только к нему, он вас быстро заприметит и, не желая потерять постоянного клиента, всегда подберет чтонибудь стоящее. А еще лучше – сообщите своему мяснику загодя, что и когда собираетесь жарить, и правильный отруб вам обеспечен.

Вот из общения с таким мясником я помаленьку и научился, как надо выбирать кусок на глаз и на ощупь, чтобы потом не горевать, пробуя его на запах и на вкус. Прежде всего, внешний вид и цвет мяса. Оно не должно быть заветренным, с желтым жиром. Чем животное старше, тем у него более темное мясо. До года – это молодая говядина, она розово-красноватого цвета. Зрелая говядина – уже красно-алая.

Если мясо очень темное, то тут одно из двух – или это совсем старое животное, или оно было неправильно забито. Со старой говядиной все понятно: она будет жесткой,

Если бы современному человеку приходилось бы самому убивать животных, мясо которых он ест, число вегетарианцев увеличивалось бы с астрономической скоростью.

Кристиан Моргенсен, французский журналист

Секреты шефа

Не советую покупать уже нарезанные антрекоты или отбивные. Когда отруб нарезают, то нарушается целостность мышц, а значит, вытекает сок. И с каждым часом, проведенным на прилавке, эта «нарезка» теряет свои вкусовые качества. Поэтому попросите мясника при вас отрезать необходимое количество мяса, и вы позднее, прямо перед готовкой или маринованием, сами нарежете его на необходимые порции.

Вскоре бифштекс был поджарен и уничтожен с тем безоглядным удовольствием, какое возможно лишь при наличии здорового аппетита, хорошей компании и чистого воздуха. Причем последняя причина способствует этому в десятки тысяч раз сильнее, чем любые ухищрения в виде аперитивов, соусов и приправ.

Джеффери Фарнол.
Седина в бороду

Секреты шефа

Для того чтобы бифштекс при готовке на решетке не вздыбливался и не прогибался, как забытый на тарелке нарезанный сыр, надо сделать по окружности куска несколько надрезов острым ножом.

как ни приготовь. А вот если у бойца, который забивал животное, по неопытности дрогнула рука, то по мышцам, тканям проходит внутреннее кровоизлияние и цвет может стать темно-красным до черноты. Такое мясо пропитано адреналином – ведь животное испугалось, чуя свою гибель, страдало. Все это сказывается и на вкусовых качествах, мясо будет более жестким, сухим и, конечно, менее полезным.

Не стесняйтесь пробовать мясо на ощупь. Нажмите на кусок пальцем и почувствуете, что мясо как бы пульсирует. Нормальное парное мясо всегда упруго, оно тут же восстанавливает свою форму. Если же там, где вы надавили, остается ямка, то, значит, с момента убоя животного прошло более 72 часов. Это предельный срок для реализации парного мяса. Далее его, по идее, требуется охлаждать до температуры от 0 до +2 °С. Охлажденное мясо может храниться не более недели. Потом его придется заморозить лучше в режиме быстрой заморозки, в плотно закрытом контейнере или в целлофановом пакете. А разморозив, лучше не жарить, но на суп, котлеты или для тушения оно вполне сгодится.

Определить, что вам предлагают размороженное мясо под видом охлажденного, также можно на глаз и на ощупь. У мороженого мяса меняется цвет, оно уже не розово-красное, а серовато-белое, и ничего тут не изменишь. Хоть маслом, хоть марганцовкой его мажь. Размороженное мясо теряет упругость, становится вялым. Кроме того, оно практически ничем не пахнет. И обман откроется сразу же, как только вы начнете мясо жарить. Прежде всего, вы не почувствуете аромата. Потом, в мороженом мясе много влаги. Сколько кусок ни вытирай салфеткой, при жарке начнет выделяться лишняя влага. В результате бифштекс получится сухим, жестким и невкусным.

Для жарки, особенно на гриле, у говядины подходят лишь немногие части, прежде всего филей. Непрофессионалы часто называют его вырезкой. Если взять позвоночник в сечении, то получим крест, у которого горизонтальная линия переходит в ребра. Так вот филей – это две малые мышцы, которые проходят вдоль позвоночника. Они практически не работают, не несут нагрузки, поэтому это самое нежное мясо. От общего веса животного филей составляет один-два процента. Вот и считайте: если вес бычка сто килограммов, то филей у него будет весить не более двух килограммов.

Мясо в верхней части позвоночника называется филейным краем. Это тоже отличное мясо для жарки – несколько минут на углях, и перед вами прекрасный бифштекс.

Рецепты

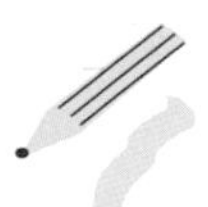

Для начала полезно поцеловать даме ручку – это позволяет принюхаться к мясу.

Оливье де Керсозон, французский мореплаватель

Бифштекс в апельсиновом маринаде

1 кг говяжьего филея
2 давленых зубчика чеснока
1 ст. ложка измельченного свежего корня имбиря (или 1 ч. ложка сухого)
сок 2 апельсинов
соль, перец по вкусу

Слегка отбейте мясо так, чтобы кусок имел примерно одинаковую высоту в 5 см, сделайте на нем крестообразные надрезы с двух сторон. Отлейте 0,5 стакана свежевыжатого апельсинового сока и поставьте в холодильник.

Смешайте маринад из оставшегося сока с имбирем, чесноком и перцем. Замаринуйте мясо не менее чем на 6 часов.

Оботрите мясо от маринада и запекайте на решетке по 10–12 минут с каждой стороны.

Снимите мясо с углей, посолите и оставьте на несколько минут на теплом блюде. Тем временем достаньте из холодильника припасенный сок и нагрейте его. Нарежьте мясо на ломти и подавайте, полив подогретым апельсиновым соком.

Вырезка на вертеле

1 средней величины вырезка (филей)
2 ст. ложки растительного масла
соль, перец по вкусу

Вырезку очистите от пленок, нанижите во всю длину целиком на вертел и закрепите на нем, обвязав кулинарным шпагатом или суровой ниткой с интервалом примерно в 10 см.

Приготовленную таким образом вырезку обсушите бумажным полотенцем, смажьте растительным маслом и запекайте над сильными углями, время от времени поворачивая, до готовности.

Выложите готовую, освобожденную от шпагата вырезку на блюдо, нарежьте поперек волокон на порционные куски, посолите, поперчите и подавайте с запеченными на шампурах помидорами, с зеленью, дольками лимона и гранатовым соусом наршараб или соусом ткемали.

Рулетики на шампурах

4 куска филея по 200 г каждый
соль
черный перец свежего помола
2 давленых зубчика чеснока
2 ст. ложки дижонской горчицы
1 пучок зелени (петрушка, зеленый лук, укроп, кинза)
сок 1/2 лимона
2 ст. ложки оливкового масла

Нарежьте мясо полосками шириной около 2 см и длиной примерно 10 см. Слегка отбейте, посолите, поперчите полоски мяса и разложите на доске.

Давленый чеснок смешайте с горчицей, мелко нарубленной зеленью, лимонным соком и небольшим количеством оливкового масла. Смажьте получившейся смесью каждую полоску мяса и скатайте ее рулетиком.

Нанижите рулетики на маленькие шампуры, смажьте оставшимся оливковым маслом и жарьте на решетке 12–15 минут, часто переворачивая.

Заметки на полях

Иногда вместо говяжьего филея простоватым покупателям подсовывают так называемый фрихандон – куски из задней части окорока или из передней части лопатки (тогда они получаются меньше размером). Своей удлиненной формой – но не вкусом и сочностью – они действительно напоминают вырезку, то бишь филей. Различить их можно опять же по внешнему виду и на ощупь: у фрихандона более крупные, грубые, плотные волокна без прожилок; филей, если его потрогать, более нежный, почти как пластилин, а фрихандон даже не ущипнешь, по упругости он напоминает хорошо надутый мяч. Жарить его не рекомендуется, мягким это мясо не станет, лишь высохнет. Фрихандон вкусен в отварном виде, недаром его еще называют «салатным» мясом.

Как «состарить» мясо

Высокая кухня – это не только какой-нибудь французский соус, сервированный в определенный момент к определенному блюду, но и правильно приготовленное мясо.

Александр Филин, президент Национальной гильдии шеф-поваров России

Секреты шефа

Умеренный слой жира на ростбифе улучшает его вкусовые качества и сохраняет мясо сочным во время жарения.
В любом случае правильные пропорции между постной мякотью и жиром вы можете определить сами на основе собственных пристрастий и предпочтений.

Французский король Генрих IV в свое время очень быстро покорил сердца своих подданных следующим, говоря на языке нынешних политтехнологов, слоганом: «По курице в каждый котел!» Что, впрочем, неудивительно, учитывая, какими путями обычно пробирается любовь в человеческие сердца.

В наши дни политику, идущему на выборы, я бы рекомендовал (идею дарю безвозмездно!) слоган: «По бифштексу на каждую решетку!» Он прошел бы на ура прежде всего в США и Франции, где, несмотря на происки поклонников вегетарианства, поедание стейков возведено в ранг если не искусства, то национального спорта. В России, учитывая относительную дешевизну курятины, скорее сработал бы девиз Генриха IV. Хотя вариант с бифштексом тоже имел бы успех, если бы не дороговизна импортного мяса в супермаркетах.

И все же хороший кусок отечественного мяса сейчас можно найти и на наших рынках. Говядину выбирайте яркого светло-красного цвета, с тонкими прожилками жира, напоминающими по рисунку мрамор. Если прожилки жира толстые, они не растают полностью при жарке, и блюдо будет иметь неприятный «свечной» привкус. Не берите куски с сероватым или желтым жиром – по цвету он должен напоминать хорошее сливочное масло. Излишек жира по краям необходимо срезать, оставляя «ободок» примерно в полсантиметра. (Обрезки жира могут пригодиться для других целей, в том числе при разжигании углей и для смазывания решетки.)

Мороженое мясо не подходит для жарки на углях по определению. Его уже иссушила морозильная камера, и усугублять этот процесс с помощью барбекю бессмысленно, все равно не получится ничего путного. Говядина должна быть свежей, но не парной – тогда она словно кисель, ее даже трудно разделывать. Такое мясо надо, как говорят повара, «состарить».

Впервые этот термин мне довелось услышать в одной из африканских стран, когда поздним вечером я заехал перекусить в небольшой французский ресторанчик, хозяина которого хорошо знал. Но в желанном бифштексе мне было отказано. «Неужели у тебя не найдется куска мяса?» – спросил я. В ответ мой приятель повел меня на кухню и распахнул настежь один из гигантских двухстворчатых холодильников, доверху заполненный говяжьим филеем. «То, что слева, припасено на завтра, – пояснил он, – справа на послезавтра, сегодняшнее мясо уже все съели, а кормить тебя чем попало мне не хочется». Короче говоря, ужин во французском ресторане закончился по-русски – бутылкой водки под большую яичницу. Зато я прослушал целую лекцию о том, как готовится настоящий бифштекс. А на следующий день, когда заехал посмотреть, как чувствует себя мой приятель после русского ужина, увидел все собственными глазами.

И вот что я узнал. Парное мясо надо обязательно выдержать 4–5 дней в холодильнике. Причем положить кусок надо на небольшую решетку, поставленную в эмалированный поддон так, чтобы был доступ воздуха, а накрыть его можно перевернутой миской или листом пергаментной бумаги. За это время мясо обветрится, корочка его подсохнет и как бы запечатает внутри все соки. Затем с куска острым ножом срезаются пленки и потемневшие места. Все – мясо «состарилось», и теперь из него можно приготовить первоклассный бифштекс.

Я люблю нежный, сочный бифштекс. И всякий раз, как закажу себе это блюдо, говорю: «Сноуди, ты поступил правильно».

Чарлз Диккенс. Шустрые черепахи

Заметки на полях

Несмотря на то что средний бык весит примерно 450 кг, из его туши можно набрать лишь 35 кг мяса для первоклассного бифштекса. А если исходить из российских условий, и того меньше, поскольку очень долгое время нас приучали к тому, что в природе существует только один вид мяса – мороженое и два его подвида – с костями и без. И шустрые мясники, крутя перед носом покупателя тем, что они произвольно называли то огузком, то горбушкой, одновременно ловко прикрывали большим пальцем спрятанные под тонким слоем мякоти гигантские мослы...

Подали бифштекс. Он был приготовлен точно по ее вкусу, с подрумяненным хрустящим луком. Джулия ела жареный картофель, деликатно держа его пальцами, смакуя каждый ломтик, с таким видом, словно хотела воскликнуть: «Остановись, мгновение, ты прекрасно!» «Что такое любовь по сравнению с бифштексом?» – спросила себя Джулия.

Сомерсет Моэм. Театр

Рецепты

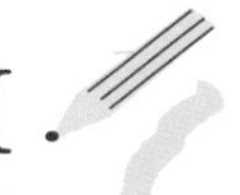

Бифштекс «Каберне»

4 бифштекса по 150–200 г

Для соуса-маринада:

1/4 стакана ароматизированного уксуса
1 стакан сухого вина типа каберне
0,5 стакана сахара
1/2 ст. ложки дижонской горчицы
2 полоски лимонной цедры
2 палочки корицы
1 стакан очищенной вишни (свежей, мороженой или консервированной)

Смешайте ингредиенты маринада (кроме вишни) и кипятите его в течение 10 минут на слабом огне.
Положите бифштексы в пластиковый пакет, залейте туда 3/4 стакана остывшего маринада и поставьте в холодильник на 1–2 часа.
В оставшийся маринад всыпьте крупно нарезанную вишню, добавьте соли, сахара и перца по вкусу и поставьте приготовленный соус в холодильник.
Зажарьте бифштексы на решетке до готовности, примерно по 4 минуты с каждой стороны.
Пока бифштексы жарятся, подогрейте в течение 5 минут соус и подавайте бифштексы вместе с соусом.

Бифштекс с анчоусами и помидорами

4 куска филея по 200–250 г
8 филе анчоусов
4 помидора
2 ст. ложки оливкового масла
перец по вкусу

Истолките анчоусы в однородную массу. Можно взять анчоусную пасту в тюбике – тоже вкусно.
Разрежьте помидоры надвое, обжарьте в течение 5 минут в масле, отложите в теплое место.
Зажарьте бифштексы на углях так, как вы любите. Можете поперчить, но солить не надо.
Подавайте на теплых тарелках, намазав бифштексы, как бутерброды, анчоусной пастой и украсив горячими помидорами.

Вырезка с бурбоном

1 кг говяжьего филея

Для маринада:

1 стакан говяжьего бульона (можно из кубика)
6 ст. ложек бурбона (американского виски)
2 ст. ложки соевого соуса
3 зубчика чеснока

Замаринуйте вырезку на 2–4 часа.
Оботрите вырезку от маринада и запекайте на решетке примерно 4 минуты, затем переверните и запекайте до готовности.

Заметки на полях

Среди «мяса с костями» можно найти очень вкусные куски, например, для почти килограммового антрекота на ребре или знаменитого T-bone стейка, названного так потому, что кости на его срезе образуют букву «Т». Но такая разделка туши знакома лишь небольшому количеству профессионалов, и на обычном рынке вы таких кусков не отыщете, разве что в дорогих супермаркетах. Поэтому неискушенному в этих тонкостях человеку лучше ориентироваться на «мясо без костей», то есть на филей и тонкий край.

Медовый месяц на решетке

Итак, мясо куплено, «состарено», пора его готовить. На чем бы вы ни жарили мясо, на газовом гриле или на углях, делать это надо на хорошем жару. В одной из первых глав уже говорилось о «ручном» методе определения температуры – протягиваете над углями ладонь и считаете, сколько секунд сможете выдержать. Так вот, для бифштекса «с кровью» угли должны быть раскалены настолько, чтобы вы лишь успели сказать «ой!» и отдернуть руку (если, конечно, у вас ладони не из чистого асбеста).

Необходимая температура достигается на газовом гриле после 10–20 минут разогрева на максимуме и при закрытой крышке. В обычном барбекю, с хорошей порцией древесных углей на это потребуется не менее получаса. Решетка при этом должна находиться на высоте 12–15 см от углей.

Когда все хорошо разогрелось, протрите куски мяса насухо салфеткой и твердой рукой, с легким нажимом кладите на решетку. А теперь на минутку расслабьтесь, не теребите бифштексы лопаткой и вообще оставьте их в покое! Они сами знают, когда им пора переворачиваться, и сами дадут вам сигнал.

Если мясо встретилось с правильной, а значит, хорошо разогретой и смазанной решеткой, то, как образно пояснил мой приятель-француз, они страстно прильнут друг к другу, не хуже молодоженов во время медового месяца. Но любые объятия не вечны, и как только они ослабнут, вот тут-то и надо переворачивать бифштексы. Но нежно, лопаткой, а не вилкой! Еще один любовный клинч, и, когда объятия опять разомкнутся, все – медовый месяц закончился. Пора заняться делом, то есть пойти покушать...

Как только бифштекс готов, переложите его на теплое блюдо и опять же оставьте в покое, минут на пять, чтобы

Говядина является королевой мяса, она объединяет в себе квинтэссенцию куропатки, перепела, косули, фазана, сливового пудинга и яичного крема.

Джонатан Свифт

Секреты шефа

Зажаренный бифштекс необходимо, перед тем как разрезать и подать на стол, выдержать на теплой тарелке столько же времени, сколько он находился на решетке. Или же можно завернуть мясо в алюминиевую фольгу с проделанной в ней небольшими отверстиями. Тогда сок внутри куска равномерно распределится и весь бифштекс получится мягким и сочным.

Висем Абдулатиф, шеф-повар московского ресторана «Саламбо»

Сначала остренькую закуску для аппетита, потом бифштексы, хорошо поджаренные снаружи, и, когда их тронешь ножом, они вздыхают как живые, затем спагетти, зеленый салат и красное калифорнийское вино.

Ирвин Шоу. Молодые львы

сок внутри мог равномерно распределиться. Затем на разделочной доске нарежьте мясо сверху вниз, слегка по диагонали, и можете подавать.

Вот мы и добрались до третьей составляющей хорошего бифштекса: есть его надо сразу, не теряя ни минуты. Всё за столом, включая приправы, соусы, гарниры, напитки (и гостей!!!), должно уже быть наготове. Его Величество Бифштекс никого дожидаться не станет.

Рецепты

Бифштекс в медово-горчичном соусе

4 бифштекса по 200–225 г каждый

Для соуса:

4 ст. ложки дижонской горчицы
2 ст. ложки яблочного сока
1 ст. ложка меда
1 ч. ложка молотой корицы
соль, перец по вкусу

Смешайте ингредиенты соуса.
Прямо перед готовкой посолите и поперчите бифштексы и на сильном жару слегка обжарьте их с двух сторон.
Смажьте мясо соусом и жарьте до готовности, часто переворачивая и смазывая куски соусом.

Бифштекс пикантный с лаймом

4 бифштекса по 200–225 г каждый
2 зубчика чеснока
1 небольшой ананас

Для маринада:

2/3 стакана острого соуса чили
1/3 стакана ананасового сока
3 ст. ложки свежевыжатого сока лайма
1 ч. ложка нарезанной цедры лайма
1/2 ч. ложки молотого тмина
кайенский перец по вкусу

Смешайте ингредиенты маринада, хорошенько натрите бифштексы чесноком, залейте маринадом и поставьте на 2 часа в холодильник.
Оботрите бифштексы от маринада, зажарьте на сильных углях до желаемой степени готовности и подавайте с обжаренными на решетке кружочками ананаса.

Бифштекс по-дижонски

4 бифштекса по 200 г каждый

Для маринада:

4 ст. ложки дижонской горчицы
5 ст. ложек оливкового масла
2 ст. ложки красного винного уксуса
1 ч. ложка молотого тимьяна
соль, перец по вкусу

Смешайте ингредиенты маринада, залейте им бифштексы и поставьте на 6–8 часов в холодильник.
Оботрите бифштексы от маринада, зажарьте на сильных углях до желаемой степени готовности, разрежьте на тонкие ломтики и подавайте с зеленым салатом.

Бифштекс с пармезаном

500–600 г филея

Для маринада:

2 ст. ложки оливкового масла
100 мл сухого красного вина
2 ст. ложки соуса чили
1 давленый зубчик чеснока
2 стакана тертого сыра пармезан
1/4 ч. ложки соли
1/4 ч. ложки черного перца

Нарежьте мясо на 4 одинаковые части. Смешайте маринад, залейте им мясо и оставьте на 4 часа мариноваться в холодильнике.
Выньте мясо из маринада, дайте маринаду стечь и обваляйте куски в тертом сыре.
Жарьте 5–6 минут с одной стороны, потом переверните и от души посыпьте уже обжаренную сторону тертым сыром.
Доведите до готовности и подавайте с зеленым салатом.

Заметки на полях

«Мраморная говядина» считается во всем мире главным мясным деликатесом. «Мраморной» она называется потому, что на срезе напоминает испещренный прожилками камень. Этот эффект достигается благодаря наличию тонких прослоек жира в толще мышечной ткани, которые и делают мясо при жарке удивительно сочным, мягким и нежным. Такое мясо получают от бычков, выращенных по специальной технологии. В течение последних трех-четырех месяцев перед забоем их вскармливают только зерном, при этом полностью ограничивают в движении. Это позволяет добиться низкого содержания соединительной ткани, что придает мясу особую нежность.

Бифштекс, фаршированный чесноком и луком

2 куска филея 5 см толщиной
1 ст. ложка оливкового масла
4 ст. ложки мелко нарезанного чеснока
8 ст. ложек нарезанного зеленого лука
4 ч. ложки соли
4 ч. ложки молотого перца

В небольшой сковороде разогрейте масло, обжарьте в нем нарезанный чеснок, пока он не станет мягким, но не изменит при этом своего цвета. Добавьте и точно так же обжарьте нарезанный зеленый лук. Посолите, поперчите и оставьте остывать.
Острым ножом сделайте в каждом из бифштексов «карман», наполните его приготовленной смесью и заколите вымоченной в воде деревянной зубочисткой.
Обжарьте куски на сильном жару примерно по 2 минуты с каждой стороны. Когда мясо «схватится», перенесите бифштексы в менее жаркую часть барбекю и жарьте еще примерно по 10 минут с каждой стороны до желаемого уровня готовности.
Выдержите готовые бифштексы 5–10 минут на теплом блюде, выньте зубочистки и нарежьте мясо по диагонали на куски толщиной в 1–1,5 см.

Бифштекс в пиве

4 бифштекса по 250 г каждый
2 ч. ложки соли
2 ст. ложки сухой приправы из черного перца и цедры лимона
банка или бутылка пива (330 г)

Сполосните бифштексы и положите в подходящую емкость.
Посыпьте куски мяса с двух сторон солью и лимоном с перцем. Аккуратно залейте пивом, стараясь не смыть приправы с мяса. Накройте и поставьте в холодильник на 1–2 часа.
Затем оботрите от маринада и жарьте на решетке по 3–5 минут с каждой стороны.

Бифштекс с чесноком

4 бифштекса по 200 г каждый
1 головка чеснока
соль, перец по вкусу

Очистите чеснок и нарежьте его зубчики на тонкие пластинки. Острым ножом сделайте в верхней части бифштекса тонкие надрезы, нашпигуйте мясо пластинками чеснока и поставьте под крышкой в холодильник не менее чем на 4 часа.
Выложите бифштексы на горячую, хорошо смазанную оливковым маслом решетку «чесночной» стороной вниз и запекайте так 4–5 минут. Затем переверните мясо, посолите, поперчите и доведите до желаемой степени готовности.

Выяснилось: за обедом Лавр Федотович и профессор Выбегалло, выступая против товарища Хлебовводова в практической дискуссии относительно сравнительных преимуществ прожаренного бифштекса перед бифштексом с кровью, стремясь выяснить на деле, какое из этих состояний бифштекса наиболее любимо общественностью и, следовательно, перспективно, скушали под коньячок и пльзенское бархатное по четыре экспериментальных порции из фонда шеф-повара. Теперь им всем плохо, и до утра, во всяком случае, на людях появиться не смогут.

Аркадий и Борис Стругацкие. Сказка о тройке

Секреты шефа

При жарке бифштекса не надо его бесконечно теребить и крутить на решетке с боку на бок – мясо лучше переворачивать только один раз.

Чтобы мясо получилось более сочным, его полезно поставить на несколько часов в холодильник, поместив в легкий рассол (2–3 ст. ложки крупной соли на литр воды). Затем обсушить салфеткой и натереть приправами по вашему вкусу. В простейшем варианте это могут быть чеснок и свежемолотый черный перец.

Шатобриан «а-ля Азазелло»

Тут в багровом свете от камина блеснула перед буфетчиком шпага, и Азазелло выложил на золотую тарелку шипящий кусок мяса, полил его лимонным соком и подал буфетчику золотую двузубую вилку... Буфетчик из вежливости положил кусочек в рот и сразу понял, что жует что-то действительно очень свежее и, главное, необыкновенно вкусное.

Михаил Булгаков.
Мастер и Маргарита

Секреты шефа

Никогда не пользуйтесь вилкой при жарке мяса на барбекю – манипулируйте лучше щипцами или лопаткой.

В СВОЕЙ КНИГЕ Михаил Афанасьевич не уточняет, какое блюдо подавалось тогда в нехорошей квартире, но мне почему-то кажется, что это был шатобриан. Так называется серединная, самая толстая часть говяжьего филея, а также блюдо, названное в честь виконта Франсуа-Рене де Шатобриана, знаменитого писателя и дипломата.

Кстати, меню хороших европейских ресторанов очень часто напоминает библиотечный каталог – такое в нем количество имен известных писателей и знаменитых исторических персонажей. Здесь и «антрекот Виктор Гюго», и белые грибы «а-ля Толстой», и «медальоны Мария-Антуанетта», и персики «а-ля Конде»... Некоторые блюда обязаны своими названиями вычурной фантазии кулинаров, а некоторые действительно связаны с конкретными людьми – в прежние времена повара часто посвящали свои вкусные изобретения тем, кому они служили. Так вот, шатобриан придумал повар знаменитого виконта Монмирель, прославившийся на кулинарном поприще не меньше, чем его господин на литературном и дипломатическом.

В меню парижских ресторанов шатобриан появился после 1850 года и поначалу не пользовался особым успехом. Как отзывался в то время о новом блюде один кулинарный критик (что поделаешь: любой вид искусства плодит своих критиков!), «...это не более чем достойный способ есть почти сырое мясо». Резонно тогда спросить, в чем же заключалось новаторство Монмиреля: неужели человечеству надо было дожидаться XIX века, чтобы научиться готовить мясо «с кровью»? Но оказывается, еще был и соус «шатобриан» – на основе белого вина, деми-гляса (бульона-вытяжки из телячьих костей) и масла «а-ля метрдотель», позднее заново изобретенный современными мэтрами французской кухни.

Для шатобриана нам потребуются два куска филея по 700–750 г каждый. На крайний случай их можно обжарить на раскаленной сковороде с минимумом масла, но лучше использовать электрический или газовый гриль, а в идеале – запечь на решетке над древесными углями. Для этого вырезку надо насухо вытереть, хорошо смазать растительным маслом и выложить на раскаленную решетку, на самый сильный жар. Мясо должно «схватиться», на его поверхности мгновенно образуется корочка, которая не позволит мясному соку вырваться наружу – в книгах для учащихся кулинарных техникумов такой процесс называется карамелизация.

Пока вы выговаривали про себя это слово, уже наступил момент убавить жар, то есть перенести шатобриан в менее жаркую часть барбекю или мангала. Как только на внешней части куска станут проступать красные жемчужины сока, его надо перевернуть и одновременно вновь отправить в самый жар. Надолго ли? Не ломайте кулинарными терминами язык – он вам скоро пригодится, а скажите что-нибудь простенькое, например «экзистенциализм», и возвращайте мясо к краю решетки.

Если вы не станете заикаться и паниковать, то минут через десять получите два сочнейших куска мяса «с кровью», которыми можно накормить четверых голодных мужчин и еще четверых прекрасных дам, берегущих фигуру. Вспомните, как поступал Азазелло: полейте шипящий шатобриан соком лимона и со столь же очаровательной улыбкой угощайте ваших гостей.

Навстречу шел бифштекс
в нарядном женском платье.

Саша Черный

Заметки на полях

Готовность бифштекса можно, при некотором навыке, определять и на ощупь.

Если при жарке на углях мясо слегка прихватилось, но, когда его трогаешь пальцем, остается мягким и как будто вялым, то это кондиция для особых гурманов, которую французы называют bleu, а англичане – blue (голубой): бифштекс только еще покрылся красно-коричневой корочкой, но внутри остается почти сырым, темно-красного и вправду отдающего в голубизну цвета.

Вторая степень готовности – бифштекс saignant, по-английски – rare steak, а по-нашему – «с кровью»: мясо слегка сопротивляется нажиму пальца, внутри – красного цвета.

Третья степень – бифштекс a point, по-английски – medium-rare, а по-нашему – в меру, «в самый раз» прожаренный: мясо сопротивляется больше, на его поверхности выступают капельки крови, внутри оно – розового цвета.

И наконец, хорошо прожаренный бифштекс bien cuit (well done) – мясо плотное на ощупь, внутри серовато-розового цвета. Эта четвертая степень готовности не пользуется популярностью у настоящих знатоков.

За ней может следовать пятая и последняя степень под русским названием «подошва» (у французов не существует, поскольку таковой они считают уже четвертую степень).

Рецепты 

Бифштекс с острым фруктовым соусом

Это блюдо можно приготовить, а вернее, оформить четырьмя разными способами. Во всех четырех случаях неизменными ингредиентами остаются хороший кусок мяса и любой пряный фруктовый соус («НР»; «Хайнц», китайский или экзотический; индийские или тайские остро-сладкие соусы и др.). Прекрасно подошел бы наш отечественный соус «Южный», но его что-то давно не видно.

Способ первый (интернациональный)

500 г говяжьего филея толщиной 2,5 см
0,5 стакана соуса

Обжарьте мясо единым куском на решетке до готовности.

Когда мясо будет почти готово, обильно смажьте его соусом, подержите на огне не более 2 минут и подавайте с зажаренными на решетке овощами (лук, сладкий перец, баклажаны и т.д.).

Способ второй (итальянский)

500 г филея толщиной 2,5 см
2 коржа для пиццы
фруктовый соус
резаные шампиньоны
нарезанный лук
тертый сыр моцарелла
зеленый салат

Мясо готовится так же, как в первом варианте.

Пока мясо жарится, смажьте коржи для пиццы (можно заменить питой) соусом, посыпьте сверху нарезанными шампиньонами, луком и тертым сыром.

Жареное мясо нарежьте по диагонали на тонкие кусочки, выложите на подготовленные коржи, присыпьте тертым сыром и положите коржи на решетку в нежаркое место.

Когда сыр начнет плавиться, разрежьте каждую пиццу на две части и подавайте с зеленым салатом.

Способ третий (мексиканский)

Для приготовления этого варианта потребуется гуакамоле – острый соус, в состав которого входят лук, помидоры, перец чили, мякоть авокадо, зеленый сладкий перец и кинза

500 г филея толщиной 2,5 см
8 лепешек тортильяс
фруктовый соус на ваш вкус
тертый сыр чеддер
гуакамоле или сметана
салат из шпината и апельсинов

Мясо готовится так же, как в первом варианте.

Пока мясо жарится, подогрейте тортильяс.

Жареное мясо нарежьте по диагонали на тонкие ломтики, выложите на тортильяс, добавьте тертый сыр, фруктовый соус, гуакамоле или сметану.

Сверните тортильяс и подавайте с салатом из шпината и апельсинов.

Способ четвертый (средиземноморский)

500 г говяжьего филея толщиной 2,5 см
спагетти, или кускус, или рис
фруктовый соус
жаренные на решетке овощи

Мясо готовится так же, как в первом варианте.

Пока мясо жарится, разложите по тарелкам заранее приготовленные спагетти, или кускус, или рис.

Жареное мясо нарежьте по диагонали на тонкие ломтики, выложите в тарелки поверх гарнира, полейте соусом и подавайте с зажаренными на решетке овощами (луком, сладкими перцами, баклажанами и т.д.).

Филе-миньон с тмином

4 куска говяжьего филея по 150–200 г каждый
2 ч. ложки тмина
1 ч. ложка сухого чеснока
1 ч. ложка сухого лука
1 ч. ложка давленых зерен белого перца
соль по вкусу

Выложите куски филея на плоское блюдо и посыпьте их с обеих сторон сухим чесноком, луком, давленым белым перцем и тмином. Слегка прижмите куски, чтобы пряности хорошо вмялись в мякоть. Обваляйте мясо в оставшихся на блюде пряностях.

Обжарьте куски на сильном жару примерно по 2 минуты с каждой стороны.

Когда мясо «схватится», перенесите куски в менее жаркую часть барбекю и жарьте еще примерно по 6 минут с каждой стороны до желаемого уровня готовности. В это время можно посыпать филе-миньон оставшимся тмином и посолить по вкусу. Подавайте с ломтиками лимона.

Бифштекс дядюшки Терри

4 бифштекса из оковалка по 500 г каждый

Для маринада:

2 стакана растительного масла
2 стакана кетчупа
4 стакана красного сухого вина
1 ст. ложка винного уксуса
2 давленых зубчика чеснока
по 1/2 ч. ложки соли, молотого черного перца, сухой горчицы, сухого сельдерея и молотого перца чили

Смешайте ингредиенты маринада. Наколите вилкой мясо во многих местах, чтобы лучше промариновалось, залейте маринадом, закройте и поставьте в холодильник не менее чем на 12 часов. Время от времени переворачивайте мясо в маринаде.

Жарьте бифштексы до готовности в течение примерно 10–12 минут с каждой стороны, время от времени смазывая маринадом.

Метрдотель рекомендует

Если у вас припасен отменный кусок мяса, специи не понадобятся. На мой вкус, правильно пожаренный бифштекс настолько хорош сам по себе, что не стоит его мариновать или чем-либо предварительно приправлять. К столу вы можете подать любой из приглянувшихся соусов, но я рекомендовал бы попробовать с зажаренным на решетке мясом – и не только мясом – особую, весьма тонкую приправу, которую французы называют *beurres composées*. Это сливочное масло с различными добавками, своего рода последний штрих, придающий блюду законченность и особый аромат.

Вот как, например, готовится одна из самых несложных и в то же время весьма изысканных приправ «масло а-ля метрдотель». В сливочном масле (здесь и далее все рецепты даются из расчета на 200 г масла) разомните и хорошо перемешайте 2 ст. ложки мелко нарезанной петрушки, добавьте 1 ч. ложку лимонного сока, соль и перец по вкусу. Разминать масло лучше деревянной вилкой; вы уже догадались почему – из-за лимонного сока, который не любит соприкосновения с металлом.

Приготовленную массу заверните толстенькой колбаской в алюминиевую фольгу или целлофан и остудите затем в холодильнике. В таком виде масло может храниться в холодильнике не более суток, но в морозильнике можно сделать запас и на два месяца. Перед подачей масло нарезается кружочками в сантиметр толщиной и кладется поверх зажаренного на решетке мяса.

Точно таким же образом можно приготовить и множество других вариантов.

Чесночное масло – 50 г давленого чеснока, сок 1/2 лимона, соль, перец.

Помните, конечно, как пахло жареное мясо, вырезка, помните? А подливки было много, очень много, густая такая, и я любил, отломив корочку белого хлебца, обмакнуть ее в подливочку и с кусочком нежного мяса – гам!

Аркадий Аверченко. Дюжина ножей в спину революции

Секреты шефа

Если вы хотите, чтобы у вас получился красивый бифштекс с четкой «решеточкой», то, переворачивая, не кладите его на то же самое место, где он до этого жарился.

Я думаю, что согласился бы на любую диету, если бы мне оставили соусы.

Андре Леви,
французский драматург

Заметки на полях

Из говяжьего филея можно сочинить и необыкновенно праздничное и не сложное в приготовлении холодное блюдо. А накормить им можно от 4 до 22 695 человек. Чтобы вы не решили, что это ошибка наборщика или корректора, повторяю прописью, как на банковском чеке: двадцать две тысячи шестьсот девяносто пять. Именно такое количество приглашенных собралось 22 сентября 1900 года в садах королевского дворца Тюильри под Парижем, куда тогдашний президент Эмиль Лубе пригласил всех мэров городов Франции, чтобы отметить очередную и совсем не круглую годовщину провозглашения в 1792 году Первой республики.

На этом обеде, достойном Гаргантюа и Пантагрюэля, было выпито 50 тысяч бутылок вина, а за кофе – тысяча литров коньяку и ликеров. Слава богу, закуска была хорошая: помимо двух тонн семги, сотен дюжин уток, пулярок и фазанов мэры-республиканцы скушали почти две с половиной тонны вырезки, приготовленной по рецепту самой мадам де Помпадур – могущественной фаворитки Людовика XIV. Именно этим легким блюдом из заливной говядины она радовала короля во время поздних ужинов в своем замке Бельвю – отсюда и название filet de bœuf en Bellevue.

Анчоусное масло – 100 г консервированных анчоусов (без костей и кожи) или анчоусной пасты, 1 ст. ложка лимонного сока, перец.

Масло с базиликом – 30 г измельченного свежего базилика, 1 давленый зубчик чеснока, соль, перец.

Горчичное масло – 50 г дижонской горчицы, сок 1/2 лимона, соль, перец.

Масло с петрушкой и кервелем – по 40 г измельченной зелени петрушки и кервеля, сок 1/2 лимона, соль, перец.

Масло с хреном – 40 г натертого свежего хрена, сок 1/2 лимона, соль, перец.

Масло «равигот» – 2 давленых зубчика чеснока, по 1 ст. ложке измельченных лука-резанца, петрушки, эстрагона и кервеля, соль, перец.

Масло с рокфором – 100 г давленого и измельченного сыра рокфор, 24 измельченных ядра ореха фундук, 1 ст. ложка измельченной петрушки.

Можно придумать и другие варианты. Например, такой: масло с вином и луком-шалотом. В слегка обжаренный, до прозрачного цвета, лук-шалот добавьте немного красного сухого вина, соль и перец по вкусу, потомите до полного выпаривания жидкости, охладите и затем смешайте с маслом. Правда аппетитно?

Рецепты

> В Англии есть только два соуса и три сотни религий, а во Франции наоборот – две религии, но зато больше трехсот соусов.
>
> *Талейран*

Бифштекс «Карман раввина»

Этот рецепт фаршированного мяса очень популярен в Чехии. Его там часто называют капса раввина, что в переводе означает «карман раввина». Причем местные повара иногда забывают, к чему обязывает подобное название, и готовят «карман» из любимой чехами свинины.

На 2 персоны:

2 куска говяжьего филея толщиной 2–2,5 см

Для начинки:

75 г сыра гауда
2 зубчика чеснока
зелень укропа, петрушки, кинзы
соль, перец по вкусу

Куски мяса отбейте кухонным молотком почти до толщины блина, но очень осторожно, чтобы не образовалось дырочек. Промокните выделившийся сок салфеткой. Чуть-чуть посолите и поперчите мясо с той стороны, на которую будете класть начинку. Не переусердствуйте с солью и перцем, ведь сыр имеет солоноватый вкус, а чеснок придаст блюду остроту.

Натрите сыр на крупной терке, мелко нарежьте зелень, добавьте измельченный чеснок и хорошенько перемешайте. Положите 2–3 ст. ложки начинки на половину куска мяса и накройте другой половинкой – получится нечто похожее по форме на чебурек. Чтобы сырная начинка при готовке не начала вытекать, закрепите края, отбив их кухонным молотком с обеих сторон. Слегка прижмите ваш «чебурек» ладонью, чтобы лучше пропекся на решетке.

Обжарьте мясо на горячих углях в течение 5–6 минут с каждой стороны, затем отодвиньте мясо туда, где не так жарко, и доведите до готовности. При этом начинка должна окончательно расплавиться.

Подавайте бифштексы с зеленым салатом и свежими овощами. К этому блюду подойдет любой острый соус.

Бифштекс с баклажанами

4 куска говяжьего филея по 200–250 г
8 толстых кружков баклажана

Для маринада:

2 ст. ложки растительного масла
1 ст. ложка соевого соуса
2 давленых зубчика чеснока
0,5 стакана белого сухого вина
несколько капель соуса «Табаско»
соль, перец по вкусу

Смешайте ингредиенты маринада (кроме соли и перца), замаринуйте в нем на 15 минут кружки баклажанов.

Смажьте маринадом бифштексы и запекайте вместе с баклажанами на решетке по 10–12 минут до желаемой степени готовности, часто переворачивая и смазывая маринадом. Посолите, поперчите и подавайте.

Говядина в огненном соусе

600 г огузка
перец
чесночная соль
соус «Табаско»
3 ст. ложки подсолнечного масла

Для соуса:

1/2 зубчика чеснока
2 ст. ложки томатного кетчупа
2 ст. ложки винного уксуса
соль
сахар
лимонный сок
орегано

Говядину нарежьте на 8 порционных кусков. Каждый кусок с обеих сторон смажьте подсолнечным маслом, поперчите, посыпьте чесночной солью, приправьте соусом «Табаско».

Смешайте в блендере ингредиенты соуса.

Выложите мясо на предварительно разогретую решетку и запекайте до готовности.

Выложите готовое мясо на блюдо. В качестве гарнира особенно хороши запеченные на решетке дольки картофеля. Соус подавайте отдельно.

Секреты шефа

Любое мясо станет особо нежным, если его замариновать в пиве или окроплять пивом во время готовки. Пиво лучше брать холодное: мясу все равно, а повару – и глотнуть приятно.

Глазированный бифштекс «Пасифик»

кусок тонкого края толщиной 3–4 см и весом 1 кг

Для маринада:

1 стакан соуса-маринада терияки
0,5 стакана нарезанного лука
4 ст. ложки меда
1 ст. ложка нарезанного розмарина
1 ст. ложка кунжутного масла
1 зубчик чеснока
перец по вкусу

В блендере смешайте ингредиенты маринада, поперчите по вкусу. Отлейте 0,5 стакана для смазывания мяса во время жарки.

Острым ножом сделайте крестообразные надрезы на куске мяса, смажьте с обеих сторон и поставьте на 30 минут в холодильник.

Оботрите мясо от маринада и жарьте на решетке по 7–10 минут с каждой стороны, смазывая припасенным маринадом. Прокипятите оставшийся маринад в течение 5 минут.

Нарежьте мясо поперек волокон на тонкие куски, полейте прокипяченным маринадом и подавайте с зеленым салатом.

Шпаргалка для любителей бифштексов

Это не какие-нибудь кабалистические знаки, а простой способ определить на ощупь готовность бифштекса. Для этого у каждого из нас всегда имеется с собой «шпаргалка».

Соедините большой и указательный пальцы левой руки и потрогайте подушечку большого пальца: если бифштекс имеет такую же плотность, то это *rare steak* (по-нашему, «с кровью»); большой со средним – *medium-rare* (в меру прожаренный); большой палец с безымянным – *well done* (хорошо прожаренный).

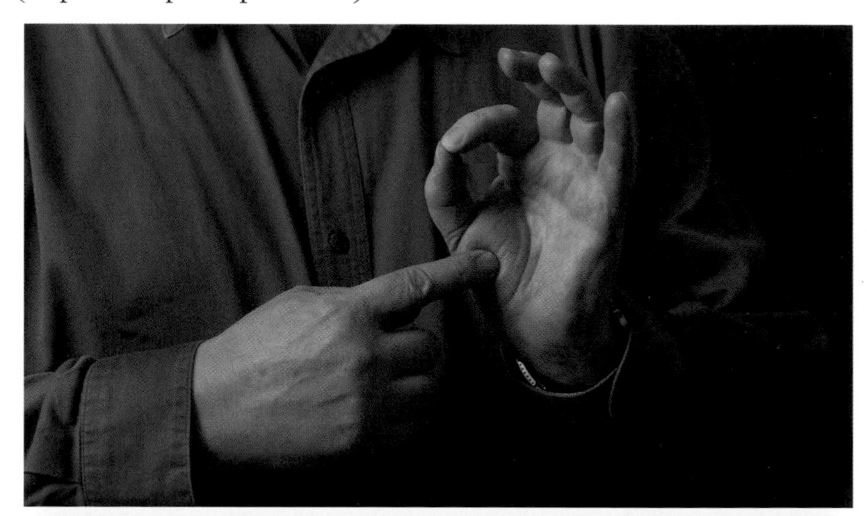

Свинина

А свинья зажарена...

Собаки глядят на нас с обожанием,
кошки взирают на всех с презрением,
и только свиньи смотрят на нас
как на равных.

Уинстон Черчилль

История с географией в мясной лавке

СЧИТАЕТСЯ, что домашнее разведение свиней началось еще 9–10 тысяч лет назад. В Древнем Риме свинина считалась изысканным мясом, а кабанчиков, словно уток, специально откармливали плодами фигового дерева, чтобы получить более нежную и жирную печенку. Галлы славились умением делать окорока и копчености, а древние германцы уже тогда были известны своей особой любовью к свинине, которую их потомки сохранили до наших дней.

В Средние века это мясо было настолько популярно, что стоимость леса на продажу оценивалась исходя из количества свиней, которые могли бы в нем пастись. Улицы средневекового Парижа кишели бродячими свиньями, но потом их свободный выпас в пределах города был строжайше запрещен специальным эдиктом короля. Произошло это после того, как наследник престола, сын Карла Толстого Филипп, сломал себе шею, свалившись с лошади, под ноги которой бросилась перепуганная свинья.

Однако против королевского эдикта запротестовали монахи ордена святого Антония. Как известно, этот живший в III–IV веках христианский святой раздал после смерти своих родителей все свое имущество бедным и удалился в пустыню, где долгие десятилетия пребывал в полнейшем уединении. Единственным его верным спутником в годы отшельничества была свинья. Во время одной из эпидемий, потрясших средневековую Европу и связанных, как полагают, с рожистым заболеванием, больные вымаливали лекарства с именем святого Антония на устах. Болезнь ту назвали антонов огонь, а верным средством от нее считалось свиное сало.

Свинья *(Porcus omnivorus)*, животное, которое сильно напоминает человека своим благородством и хорошим аппетитом, но все-таки уступает ему, а потому и остается свиньей.

Амброз Бирс. Словарь Сатаны

Секреты шефа

Аромат свинины прекрасно дополняют горчица, лук, чеснок, сок цитрусовых, соевый соус. Свинина хорошо сочетается как с овощами, так и с фруктами – яблоками, ананасом, апельсинами, сливами, а также с черносливом, изюмом и курагой.

Заметки на полях

До чего же мы несправедливы и неблагодарны! Ведь какое милое и незлобивое существо свинья, но ее имя в устах людей почему-то стало ругательством, символом хамства, наглости и неопрятности. Хотя сами свиньи на это вряд ли могут обижаться, поскольку все эти качества мы относим, прежде всего, к своим двуногим собратьям.

В течение веков свиньи жили буквально под одной крышей с человеком. В китайском языке, например, графема «свинья», изображенная под графемой «крыша», составляет иероглиф «дом».

Так что еще неизвестно, кто у кого научился свинству. Прав был прекрасный поэт Самуил Маршак, сказавший в своем знаменитом «Кошкином доме»: «Ты свинья, и я свинья, все мы, братцы, свиньи...»

Секреты шефа

Если свиной окорок весит 3–4 кг, значит, целиком задняя ножка потянет на 8–9 кг. Следовательно, перед вами мясо взрослого нормального животного. Покупайте не раздумывая. У старой свиньи задняя нога потянет на 15–16 кг, соответствующего размера будет и окорок. Так что, покупая мясо на большую компанию, не соблазняйтесь гигантскими кусками – лучше взять два поменьше. И помоложе.

Великого святого-отшельника, считающегося основателем монашеского образа жизни, на церковных фресках обычно изображают с колокольчиком в руках и в сопровождении свиньи (иногда колокольчик висит у нее на шее). Монахи-антонианцы всегда разводили и окармливали свиней, а потому Карлу Толстому пришлось пойти на уступки, и монастырские свиньи получили право и впредь пастись в Париже, но на отдельных выгонах и с колокольчиком на шее, который отличал их от прочих находящихся вне закона чумазых собратьев.

Археологические раскопки дают основание предполагать, что исторической родиной свиньи был Ближний и Средний Восток. И тем не менее религии проживающих в том регионе народов запрещают употребление свинины. Древние египтяне считали свиней разносчиками проказы и даже запрещали свинопасам входить в храмы. Иудаизм и ислам заклеймили свинью как нечистое животное, считая ее мясо источником всяческих зол и болезней. В основе этого, скорее всего, был страх перед трихинозом – заболеванием, вызываемым невидимыми глазу червячками-паразитами, которые встречаются в непропеченной свинине. К тому же она, в отличие от баранины, очень быстро портится в тамошнем климате.

Теперь понятно, откуда возникли кулинарные симпатии и антипатии у народов, населяющих жаркие страны? И дело здесь не в разнице вкусов и даже не в религиозных запретах – они лишь закрепили те разумные правила, которые были продиктованы логикой выживания кочевым жителям пустынь и полупустынь. Вот такая история с географией в мясной лавке...

Назовите мне, помимо обеда,
другое удовольствие, которое
случается каждый день
и длится целый час.

Талейран

Время готовки свинины		
Блюдо	**Розовое мясо**	**Хорошо прожаренное**
Отбивная котлета (225 г)	5 мин с каждой стороны	7 мин с каждой стороны
Эскалоп (90 г)	1 мин с каждой стороны	2 мин с каждой стороны
Филе (225 г)	3–4 мин с каждой стороны	5 мин с каждой стороны
Медальоны (150 г)	2 мин с каждой стороны	3–4 мин с каждой стороны
Рулеты (120 г)	4 мин с каждой стороны	5 мин с каждой стороны

Рецепты

Швенкбратен

Schwenkbraten – традиционное немецкое блюдо, чье название в переводе как раз и означает «жареная свинина», обычно готовится на углях из бука. Но в наших широтах бук встречается не везде, а потому придется обойтись углями из березы или дуба. Блюдо рассчитано на 6–8 человек.

2 кг мякоти свинины
1 стакан растительного масла
10 луковиц
7 ягод можжевельника
4 давленых зубчика чеснока
1 ст. ложка сладкой горчицы
по 1/2 ч. ложки тимьяна, майорана, карри, паприки
кайенский перец и черный молотый перец по вкусу

Нарежьте мясо на 8 кусков. Выложите нарезанный тонкими кружками лук в миску и слегка его помните, чтобы пустил сок. Добавьте раздавленные ягоды можжевельника, чеснок, масло, горчицу, пряности и хорошо перемешайте. Переложите куски мяса луковой смесью и поставьте под крышкой мариноваться в холодильник на сутки.

Затем дайте мясу «отогреться» при комнатной температуре в течение 1 часа и жарьте на углях до готовности. Подавайте с картофельным салатом.

Турнедо из свиной вырезки с сальсой из клубники

4 турнедо из филея (вырезки), 2,5 см толщиной каждое

Для сальсы:

250 г нарезанной свежей или свежемороженой клубники
250 г нарезанного кубиками ананаса (свежего или консервированного)
3 «стрелки» зеленого лука
2 ст. ложки ароматизированного уксуса
1 ч. ложка сахарного песка (если ананас не консервированный)
давленый черный перец и соль по вкусу

Непосредственно перед жаркой мяса надо приготовить сальсу, то есть смешать в блендере клубнику, ананас и зеленый лук с ароматизированным уксусом, добавить соль, перец, сахар.

Слегка «распластайте» ладонью куски вырезки, смажьте их оливковым маслом и жарьте на решетке примерно по 3–4 минуты с каждой стороны.

Посолите, поперчите и подавайте, обильно полив сальсой, с обжаренным на решетке белым хлебом.

Секреты шефа

Оптимальная толщина для кусков свинины – 2,5 см. Более тонкие куски слишком быстро прожарятся, а потому выйдут сухими и жесткими. Для того чтобы мясо получилось более ароматным, его можно замариновать или нафаршировать.
Солить свинину надо с поджаренной стороны, уже после того, как мясо «прихватится».

Мне нравится, когда повар радостно улыбается, пробуя собственное произведение. Пусть Господь печется о вашей скромности, мне бы хотелось видеть ваш энтузиазм.

Роберт Фаррар Капон, американский проповедник и писатель

Кулинарный словарь

ТУРНЕДО
Французский кулинарный термин, под которым подразумеваются куски вырезки толщиной примерно 2,5 см, приготовленные на углях или сковороде и подаваемые с различными соусами и гарнирами.

Заметки на полях

Иногда в продаже попадается очень красивая на вид, но практически непригодная для жарки свинина – это так называемое беконное мясо. Оно производится по западным технологиям, по которым при вскармливании свиней используют белково-витаминные добавки. В результате животное быстро набирает вес и за восемь месяцев достигает размеров половозрелой особи. Но мясо у них сухое и очень плотное. Производится беконная свинина главным образом для промышленной переработки, для изготовления колбас и копченостей. Закупается она соответственно по более низкой оптовой цене, на чем иногда и пытаются нажиться недобросовестные продавцы. Если вы обмишулились и купили беконное мясо, то не пытайтесь его жарить – получится «резиновая подметка». Но для котлет и тушения оно вполне сгодится.

Рецепты

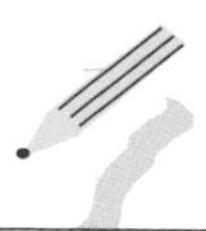

Турнедо из свиной вырезки с соусом из мидий

Весь секрет этого канадского рецепта в необычном соусе из помидоров и мидий. С помидорами у нас проблем нет, да и с мидиями в последнее время тоже. Лучше всего купить консервированные мидии, в которых в том или ином виде присутствуют помидоры, например, «мидии по-каталонски». Но вкусно будет и с мидиями в морском соусе, а впрочем, и с любыми другими.

4 турнедо из филея (вырезки), 2,5 см толщиной каждое

Для соуса:

2 ст. ложки оливкового масла
4 зубчика чеснока, нарезанных на тонкие пластинки
4 помидора, нарезанные кубиками
0,5 стакана консервированных мидий
2 ст. ложки сладкой горчицы
2 ст. ложки натертой на терке апельсиновой цедры
давленый черный перец горошком и соль по вкусу

Сначала приготовим соус. В сковороде, поставленной на решетку барбекю, разогрейте оливковое масло, затем обжарьте в течение 1 минуты чеснок и добавьте нарезанные помидоры и консервированные мидии. Потомите 2–3 минуты, посолите и поперчите по вкусу. В самом конце добавьте горчицу и апельсиновую цедру. Хорошо перемешайте, накройте крышкой и поставьте на край решетки, в теплое, но не жаркое место.

Слегка «распластайте» ладонью куски вырезки, смажьте их оливковым маслом и жарьте на решетке примерно по 3–4 минуты с каждой стороны. Посолите, поперчите и подавайте, обильно полив соусом, с отваренными стручками молодой фасоли и подрумяненным здесь же, на решетке, белым хлебом.

Свиные стейки в пиве

4 стейка из филейной части по 175–200 г каждый

Для маринада:

3 луковицы
500 мл светлого пива
4 ст. ложки сладкой горчицы
2 ст. ложки растительного масла
зелень тимьяна по вкусу
соль, перец по вкусу

Смешайте ингредиенты для маринада. Залейте им мясо и поставьте на 4–6 часов в холодильник.

Оботрите отбивные от маринада и жарьте, время от времени смазывая маринадом, на хорошо разогретой и смазанной решетке до готовности, то есть до того момента, как стейки в середине не станут нежно-розовыми.

Подавайте с горошком сотэ или с отваренной молодой фасолью. Ну и конечно же с холодным пивом.

Свинина «Таити» с соусом из персиков

(на 8–10 человек)
1,5–3 кг филея или другой мякоти (окорок, лопатка)

Для соуса-маринада:

1 большая банка (800 г) долек персика в сиропе
0,5 стакана коричневого сахара
3 ст. ложки соуса чили
2 ст. ложки растительного масла
1 ч. ложка молотого имбиря
1/2 ч. ложки свежемолотого черного перца
1 ч. ложка соли

Очистите мясо от пленок и положите в прочный пластиковый пакет. Отложите для украшения несколько долек персика. Смешайте все ингредиенты маринада в миксере или кухонном комбайне. Половину отлейте и поставьте в холодильник, а второй залейте мясо. Завяжите пакет (желательно без воздуха внутри) и положите в холодильник. Маринуйте не менее 12 часов, время от времени переворачивая пакет.

Жарьте мясо на углях до готовности, часто переворачивая и смазывая маринадом. Дайте готовому мясу постоять 5–10 минут, затем нарежьте на куски и подавайте, украсив дольками персиков, с припасенной в холодильнике и разогретой частью соуса-маринада.

Эскалопы цвета красного дерева

4 эскалопа толщиной 2 см
1/3 стакана соуса терияки
2 ст. ложки патоки
соль, перец по вкусу

Приготовьте соус. Добавьте патоку в терияки и тщательно перемешайте. (Если патока покажется вам чрезмерно сладкой, замените ее кетчупом.)

Дождитесь, пока жар от углей станет умеренным. Положите эскалопы на решетку, смазанную растительным маслом. Переверните через 4–5 минут, посолите и поперчите. Еще раз переверните через 4–5 минут. Смажьте соусом, переверните через 2 минуты, смажьте соусом вторую сторону, переверните через 2 минуты и снимите с решетки через 1 минуту.

Свинина по-китайски чай-сью

(на 4–6 человек)
1 кг свиного филея (вырезки)

Для маринада:

0,5 стакана соевого соуса
6 ст. ложек сладкого красного вина или рома
3 ст. ложки меда
1 ст. ложка натурального красителя вишневого цвета
1 давленый зубчик чеснока
1 мелко нарезанная луковица
1/2 ч. ложки приправы «пять пряностей»

Смешайте ингредиенты для маринада, залейте им мясо, накройте крышкой и поставьте на ночь мариноваться в холодильник.

Оботрите куски от маринада и жарьте на хорошо разогретой и смазанной решетке до готовности, постоянно смазывая маринадом.

Затем нарежьте вырезку на узкие длинные и тонкие полоски и подайте с рисом.

Секреты шефа

Эскалопы нарезаются тонкими кусками поперек волокон. Каждый кусок надо обернуть в салфетку или накрыть плотным полиэтиленом и слегка отбить, придавая мясу округлую форму, затем надрезать в нескольких местах края, чтобы эскалоп не вздыбливался на решетке, а лежал ровно.

Любимое блюдо Лукулла

Свинья – это животное, созданное для пиров.

Децим Юний Ювенал, римский сатирик

Секреты шефа

Очень вкусно получается, если вырезку нафаршировать. Вот несколько вариантов фарша: замоченные в сухом белом вине свежий шалфей и курага; нарезанные на кубики яблоки и лук, смешанные с мякишем белого хлеба, пропитанного яблочным уксусом; мелко нарезанная грудинка, размоченный изюм без косточек, отваренный рис, приправленные свежемолотым перцем и зеленью петрушки.

По поводу питания древних римлян русская писательница Тэффи со свойственным ей юмором писала: «Пища римлян отличалась простотой. Ели они два раза в день: в полдень закуска *(prandium)*, а в четыре часа обед *(coena)*. Кроме того, поутру они завтракали, вечером ужинали и между едой «морили червячка». Этот суровый образ жизни делал из римлян здоровых и долговечных людей. Из провинции доставлялись в Рим дорогие и лакомые яства: павлины, фазаны, соловьи, рыбы, муравьи и так называемая «троянская свинья» – в память той самой свиньи, которую Парис подложил троянскому царю Менелаю. Без этой свиньи ни один римлянин не садился за стол».

Целиком зажаренная на вертеле и нафаршированная всяческими колбасами и мелкой дичью, свинья была любимым блюдом римского консула Лукулла (106–56 гг. до н.э.), обессмертившего свое имя неимоверно роскошными трапезами.

Свинина всегда считалась жирной и тяжелой едой, но в последние десятилетия животноводы вывели новые породы с нежирным, почти постным мясом. По последним оценкам, число свиней в мире составляет 400–500 млн голов, то есть примерно одна особь на каждые десять человек на земном шаре.

В «высокой кухне» свинина занимает не столь значительное место. Однако ее вкус удивительно сочетается с ароматом дыма, а потому она прекрасно подходит для приготовления на углях и копчения. Свинина просто создана для шампура, вертела или гриля.

Выбирая мясо, обращайте внимание прежде всего на его цвет: у молодой свинины он светлый, можно даже сказать белесый; чем старше была свинья, тем более темное у нее мясо, до темно-красного. Мясо должно быть свежим, с приятным запахом, не особо влажным, с четко видными прожилками жира на срезе. У хорошей свинины мякоть плотная и даже немного суховатая на ощупь. Не надо брать мясо влажное или маслянистое на вид. Жир обязательно должен быть белого цвета, а не сероватым или желтоватым.

Подумать только – мы даже не знаем имени первой свиньи, которая нашла трюфели.

Эдмон и Жюль Гонкуры

Полуфабрикаты и готовые изделия из свинины сохраняются хорошо, но тем не менее не вечно. Поэтому, делая большие запасы, не помешает заглянуть в следующую таблицу.

Продукты	В холодильнике t +4 °С	В морозильнике t -18 °С
Свиной фарш	1–2 дня	3–4 месяца
Отбивные и другие части туши	2–3 дня	6–9 месяцев
Сосиски, свежие колбаски	2–3 дня	2–3 месяца
Бекон, ветчина, копчености	3–4 дня	1–2 месяца
Жареное мясо	3–4 дня	2–3 месяца

Рассчитать при покупке необходимое количество свинины очень просто: по 150–200 г мякоти и по 200–250 г мяса с костями на каждого едока. Если вы купили замороженную свинину, то для того, чтобы разморозить ее в холодильнике (а только так и надо делать!), вам потребуется примерно по 10 часов на один килограмм. Но, между нами, не стоит рассчитывать, что у вас получится что-нибудь очень вкусное и сочное из размороженного мяса – лучше брать мясо парное или охлажденное.

Филейный край с ребрышками хорошо жарить на решетке. Из шейки получаются отличные, на мой взгляд, самые лучшие шашлыки. Хорошо, если на куске есть жирок – при жарке мясо будет сочнее. Поэтому более жирная корейка «на кости» получается на углях вкуснее, чем карбонат – суть та же корейка, но без ребер и с меньшим количеством жира.

Верхняя часть окорока – кострец – более жирная, чем нижняя, ее жарят и целиком, и в виде отбивных. А вот нижнюю часть окорока не мешает нашпиговать салом. Большие куски окорока отлично запекаются на углях, в барбекю-котле, но их можно приготовить и в духовке. А куски из передней части туши, что поближе к лопатке, получаются еще сочнее, чем окорок.

Если вы купили лопатку или окорок, то такое мясо для жарки на углях лучше промариновать в смеси растительного масла, лимонного сока и ваших любимых трав и пряностей. Мясо должно мариноваться не менее часа и обязательно в холодильнике. Иногда его можно оставить в маринаде даже на ночь, но не более суток – после этого времени кислота, содержащаяся в маринаде, уже начнет «варить» мясо.

Заметки на полях

Этот рецепт своего знакомого мне рассказал известный артист Александр Пороховщиков. «Брал он свиную вырезку – тонкую, сантиметра полтора в толщину – и на несколько минут опускал в кипящее масло, потом заливал коньяком. Мясо примерно час пропитывалось ароматной влагой, затем разрезалось на куски и отправлялось в жаровню. Вкус восхитительный!

Мой знакомый утверждал, что ни в коем случае нельзя жарить шашлык вместе с помидорами, луком, яблоками или еще с чем-то. Все готовил отдельно! Нарезал свинину, сверху заливал майонезом и на ночь ставил в холодильник. Утром доставал, непременно разминал руками, ну а дальше все как обычно.

И еще один совет приятеля запомнился: когда шашлык жарится, его нельзя поливать вином! Водичкой сбрызнуть надо, а вот вино – только для внутреннего употребления».

Рецепты

Свиной филей на решетке

3 куска филея по 250–300 г каждый

Для маринада:

1 стакан апельсинового сока
1 стакан соевого соуса
1 стакан вустерского соуса

Смешайте ингредиенты маринада и маринуйте в нем мясо не менее 4 часов.
Жарьте мясо на углях, периодически переворачивая и смазывая куски маринадом.
Дайте готовому мясу постоять несколько минут, затем нарежьте наискосок на куски толщиной примерно в 1 см и подавайте.

Секреты шефа

Свиной филей (вырезку) надо уметь правильно зажарить. Для этого надо напрячь воображение и представить, что круглая по своей сути вырезка в сечении представляет собой квадрат, а значит, запекать ее надо с четырех сторон, постепенно как бы перекатывая по решетке. Угли должны быть очень горячими, так что на каждую сторону плотненького мясистого филея уйдет примерно по 3–4 минуты. Снимите мясо с решетки чуть-чуть недожаренным и оставьте доходить в фольге примерно 5 минут.

Свиная вырезка под ягодным соусом

Свинина особенно хороша со сладким ягодным соусом, считает шеф-повар московского ресторана «Амстердам» Артем Храмцов и предлагает этот изысканный, но несложный для приготовления рецепт.

На 2 порции:

1 средняя свиная вырезка
2 крупные картофелины
молотая паприка и морская соль

Для маринада:

0,5 стакана соевого соуса
0,5 стакана минеральной воды
10–12 ягод красной смородины
веточка свежего розмарина
соль, смесь перцев по вкусу

Для соуса:

70 мл красного сухого вина
3–4 ягоды свежей ежевики
10–15 ягод красной смородины
2 ч. ложки сахарного песка

Очистите вырезку от пленок, разрежьте пополам и выложите в миску. Маринуйте мясо в течение часа в минеральной воде с соевым соусом, добавьте в маринад ягоды красной смородины и смесь перцев.
Возьмите крупные клубни картофеля, вымойте их и обсушите. Чистить не надо, просто нарежьте картофель на дольки, панируйте их в паприке и морской соли.
Обжарьте мясо и картофель на гриле: мясо – по 3–4 минуты с каждой стороны на сильных углях; картофель – до готовности.
Приготовьте ягодный соус. Красное вино выпарите в сотейнике, добавьте ежевику, красную смородину, свежий розмарин и сахар. Варите до загустения!
Куски вырезки нарежьте поперек волокон на медальоны и обжарьте их на гриле до готовности. Посолите, поперчите.
Разложите картофель на тарелке, сверху положите жареные медальоны. Полейте все ягодным соусом и украсьте блюдо свежей красной смородиной, ежевикой и веточками розмарина.

Свиной филей по-карибски

2 куска филея по 250 г каждый
3 ст. ложки растительного масла
2 давленых зубчика чеснока
2 ч. ложки молотого кориандра
1/4 ч. ложки соуса «Табаско»
2 ст. ложки давленого черного перца
соль по вкусу

Смешайте растительное масло с давленым чесноком, кориандром и соусом «Табаско». Натрите мясо этой смесью и поставьте мариноваться на 2 часа в холодильник.
Затем обваляйте куски в раздробленном перце и жарьте на решетке на средних углях в течение 12–18 минут. Один раз переверните мясо с помощью лопатки или щипцов. В самом конце посолите.
Дайте готовому филе постоять 2–3 минуты, затем нарежьте наискосок на ломти и подавайте на листьях салата с дольками очищенного авокадо и манго, предварительно сбрызнув все растительным маслом и соком лимона.

Свиной филей по-китайски

3 куска филея по 250–300 г каждый

Для маринада:

2 ст. ложки соуса хойсин
2 ст. ложки сухого шерри или белого сухого вина
1 ст. ложка соевого соуса
1 ч. ложка китайской приправы «пять специй»
2 давленых зубчика чеснока
2 ст. ложки меда

Очистите вырезку от пленок и жира и положите в прочный пластиковый пакет. Смешайте все ингредиенты маринада, за исключением меда, и залейте маринадом мясо. Завяжите пакет (желательно без воздуха внутри) и положите в холодильник. Мариновать надо не менее 2 и не более 12 часов, время от времени переворачивая пакет.

Выньте мясо из пакета, сохраните 2 ст. ложки маринада, остальной маринад можно вылить. Смешайте мед с оставленным маринадом.

Жарьте вырезку на углях по 2–3 минуты с каждой стороны, затем смажьте смесью меда и маринада и жарьте до готовности еще примерно 10 минут, переворачивая и смазывая каждые 2 минуты.

Дайте готовому филе постоять несколько минут, затем нарежьте наискосок и подавайте.

Свиной филей по-гавайски

4 куска филея по 250–300 г каждый
1 банка консервированных ананасов (кружочками)

Для соуса-маринада:

1 л мясного бульона
0,5 стакана незлой горчицы
1 ст. ложка хрена
$1\frac{1}{2}$ ст. ложки кетчупа
$1\frac{1}{2}$ ст. ложки коричневого сахара
2 давленых зубчика чеснока

Смешайте в кастрюле ингредиенты соуса-маринада и кипятите на малом огне примерно час, пока слегка не загустеет.

Жарьте мясо на углях, постоянно смазывая его этой смесью. Под конец обжарьте на углях кружки ананаса и подайте с мясом и прокипяченным соусом. Вместе с ананасами можно также обжарить нарезанные полосками морковь и сладкие перцы.

Кулинарный словарь

ХОЙСИН
Китайский соус, имеющий сладковатый пряный вкус. Приготовляется из ферментированных соевых бобов с добавлением сахара, уксуса, кунжутного масла, красного риса (который придает соусу характерный цвет темного красного дерева), а также смеси «пять специй». Используется в маринадах, для глазирования запекаемой птицы, в качестве соуса для различных традиционных блюд из мяса и птицы, наиболее известным из которых является утка по-пекински.

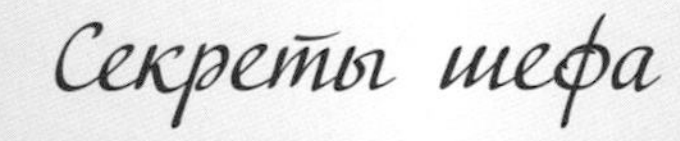

Как и любое другое мясо, свинину нужно хранить в самом холодном месте холодильника. Обязательно снимите полиэтиленовый пакет или бумагу, в которую было завернуто мясо. Положите кусок на тарелку и накройте широкой крышкой, так чтобы сохранялся свободный доступ воздуха. Тарелка не позволит растекаться мясному соку, а крышка предохранит мясо от высыхания.

Заметки на полях

Хотя свинину все неизменно считают жирным мясом, свиная вырезка совсем не содержит жира, а потому ее очень легко пересушить и получить в итоге нечто продолговатое и жесткое, как милицейская дубинка. Если, конечно, не соблюдать некоторые рекомендации...

Вы, наверное, обращали внимание, что вся вырезка покрыта тонкой прозрачной пленкой, обтягивающей ее так же плотно, как капрон обтягивает стройную женскую ногу. Если, по недосмотру, запечь мясо вместе с этой пленкой, то впечатление, будто имеешь дело с чем-то синтетическим, только усилится. А потому необходимо первым делом освободить вырезку от пленок, и делать это надо, по аналогии с женскими чулками, нежно, но решительно.

Секреты шефа

Казалось бы, что может быть проще, чем зажарить кусок свинины. Но на самом деле это не так. Свинина при жарке легко сохнет и становится твердой. Поэтому для готовки на углях надо выбирать куски с прожилками жира, а на отбивных оставлять ободок сала, но не слишком большой, иначе не избежать вспышек пламени.

Определить готовность свинины можно, проткнув кусок в самой толстой его части вилкой или металлической спицей. Если при этом выступит прозрачный сок – мясо готово, если розовый – свинина еще недожарена.

Свиной филей «Филадельфия»

3 куска филея по 250–300 г каждый

Для маринада:

2/3 стакана (170 г) растительного масла
4 ст. ложки соевого соуса
1 ст. ложка сухой горчицы
2–3 давленых зубчика чеснока
1–2 ст. ложки лимонного сока

Для соуса:

1,5 стакана несладкого яблочного пюре
3/4 стакана свежевыжатого яблочного сока
3 ст. ложки соуса терияки
1 ст. ложка меда
1 ст. ложка сухой горчицы
загуститель (кукурузный крахмал или сухое картофельное пюре)

Смешайте в кастрюле ингредиенты соуса и нагрейте на малом огне, пока соус слегка не загустеет.

Замаринуйте мясо на несколько часов, затем зажарьте на углях до готовности и подавайте, полив горячим соусом.

Стейки из ветчины с приправами

4 куска ветчины толщиной 3–4 см
1 ст. ложка растительного масла
1 ч. ложка паприки
1 ч. ложка корицы
2 сухих острых перчика

Обмажьте куски ветчины растительным маслом и посыпьте специями и крошками сухого острого перца. Можно добавить по щепотке других приправ по вашему вкусу. Заверните в фольгу и оставьте примерно на полчаса в холодильнике.

Снимите фольгу и обжарьте куски ветчины на углях примерно 2–3 минуты с каждой стороны. Подавайте с картофельным салатом.

Для праздничного стола

Выбирая блюдо для праздничного стола, невольно ощущаешь себя витязем на перепутье. Пойдешь правым, проверенным путем и состряпаешь привычную, на скорую руку еду, но где же тогда праздник? Пойдешь по левому, революционному пути и захочешь удивить гостей чем-нибудь экзотическим и сверхсложным, но вовремя вспомнишь, что грешно экспериментировать на людях, опять же «первый блин всегда комом». В итоге витязь в поварском колпаке, почесав в затылке, понимает, что идти надо только прямо и приготовить нечто необыденное, но без лишней экзотики, не простецкое и не очень сложное и к тому же красивое, аппетитное и внушительное – одним словом, праздничное блюдо.

Идеально отвечает этим параметрам запеченный свиной окорок. Французский гастроном Огюст Эскофье (1846–1935) в своей знаменитой книге «Кулинарный гид» заметил, что, «какой бы заслуженной ни была похвала свинине, она не была бы включена в число компонентов первоклассных блюд, если бы не кулинарная ценность ее окорока».

Для меня самого в тех случаях, когда надо накормить солидную компанию, это блюдо всегда было палочкой-выручалкой. Покупаешь на рынке у знакомого мясника соответствующий – из расчета граммов по 200–250 на едока – кусок окорока, обильно натираешь солью и не столь обильно свежемолотым перцем. Внутри окорок совсем нежирный, и его лучше нашпиговать клинышками замороженного, обваленного в соли и перце сала и небольшими зубчиками чеснока. Или можно раздавить 2–3 зубчика чеснока, смешать с майонезом и ввести в окорок при помощи кондитерского шприца.

Очень празднично выглядит на срезе свинина, нашпигованная черносливом и тонкими брусочками моркови.

Яйца со сметаною,
винегрет с сардинами,
а свинья зажарена прямо
с апельсинами...

Из городского фольклора

Заметки на полях

Почти в каждой национальной кухне есть блюда из свинины. Отличаются они в основном использованием различных пряностей и способами приготовления. В Германии и Восточной Европе для этих целей используют паприку, на Британских островах свинину традиционно готовят с луком и шалфеем, во Франции предпочитают чеснок и розмарин.

В Италии и Испании свинину отваривают в молоке, а из получившегося бульона делают затем соус. В Латинской Америке предпочитают кориандр, майоран и тмин. Но в чем единодушны повара, живущие под разными широтами, так это в том, что в свинье ничто не пропадает, все идет впрок, все аппетитно. Она словно предназначена для того, чтобы радовать вкус настоящего гурмана. И даже хвостик у свиньи в виде штопора!

Заметки на полях

Фаршировать свиную вырезку можно тремя способами.

Острым ножом сделайте маленький надрез в середине вырезки и постарайтесь через это отверстие проделать в обе стороны что-то вроде «тоннеля». Затем наполните «тоннель» фаршем.

Надрежьте вырезку в длину примерно на две трети ее толщины, не прорезая мясо насквозь. «Раскройте» вырезку, как книжку, и сделайте по такому же надрезу в каждой из «страниц». Заполните вырезку фаршем, «закройте» и обвяжите толстой суровой ниткой, сделав перетяжки через каждые 3–4 см.

Проделайте всю подготовительную работу с надреза, как в предыдущем варианте, но с двумя одинаковыми по размеру вырезками. Слегка приплюсните оба куска ребром ладони, вложите между ними фарш и плотно обвяжите ниткой. Запекать такой кусок придется подольше, зато выйдет он посочнее.

Секреты шефа

Внимательно следите за верхней, уже поджаренной стороной куска: как только на ней начнет проступать прозрачный сок – свинина готова. На срезе в этот момент мясо должно быть нежно-розового цвета. Если уже стало белым, значит, упустили, пережарили.

Гости, возможно, заинтересуются, как удается так начинить окорок? Я-то это делаю при помощи тонкого острого ножа, но любопытствующим непременно рекомендую приобрести изобретенный в Японии кулинарный пистолет, якобы шпигующий мясо при помощи сжатого воздуха. Некоторые, особенно женщины, верят...

Для того чтобы приготовить свиной окорок на углях, надо иметь барбекю-котел и много терпения, поскольку на это уйдет не менее 5 часов, а то и больше. Если вы не способны на подобный «подвиг силы беспримерный», но гостей удивить все же хотите, то можете заранее обжарить окорок в духовке до образования равномерной корочки (только не забывайте поливать его мясным соком!), а потом, уже при гостях, довести его на углях.

Но все ваши старания будут вознаграждены, когда, вооружившись острым ножом и большой двузубой вилкой, вы станете на глазах восхищенных гостей нарезать и раскладывать по тарелкам сочные ломти бело-розовой свинины.

Попади только на чужбину, так начнешь уверять, что у нас свиньи жареные по улицам разгуливают.

Гай Петроний Арбитр, древнеримский писатель

Рецепты

Отбивные с майораном

4 свиные отбивные
4 ст. ложки растительного масла
1 пучок свежего майорана (или 1 ч. ложка сушеного)
4 помидора
чеснок, соль, перец по вкусу

Смажьте отбивные смешанным с майораном маслом, поперчите и оставьте на 1 час в холодильнике.
Оботрите мясо от масла и жарьте на решетке до готовности.
Посолите мясо и подавайте с зажаренными на решетке помидорами, посыпанными майораном и давленым чесноком.

Отбивные с помидорами на решетке

4 свиные отбивные
4 помидора

Для маринада:

0,5 стакана кетчупа
3 ст. ложки оливкового масла
3 ст. ложки ароматизированного уксуса
0,5 стакана воды
3 ст. ложки мелко нарезанного лука-шалота
2 давленых зубчика чеснока
1 ч. ложка сладкой паприки
2 ст. ложки меда
давленый черный перец, кайенский перец, соль по вкусу

Смешайте все ингредиенты для маринада, прокипятите в течение 15 минут и охладите. Мясо замаринуйте на 1 час в охлажденном маринаде.
Оботрите отбивные и обжарьте на сильных углях по 2 минуты с каждой стороны, чтобы мясо «прихватилось». Перенесите отбивные в менее жаркую часть жаровни и, смазывая маринадом, доведите до готовности.
Ближе к концу готовки смажьте маринадом разрезанные пополам помидоры, зажарьте с двух сторон на решетке и подавайте с отбивными и зеленым салатом.

Отбивные с салатом из авокадо

4 свиные отбивные без косточки
2 ст. ложки нарезанного лука-шалота
1/3 стакана оливкового масла
4 ст. ложки бальзамического уксуса
3 ст. ложки нарезанной кинзы
2 авокадо (не слишком спелых)
большой пучок кресс-салата
20 помидоров черри
соль, свежемолотый перец по вкусу

Сначала приготовьте салат. Смешайте мелко нарезанный лук-шалот с уксусом, оливковым маслом и кинзой. Добавьте очищенные и нарезанные на кубики авокадо, а также нарезанные помидоры и кресс-салат.
Слегка обмазанные растительным маслом отбивные жарьте до готовности. Посолите, поперчите и оставьте на 2–3 минуты под крышкой. Затем нарежьте на тонкие пластинки, аккуратно перемешайте с салатом, посолите, поперчите и подавайте.

Отбивные с соусом «Барбекю»

4 свиные отбивные
2/3 стакана пива
2 ст. ложки маргарина
3 лавровых листа
соль, белый перец, сухой чеснок по вкусу
0,5 стакана покупного соуса «Барбекю»

Влейте в кастрюльку пиво, добавьте маргарин, лавровый лист, несколько щепоток соли, перца, чеснока и поставьте на огонь немного потомиться.
Срежьте с отбивных лишний жир и надрежьте края в нескольких местах. Жарьте на углях в течение 15–20 минут, часто переворачивая и смазывая приготовленной смесью.
Как только отбивные будут готовы, смажьте их с обеих сторон соусом «Барбекю» и подавайте.

Секреты шефа

Фаршировать можно и отбивные котлеты. Для этого очень острым ножом сделайте надрез в ободке жира на отбивной, а затем прорежьте мясо круговым движением до самой кости. В образовавшийся «карман» вложите ложечкой фарш и скрепите края надреза деревянной зубочисткой.

«В дело идет все, кроме поросячьего визга» – этот девиз мясников знаменитых чикагских боен после создания Голливуда был дополнен словами: «А визг мы продаем киношникам».

Из журнала «BBQ»

Свинья – какое же это замечательное животное! Единственное, чего ей не хватает, так это умения самой делать из себя колбасы.

Жюль Ренар, французский писатель

Отбивные по-малазийски

4 свиные отбивные

Для маринада:

2 давленых зубчика чеснока
1 ст. ложка давленых зерен кориандра
8 давленых горошин черного перца
3 ст. ложки соевого соуса
1 ч. ложка коричневого сахара

Смешайте ингредиенты для маринада, залейте им отбивные, накройте крышкой и оставьте на 30 минут мариноваться при комнатной температуре.
Оботрите отбивные и обжарьте на сильных углях по 2 минуты с каждой стороны, чтобы мясо «прихватилось». Перенесите отбивные в менее жаркую часть жаровни и, смазывая маринадом, доведите до готовности.

Отбивные с шалфеем

4 свиные отбивные примерно 2 см толщиной

Для маринада:

8 листиков шалфея
1/2 ч. ложки сухого розмарина
2 зубчика чеснока
4 ст. ложки растительного масла
1/2 ч. ложки паприки
соль, перец по вкусу

Измельчите шалфей, чеснок, розмарин, добавьте растительное масло, паприку, соль и перец. Натрите мясо этой смесью и оставьте на 1 час мариноваться в прохладном месте.
Оботрите отбивные от маринада и жарьте на решетке до готовности, время от времени смазывая маринадом.

Секреты шефа

Вне зависимости от того, будете ли вы или нет мариновать отбивные, смажьте их растительным, лучше всего оливковым маслом – это сохранит их сочность. При желании мясу можно придать дополнительный аромат, добавив в масло приправы и пряности: измельченный майоран, или розмарин, или целые листья шалфея. Резкий вкус приправ в процессе готовки станет более мягким, и мясо приобретет тонкий аромат.

Отбивные в кисло-сладком соусе

4 свиные отбивные

Для маринада:

1/3 стакана свежевыжатого апельсинового сока
1 ст. ложка меда
2 ст. ложки соевого соуса
2–3 давленых зубчика чеснока
1 ч. ложка молотого имбиря

Смешайте ингредиенты для маринада, залейте им отбивные, накройте крышкой и поставьте мариноваться в холодильник на 2 часа.

Оботрите отбивные и обжарьте на сильных углях по 2 минуты с каждой стороны, чтобы мясо «прихватилось». Перенесите отбивные в менее жаркую часть жаровни и, смазывая маринадом, доведите до готовности. Прокипятите оставшийся маринад и подайте вместе с отбивными.

Отбивные с сальсой манго-текила

4 свиные отбивные примерно 2 см толщиной

Для маринада:

2 ст. ложки текилы
2 ст. ложки свежего лимонного сока
соль, перец по вкусу

Для сальсы:

2 стакана нарезанного кубиками манго
3/4 стакана мелко нарезанного красного сладкого перца
2 ст. ложки апельсинового сока
1 ст. ложка соуса чили
2 ч. ложки нарезанной свежей мяты
1/4 ч. ложки соли

Смешайте ингредиенты для сальсы и поставьте в холодильник. Смешайте ингредиенты маринада, залейте им отбивные и поставьте на 8 часов в холодильник.

Жарьте отбивные на решетке примерно по 7 минут с каждой стороны, постоянно смазывая маринадом.

Подавайте с сальсой.

Отбивные в пиве

С этим маринадом отбивные получаются особо нежными. Пиво подойдет любое: светлое, темное, хоть безалкогольное – какое сами любите.

4 свиные отбивные примерно 2 см толщиной

Для маринада:

0,5 стакана пива
1/4 стакана рисового или винного уксуса
2 ст. ложки растительного масла
1 ст. ложка патоки
1/4 ч. ложки молотой корицы
1 ч. ложка соли
перец по вкусу

Смешайте маринад и залейте им отбивные. Накройте крышкой или пленкой и оставьте мариноваться на 6–12 часов в холодильнике.

За полчаса до готовки достаньте мясо из холодильника и дайте ему «отогреться» при комнатной температуре. Оботрите отбивные от маринада и жарьте на углях до готовности, время от времени смазывая маринадом.

Отбивные «джерк»

4 свиные отбивные примерно 2 см толщиной

Для маринада:

3/4 стакана воды
1/3 стакана лимонного сока
1 ст. ложка коричневого сахара
1 ст. ложка нарезанного зеленого лука
1 ст. ложка растительного масла
3/4 ч. ложки молотой корицы
3/4 ч. ложки свежемолотого черного перца
1/2 ч. ложки давленого тмина
1/4 ч. ложки молотого кайенского перца

Смешайте ингредиенты маринада, залейте им отбивные и поставьте на 6 часов в холодильник.

Жарьте отбивные на решетке примерно по 7 минут с каждой стороны, постоянно смазывая маринадом.

Кулинарный словарь

ДЖЕРК *(jerk)*
Способ приготовления свинины (мясо жарят на открытом огне, предварительно промариновав в течение ночи с большим количеством специй).
Так же называется популярная ямайская приправа, состоящая из примерно 20 специй, среди которых чили, лук, чеснок, тимьян, имбирь, корица.

Рецепт от Рольфа Зублера

Свиная лопатка барбекю

Этот рецепт для моей книги прислал президент Всемирной ассоциации барбекю Рольф Зублер, который, по его собственным словам, придерживается в своих кулинарных изысканиях известного принципа программистов KISS (Keep It Simple, Stupid) – «Делай проще, тупица!»

Итак, возьмите целую свиную лопатку с костями и кожей. Никакого маринада не потребуется, достаточно натереть специями ту часть, которая не покрыта кожей. Рольф для этого использует свой фирменный набор специй под названием DreamSpice, но у нас он пока, к сожалению, не продается, а потому возьмите любой набор специй для жареной свинины.

Для приготовления такого большого куска мяса идеально подходит смокер (см. нижнее фото на с. 22), но это возможно сделать и в сферическом барбекю-котле с вмонтированным градусником. «Главный секрет чемпионов, – любит говорить Рольф, – в поддержании постоянной невысокой температуры».

На первой стадии готовки запекайте лопатку в течение 6 часов при температуре 90 °C, затем смажьте ее соусом «Барбекю», плотно заверните в алюминиевую фольгу и выдерживайте еще 18 часов при температуре не выше 70 °C. И, наконец, завершающая стадия – всего 30 минут при температуре 170 °C.

Так что для приготовления этого «простого» блюда потребуются в общей сложности более суток. Но поверьте: игра стоит свеч!

Отбивные с яблочным фаршем

4 отбивные примерно 2,5 см толщиной
соль, перец, горчица

Для фарша:

2 ст. ложки манной крупы
3 ст. ложки кипятка
2 красных яблока
сок 1/2 лимона
1 небольшая луковица
1 ст. ложка сливочного масла
2 ст. ложки коричневого сахара
1 ст. ложка свежего розмарина (или 1 ч. ложка сухого)
соль, перец по вкусу

Разрежьте каждую отбивную таким образом, чтобы внутри получился «карман». Посолите и поперчите отбивные снаружи и внутри.

Теперь займемся приготовлением фарша. Насыпьте в миску манную крупу, залейте кипятком и оставьте набухать. Очистите яблоки, нарежьте их на небольшие кубики и полейте лимонным соком. Растопите в сковороде сливочное масло и обжарьте в течение 2 минут мелко нарезанный лук и яблоки. Добавьте сахар и розмарин, посолите, поперчите и обжарьте всю смесь до золотистого цвета. Затем добавьте манную крупу, все хорошенько перемешайте и оставьте остывать.

Наполните каждую отбивную остывшим фаршем, заколите края деревянной зубочисткой. Обмажьте нафаршированные отбивные горчицей и жарьте на решетке по 7–8 минут с каждой стороны.

Отбивные в розмарине

4 свиные отбивные примерно 2 см толщиной

Для маринада:

0,5 стакана яблочного сока
5 ст. ложек дижонской горчицы
1 ст. ложка коричневого сахара
2 ст. ложки жидкого меда
2 ст. ложки нарезанного свежего розмарина
1 ч. ложка давленого черного перца горошком

Смешайте маринад и залейте им отбивные. Накройте крышкой или пленкой и оставьте мариноваться на 4–12 часов в холодильнике.

Оботрите отбивные от маринада и жарьте на углях до готовности примерно 8–10 минут, время от времени смазывая маринадом.

Отбивные в соусе из бурбона и горчицы

Уже по названию можно догадаться, что это рецепт из США, поскольку один из ингредиентов маринада – виски бурбон. Отличительной чертой этого блюда является и то, что отбивные берутся непривычно тонкие, примерно 0,8 см толщиной. А потому их надо брать по две на нормального едока.

8 тонких отбивных
соль, перец по вкусу

Для соуса:

1/3 стакана соуса чили
1/4 стакана виски бурбон
1/2 ст. ложки дижонской горчицы
1/2 ст. ложки соевого соуса

Смешайте в небольшой кастрюльке ингредиенты соуса и разогревайте примерно 4 минуты на малом огне, пока смесь не загустеет.

Посолите и поперчите отбивные, затем обильно смажьте каждую из них с одной стороны соусом. Положите отбивные смазанной стороной на решетку. Обильно смажьте оставшимся соусом отбивные сверху. Жарьте примерно по 3 минуты с каждой стороны.

Если вам все же удастся зажарить шашлыки или колбаски, то, когда вы с триумфом понесете блюдо к столу, вам под ноги бросится ваша собака. В итоге вы шлепнетесь физиономией в газон, собаке будет чего поесть, а вам придется открывать консервы.

Из законов Мэрфи для барбекю

Ода жареному поросенку

> Я раз дорогою закрыл глаза
> и вообразил себе поросеночка
> с хреном, так со мной от
> аппетита истерика сделалась.
>
> *А.П. Чехов. Сирена*

Самый древний рецепт приготовления свинины пришел к нам из Китая. Датируемый примерно 500-м годом до н.э., он дает описание способа приготовления запеченного молочного поросенка, начиненного финиками и обмазанного смесью соломы или тростника с глиной.

Молочным поросенок считается, пока сосет свиноматку. Обычно это месячный поросенок, не старше, и весит он 4–5 кг. На мангале поросенка не приготовишь, а вот в барбекю-котле под крышкой – пожалуйста! Надо только обернуть уши и пятачок алюминиевой фольгой, а то сгорят. Кстати, то же самое рекомендую сделать и при жарке поросенка в духовке. На вертеле жарят, как правило, подсвинков весом под 200 кг и готовят их по принципу шаурмы, то есть отрезая слоями зажаренные кусочки. Но тут надо помнить, что такую тушу следует не один день мариновать.

Настоящую оду жареному поросенку сочинил английский писатель, драматург, критик Чарлз Лэм (1775–1834), высказавший свою любовь к этому блюду в словах вдохновенных и возвышенных. «Готов спорить, что нет вкуса, который сравнялся бы со вкусом хрустящей, цвета дубленой кожи, значительно обжаренной и не передержанной на огне корочки, – зубы и те притязают на свою долю удовольствия на этом пиру, преодолевая застенчивое, хрупкое сопротивление, которое оказывает она с прилегающим к ней маслянистым слоем. О, не называйте его салом! Скорее, неизреченной сладостью, переросшей в него; нежным цветением жира; салом, сорванным в бутоне, взятом в побеге, в первой невинности, в отборнейшем и тончайшем, что давала этому чистому младенцу его неоскверненная пища. А мясо – разве это мясо? Нет, это некая животная

Секреты шефа

Фаршировать поросенка можно гречневой кашей с добавлением шпика или ветчины с омлетом, телячьей печенкой, грибами и т.д. Не кладите слишком много начинки, так как во время жарения ее объем увеличивается.

Обжорство, слава богу,
не тайный порок.

Орсон Уэллс, английский актер и режиссер

Небеса высоко, земля низко,
и только стол находится на
правильной высоте.

Французская поговорка

Не существует более
искренней любви, чем
любовь к хорошей пище.

Бернард Шоу, английский писатель

манна или, вернее, сало и мясо (если уж называть их этими именами), соединенные так неразрывно вместе и так неощутительно переходящие одно в другое, что оба они образуют сравнимую лишь с амброзией единую небесную субстанцию».

Ну что здесь можно добавить? Разве еще одну цитату из этой оды: «Какой соус подавать к поросенку, далеко не безразлично. Решительно настаиваю на хлебных крошках, растертых с его мозгами и печенкой и слегка приправленных шалфеем. Но изгоните, о хозяйка кухни, всю породу луковых. Жарьте по своему усмотрению целые свиные туши, приправляйте их луком-шалотом, начиняйте целыми плантациями зловонного и зловредного чеснока, ваше блюдо наделено и без того достаточно крепким ароматом, и усилить или отравить его вы не в состоянии»...

Секреты шефа

Чтобы при жарке вытопить из поросенка лишний жир, сделайте острым ножом вдоль его спинки тонкий надрез, затем сделайте надрезы «елочкой» с интервалом в 2,5 см вдоль позвоночника от головы и до хвоста. Глубина надрезов не должна превышать 2,5 см.

Рецепты

Для свиньи родина находится везде, где растут жёлуди.

Франсуа Фенелон, французский писатель

Брошеты из свинины с соусом манго

900 г свиного филея (вырезки)
1 зеленый сладкий перец, нарезанный на квадратики
1 головка красного лука, нарезанного на четвертинки

Для маринада:

2 ст. ложки лимонного джема
2 ст. ложки шерри или вермута
1 ч. ложка молотого имбиря
1 давленый зубчик чеснока
1 ст. ложка дижонской горчицы
2 ч. ложки соевого соуса
1 ч. ложка нарезанной лимонной цедры

Для соуса:

1 плод манго, очищенный и мелко нарезанный
0,5 стакана мелко нарезанного красного лука
0,5 стакана мелко нарезанного свежего огурца
2 ч. ложки нарезанной лимонной цедры
1/2 ч. ложки молотого тмина

Смешайте ингредиенты маринада, добавьте нарезанную кубиками свинину и поставьте в холодильник на 4–12 часов.
Поместите ингредиенты соуса в миксер и хорошенько размешайте. Поставьте не менее чем на час в холодильник. Кстати, этот соус подходит практически к любому блюду, приготовленному на углях.
Нанижите мясо вперемежку с кусочками овощей на замоченные предварительно в воде деревянные шпажки (брошеты) и смажьте их маринадом.
Положите брошеты на горячую, смазанную маслом решетку и жарьте до готовности примерно по 7–10 минут с каждой стороны. Подавайте с соусом и отварным рисом.

Брошеты из свинины по-калифорнийски

500 г свиного филея (вырезки)
200 г копченого сала
4–5 кружочков ананаса или апельсина

Для маринада:

2 ст. ложки виски
2 ст. ложки кетчупа
1 ст. ложка лимонного сока
2 ст. ложки вустерского соуса
2–3 ст. ложки растительного масла
соль по вкусу

Смешайте маринад, залейте им нарезанное кубиками мясо и поставьте мариноваться в холодильник на 4–12 часов.
Достаньте мясо из маринада, а сам маринад сохраните. Нанижите мясо вперемежку с кусочками фруктов и копченого сала на замоченные предварительно в воде деревянные шпажки (брошеты) и смажьте их маринадом.
Положите брошеты на горячую, смазанную маслом решетку и жарьте до готовности.

Брошеты из свинины с яблоками

500 г свиного филея (вырезки)
2 яблока
1 польская колбаска
1 зеленый сладкий перец

Для маринада:

3 ст. ложки соевого соуса
1 ст. ложка меда
1 ч. ложка лимонного сока
1/2 ч. ложки молотого имбиря
1 измельченный зубчик чеснока

Смешайте маринад, залейте им нарезанное кубиками мясо и поставьте мариноваться в холодильник на 2 часа.
Достаньте мясо из маринада, а сам маринад сохраните. Нанижите мясо вперемежку с кусочками яблок, колбасы и перца на замоченные предварительно в воде деревянные шпажки (брошеты), смажьте их маринадом и жарьте до готовности.
Подавайте с зеленым салатом.

Брошеты из свинины с розмарином и горчичным соусом

500 г свиного филея (вырезки)
1 маленький кабачок
1 красный сладкий перец
3 ст. ложки оливкового масла
соль, перец по вкусу
зелень розмарина

Для соуса:

0,5 стакана сливок (33%)
1/2 зубчика чеснока
1 помидор
3 ст. ложки сладкой горчицы
соль, перец по вкусу

Сначала приготовьте соус. Разогрейте в небольшой кастрюльке сливки с мелко нарезанным чесноком и очищенным от кожицы, мелко нарезанным помидором. Посолите, поперчите и потомите на огне 2–3 минуты. Добавьте горчицу, хорошо все разогрейте, но не доводите до кипения. Оставьте в тепле.
Нанижите кубики свинины вперемежку с кусочками овощей на замоченные предварительно в воде деревянные шпажки (брошеты), смажьте их оливковым маслом и жарьте на углях до готовности.
Посолите, поперчите и подавайте с горчичным соусом, посыпав зеленью розмарина.

Заметки на полях

Если говядину не обязательно дожаривать до конца, она может быть и с «сыринкой», то свинину, по гигиеническим соображениям, обязательно надо хорошо прожаривать. Однако еще не перевелись чудаки, почему-то считающие, что и ее можно готовить «с кровью». Но мало того что непрожаренная свинина плохо жуется и не имеет никакого вкуса, в таком виде она опасна для здоровья.

А встречаются и «гурманы», которые любят хлебнуть маринад, в котором мариновалось мясо. Какая из-за этого дрянь может завестись у них в желудке, уточнять не буду, чтобы не портить вам аппетит. А что касается потребления маринада в сыром виде, то известно, кому закон не писан...

Брошеты из свинины с кунжутом и лимоном

600 г окорока или лопатки
1–2 маленьких кабачка
400 г свежих шампиньонов
2 разноцветных сладких перца
черный молотый перец по вкусу

Для маринада:

1/4 стакана зерен кунжута
3 ст. ложки растительного масла
3 ст. ложки соевого соуса
3 ст. ложки лимонного сока

Раздавите зерна кунжута, добавьте остальные ингредиенты маринада, нарезанную кубиками свинину и маринуйте в холодильнике от 2 до 12 часов.

Нанижите мясо вперемежку с кусочками овощей и целыми шляпками шампиньонов на замоченные предварительно в воде деревянные шпажки (брошеты) и смажьте их маринадом.

Жарьте до готовности примерно по 7–10 минут с каждой стороны. Подавайте с отварным рисом.

Брошеты из свинины в горчичном маринаде

500 г свиного филея (вырезки)
5 ст. ложек сладкой горчицы
6 ст. ложек яблочного сока
3 ст. ложки яблочного уксуса
3 кислых яблока
2 лавровых листа
соль, перец по вкусу

Смешайте ломаные лавровые листья с горчицей, яблочным соком и уксусом, добавьте перец и соль. Нарежьте свинину на кусочки, выложите в маринад и закройте крышкой. Поставьте на холод на 1 час.

Нарежьте яблоки на дольки толщиной примерно в 1 см. Нанижите мясо и яблоки на замоченные предварительно в воде деревянные шпажки (брошеты). Жарьте до готовности над средними углями, время от времени поливая маринадом.

Брошеты из свинины с морскими гребешками

300 г свиного филея (вырезки)
8 морских гребешков

Для маринада:

1,5 стакана белого йогурта
1 ч. ложка карри
1/2 ч. ложки перца чили
0,5 стакана арахиса
соль по вкусу

Смешайте в блендере маринад, залейте им нарезанную полосками свинину и поставьте в холодильник на 2 часа.

Нанижите мясо вперемежку с морскими гребешками на замоченные предварительно в воде деревянные шпажки (брошеты), посолите и жарьте до готовности. Подавайте с рисовой вермишелью.

Шарики из свинины с курагой и миндалем

600 г нежирного свиного фарша
2 ст. ложки растительного масла
1 мелко нарезанная луковица
4 мелко нарубленных финика
2 ст. ложки нарезанной кинзы
1 яйцо
соль, перец по вкусу
0,5 стакана обжаренного дробленого миндаля
20 шт. кураги

В сковороде разогрейте растительное масло, обжарьте до золотистого цвета лук. Накройте крышкой и дайте остыть. Смешайте в миске свиной фарш, нарубленные финики, кинзу, сырое слегка взбитое яйцо, соль, перец.

Получившийся фарш смешайте с обжаренным луком и сформуйте 16 шариков. Обваляйте шарики в дробленом миндале и насадите, перемежая курагой, на замоченные предварительно в воде деревянные шпажки (брошеты).

Накройте решетку фольгой, проделайте в ней отверстия, смажьте разогретую фольгу растительным маслом и выкладывайте на нее брошеты. Жарьте по 4 минуты с каждой стороны. Подавайте с салатом из шпината.

Баранина

Молодых съедают первыми

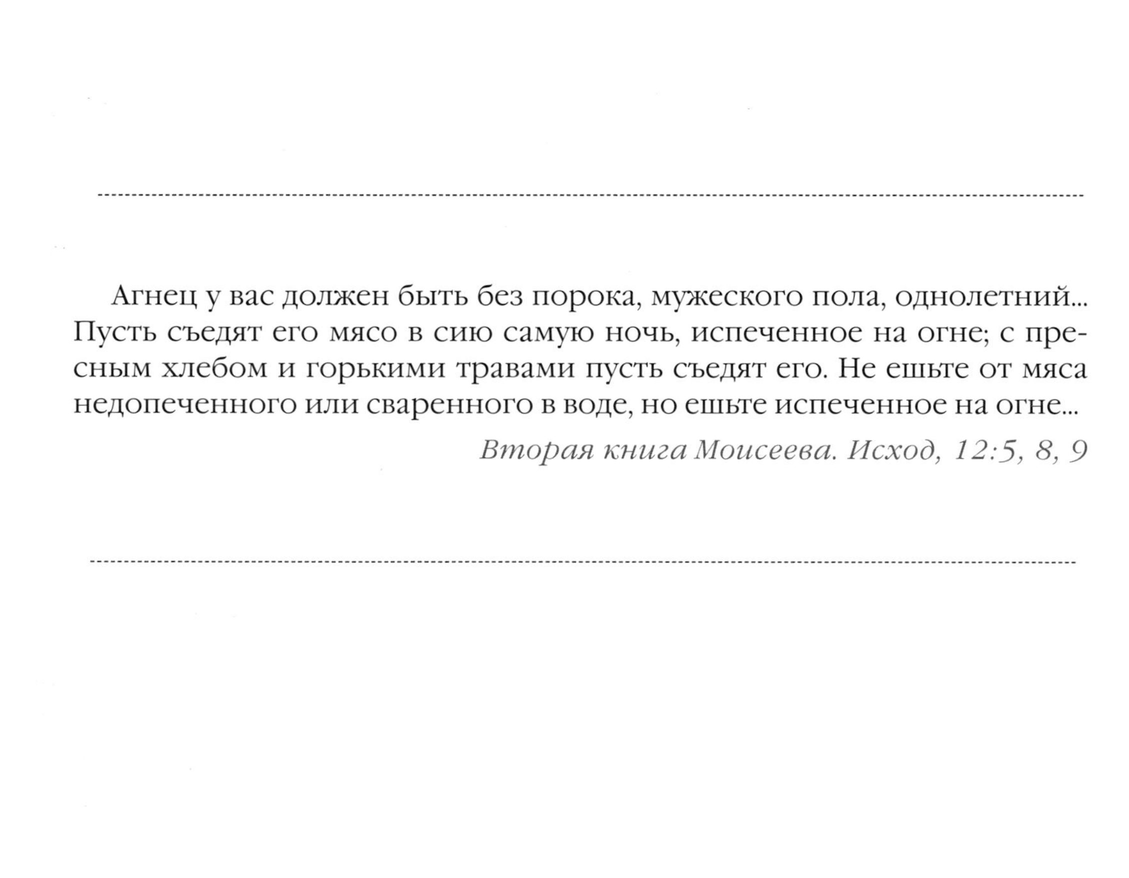

Агнец у вас должен быть без порока, мужеского пола, однолетний... Пусть съедят его мясо в сию самую ночь, испеченное на огне; с пресным хлебом и горькими травами пусть съедят его. Не ешьте от мяса недопеченного или сваренного в воде, но ешьте испеченное на огне...

Вторая книга Моисеева. Исход, 12:5, 8, 9

Вкушайте испеченное на огне

Угли разгребши, Пелид
Вертела над огнем простирает
И священной солью кропит,
На подпор поднимая.
Так их, обжарив кругом,
На обеденный стол сотрясает.

Гомер. Илиада

Молодым барашкам с древних времен не везло – они появлялись на свет в самом конце зимы и только успевали чуть-чуть подрасти, как оказывались на вертеле. Будь то у древних египтян, греков или римлян, будь то среди язычников, иудеев или мусульман, но по весне ягнята прямехонько попадали на жертвенный алтарь, а затем, уже в качестве блюда, и на праздничный пир. Христиане хотя и не одобряли жертвоприношений, но по весне тоже кушали «агнцев Божьих» с большим аппетитом.

Мясо молочных ягнят (когда им от роду 30–45 дней) считается деликатесом, но нас больше интересуют трехмесячные, или, как их еще называют, стодневные особи. Именно с этого возраста молодые барашки начинают вызывать у знатоков шашлыка непроизвольное причмокивание и обморочное закатывание глаз. Хорошего стодневного «клиента» они отличают по широте крестца, по белоснежному жиру и нежно-розовому цвету почек.

Баранина лучше, чем любое другое мясо, сочетается с запахом дыма. Наиболее подходящими для готовки на углях считают почечную или же филейную часть («седло»), заднюю четверть, или окорок, боковую, или котлетную, часть, из которой нарезают отбивные, а также делают знаменитую баранину на ребрышках.

При приготовлении барашка главное – его не пережарить. У французов даже есть своеобразная кулинарная присказка: *Bœuf saignant, mouton bélant*, что означает: «Ешь говядину с кровью, а барашка – пока блеет». С бараниной прекрасно сочетаются многие приправы, пряности и травы: чеснок, шафран, куркума, карри, горчица, кардамон, тмин, зелень лука, укропа, петрушки, кинзы, базилика.

Секреты шефа

Молодого барана от старого можно отличить по широкому крестцу, коротким и круглым окорокам, белому или чуть желтоватому жиру и красному поблескивающему мясу. Если же у туши продолговатые окорока, жир желтый, а мясо имеет серовато-сизый оттенок, то перед вами баран-долгожитель – приготовленные из него блюда будут иметь свечной вкус и «аромат» плохого мыла. Хотя в данной ситуации вряд ли кого устроит и запах хорошего мыла...

И разумеется, шашлык.
Ты такого в Кремле не рубал!
Туфты в нем ни вот столечки! Барашек. Дуська его в сухом вине вымачивает, лучок, травки там, перчик... с ума сойдешь! Живой шашлык, форменно живой, жевать его абсолютно не надо, он сам в тебе до самого желудка распоряжается.

Юз Алешковский. Маскировка

Секреты шефа

При жарке бараньих отбивных нужно учитывать, что каждая состоит из трех разных типов мяса. Вдоль кости находятся нежная петелька и меньшее по размеру, но еще более нежное филе – эти части не требуют глубокого прожаривания. Однако жирная полоска по краю отбивной, или «фартук», получается вкуснее, если хорошо прожарена и даже слегка хрустит. Это противоречие легко разрешается, если обернуть «фартук» вокруг петельки и филе и скрепить все это веточкой розмарина или деревянной палочкой.

Но, увы, и баранья молодость быстротечна! Если вам подарят барашка, не постесняйтесь заглянуть ему в зубы. Если они еще молочные и только два резца «взрослые» – барашек еще имеет право так называться, но как только появятся два средних (это происходит где-то на втором году жизни) – все, перед вами баран. Что ничуть не помешает ему стать прекрасным шашлыком.

Рецепты

Отбивные из барашка в перечном маринаде

12 бараньих отбивных толщиной 1,5–2 см

Для маринада:

4 ст. ложки соевого соуса
2 ст. ложки оливкового масла
2 ст. ложки красного винного уксуса
2 ч. ложки дижонской горчицы
3 ч. ложки давленого черного перца
1/4 ч. ложки сушеного тмина
2 измельченных зубчика чеснока
соль по вкусу

Нарежьте бараньи отбивные, каждое ребро укоротите и очистите, превратив его в своеобразную «ручку». Слегка отбейте мясо деревянным молотком или стальной сечкой.
Выдержите отбивные 1–2 часа в приготовленном маринаде. Достаньте из маринада, обсушите салфеткой и готовьте на средних углях по 5 минут с каждой стороны Во время готовки один раз смажьте маринадом.
Подавайте на подогретых тарелках с дольками лимона и зеленым салатом.

Отбивные из барашка с маслом и эстрагоном

4 бараньих отбивных толщиной 1,5–2 см
2 ст. ложки оливкового масла
2 ст. ложки сливочного масла
8 листиков свежего эстрагона
сок 1 лимона
соль, перец по вкусу

Смешайте вилкой предварительно размягченное сливочное масло с соком лимона и измельченным эстрагоном. Разделите получившуюся смесь на 4 части и поставьте застывать в холодильник.
Смажьте отбивные с двух сторон оливковым маслом и запекайте на углях примерно по 4 минуты с каждой стороны.
Подавайте с отварной зеленой фасолью, положив на каждую отбивную по кусочку масла с эстрагоном.

Отбивные из барашка с инжиром

12 бараньих отбивных толщиной 1,5–2 см
12 ягод спелого инжира

Для маринада:

125 мл оливкового масла
6 измельченных зубчиков чеснока
сок 1 лимона
соль, перец по вкусу

Нарежьте бараньи отбивные, каждое ребро укоротите и очистите, превратив его в своеобразную «ручку». Слегка отбейте мясо деревянным молотком или стальной сечкой.
Выдержите отбивные не более 1 часа в приготовленном маринаде. Достаньте из маринада, обсушите салфеткой и готовьте на средних углях по 5 минут с каждой стороны. Во время готовки один раз смажьте маринадом.
Инжир нарежьте пополам, половинки смажьте оливковым маслом и слегка обжарьте на решетке.
Подавайте на подогретых тарелках с грилованным инжиром.

Отбивные из барашка «а-ля метрдотель»

16 бараньих отбивных
немного растительного масла
соль, перец по вкусу

Нарежьте бараньи отбивные (в каждой по 2 ребра). Одно из ребер отделите и выбросьте, другое укоротите и очистите, превратив его в своеобразную «ручку». Слегка отбейте мясо деревянным молотком или стальной сечкой.
Отбивные посолите, поперчите, смажьте растительным маслом и жарьте на решетке при среднем жаре.
Подавайте с маслом «а-ля метрдотель» (см. в рецептах соусов).

Заметки на полях

Во времена Римской империи повара уже умели готовить из баранины самые изысканные блюда. Так, римский гастроном Апиций пишет, к примеру, о винном соусе к блюдам из бараньего мяса и приводит рецепт приготовления молочного ягненка: сначала тушку заворачивают в сальник – пленку, покрывающую кишечник животных, а затем варят в молоке и меде.

В Средние века овцы ценились больше за шерсть, чем за мясо. Стада перегонялись на большие расстояния, что делало овец излишне мускулистыми, а их мясо более жестким. Тем не менее баранину потребляли в больших количествах. Так, население Флоренции, насчитывавшей в XIV веке 90 тысяч человек, съедало за год 60 тысяч овец.

Отбивные из барашка с лимоном и чесноком

12 бараньих отбивных

Для маринада:

125 мл оливкового масла
6 измельченных зубчиков чеснока
2 ст. ложки нарезанной кинзы
1 ч. ложка сухого розмарина
или 1 ст. ложка нарезанного свежего
1 лимон (сок и цедра)
соль, перец по вкусу

Выдержите отбивные 1–2 часа в приготовленном маринаде. Достаньте из маринада, обсушите салфеткой и готовьте на средних углях по 5 минут с каждой стороны. Во время готовки один раз смажьте маринадом.

Подавайте на подогретых тарелках с дольками лимона и зеленью кинзы.

Отбивные из барашка по-индийски и по-мароккански

12 бараньих отбивных

Для индийского маринада:

1 луковица
2 зубчика чеснока
1/2 ч. ложки молотого имбиря
1 ч. ложка молотого кориандра
1 ч. ложка куркумы
3 ст. ложки растительного масла
3 веточки свежей кинзы
сок 1 лимона
соль, перец по вкусу

Для марокканского маринада:

2 луковицы
2 зубчика чеснока
1 ст. ложка тмина
1 ч. ложка паприки
1 ч. ложка молотого имбиря
3 ст. ложки растительного масла
2 ст. ложки нарезанной петрушки
соль, перец по вкусу

Замаринуйте на 2 часа по 6 отбивных в каждом из маринадов и зажарьте их на сильных углях.

И к тому, и к другому блюду можно приготовить на шампурах маленькие красные и желтые помидоры, смазанные растительным маслом и посыпанные мелко нарезанным свежим (или молотым) майораном.

Эпиграммы из барашка

А вот блюдо, придуманное еще в галантном XVIII веке и конечно же во Франции. Его происхождение так же необычно, как и его название – «Эпиграммы из барашка».

Некая юная маркиза услышала от одного из своих поклонников, что накануне за ужином тот наслаждался великолепными эпиграммами, и тотчас приказала своему повару приготовить эту диковину. Повар разбирался в поэзии не лучше, чем его очаровательная хозяйка, но, похоже, был поэтом в своем деле. Вот так из женского каприза родилось блюдо, которое до сих пор входит в меню лучших парижских ресторанов.

750 г бараньей грудинки
8 бараньих отбивных по 90–100 г каждая
250 г панировочных сухарей
1 яйцо
1 ст. ложка растительного масла
1 ст. ложка сливочного масла
100 г белого сухого вина
1 л бульона
1 морковь
1 луковица
1 пучок петрушки
1 лавровый лист
соль, перец по вкусу

Сначала приготовим баранью грудинку – это можно сделать накануне. В кастрюлю с бульоном, белым вином, мелко нарезанными кружочками луком и морковью, пряностями и зеленью петрушки положите баранью грудинку, доведите до кипения, прикройте крышкой и варите на малом огне примерно 45 минут, пока косточки не начнут легко отделяться от мяса. Выньте мясо, немного охладите, выньте ребрышки и отложите (они еще пригодятся).

Положите обернутую тканью грудинку на плоское блюдо под гнет и оставьте остывать. Затем нарежьте мясо на узкие треугольники, обмакните во взбитую и слегка приправленную смесь из яйца и растительного масла и обваляйте в сухарях.

Бараньи отбивные смажьте сливочным маслом, посолите, поперчите и слегка посыпьте сухарями. Сбрызните отбивные и треугольники из грудинки растопленным сливочным маслом и запекайте на средних углях 5–6 минут.

Наколите треугольники на припасенные ребрышки и выложите, чередуя с отбивными, по краям круглого блюда. В центр положите отваренные или приготовленные в папильотах (конвертах из алюминиевой фольги) свежие весенние овощи.

Баранья грудинка под томатно-мятным соусом

2 куска бараньей грудинки по 8 ребер в каждом
16 зубчиков чеснока

Для соуса-маринада:

150 мл оливкового масла
0,5 стакана нарезанной свежей мяты
3 ст. ложки белого винного уксуса
1 ст. ложка крупнозернистой дижонской горчицы
2 помидора
соль, перец по вкусу

Возьмите два куска бараньей грудинки, каждый по 8 ребер и весом 500–600 г, нарежьте их на куски по 2 ребра. В каждый из таких кусков вдавите поближе к кости по 2 зубчика чеснока. Смешайте оливковое масло, мяту, уксус, горчицу, посолите, поперчите. Примерно третью получившейся смеси обмажьте баранину, остальное приберегите. Оставьте мясо мариноваться при комнатной температуре на 2 часа или в холодильнике, под крышкой – до 6 часов, время от времени переворачивая куски.

Смешайте оставшийся маринад с очищенными от кожицы и семечек мелко нарезанными помидорами. Добавьте, если надо, соль и перец. Соус готов.

Оботрите мясо от маринада и жарьте на средних углях до готовности в течение примерно 10 минут. Помните, что баранину лучше не дожарить, чем пережарить.

Подавайте, полив томатно-мятным соусом.

Ну настоящий полковник!

Мороженой австралийской баранине, конечно, не заглянешь в зубы, но, отправляясь на рынок, вспомните следующий совет: «Насколько телятина должна быть бела, настолько баранина должна быть ярко-красного цвета, жир белый, нежный, твердый, довольно прозрачный. Слишком темный и слишком бледный цвет означает худший сорт. Если мясо жирно и жир липок, то это служит доказательством старости. Жира в баранине больше, чем в говядине. Она менее питательна, чем говядина, но удобоваримее, ее можно есть почти сырою, не опасаясь заразиться чахоточными бациллами, так как эта болезнь у баранов почти что не встречается».

Эти строчки принадлежат Елене Молоховец – автору впервые вышедшей еще в конце XIX века и до сих пор самой лучшей в России кулинарной книги. Госпожу Молоховец никто никогда живьем не видел, и говорят, что под этим псевдонимом скрывался отставной полковник, большой гурман и собиратель кулинарных рецептов.

Завершая кулинарное жизнеописание барашка и барана, нельзя не остановиться на приготовлении самого известного блюда – шашлыка. Вот рецепт из книги Елены Молоховец: «Нарезать 2–3 фунта баранины ломтями от котлетной части, от филе или от мякоти задней четверти, вместе с жиром; уложить плотно в каменную чашку, пересыпать солью, перцем, шинкованным луком (частичками чеснока) и зеленою петрушкою, залить остывшим уксусом, вскипяченным пополам с водою и со специями. Оставить на 4 часа. Затем эти куски баранины обсушить в салфетке, нанизать на вертел; перед самым отпуском обжарить перед огнем, подставив медное блюдо и как можно чаще поливая жаркое соком, который будет стекать».

Не правда ли, чувствуется мужская рука – одно слово, настоящий полковник!

Подошел метрдотель в смокинге и белом галстуке, подал карточку и наизусть забарабанил: «...Филе из куропатки... шоффруа, соус «Провансаль»... беф бруи... филе португез... пудинг дипломат... – и совершенно неожиданно: – Шашлык по-кавказски из английской баранины...»

Владимир Гиляровский. Москва и москвичи

Секреты шефа

Еще одна примета, по которой легко определить возраст животного, – у молодого барашка кости красного цвета; с возрастом кровь как бы отливает от костей, и у взрослого барана они белые.

Рецепты

Кебаб по-мароккански

Это красивое и вкусное блюдо рассчитано на 8 человек.

1,5 кг баранины
32 шт. кураги
4 луковицы красного лука

Для маринада:

200 мл оливкового масла
0,5 стакана свежевыжатого лимонного сока
6 измельченных зубчиков чеснока
2 ст. ложки нарезанной свежей мяты
4 ч. ложки соли
4 ч. ложки нарезанной лимонной цедры
2 ч. ложки молотого черного перца
2 ч. ложки молотого кориандра
1 ч. ложка молотого тмина

Возьмите баранину без костей (лучше всего ножку или поясничную часть), нарежьте мясо на кубики примерно по 5 см.

Смешайте все ингредиенты маринада, отлейте 0,5 стакана и сохраните в холодильнике – пригодится для смазывания кебаба во время готовки. Замаринуйте мясо на 2 часа при комнатной температуре или на всю ночь в холодильнике.

Оботрите мясо от маринада и нанижите на 8 шампуров. Замочите курагу на 5 минут в кипятке, каждую луковицу разрежьте на 8 частей. Нанижите еще на 8 шампуров, чередуя курагу и лук. Смажьте все 16 приготовленных шампуров припасенным маринадом и запекайте, временами переворачивая, на средних углях примерно 10 минут до готовности. Если шампуры с курагой начнут пригорать, перенесите их в менее жаркую часть мангала.

Подавайте прямо на шампурах поверх выложенного на блюде кускуса.

Шашлык из баранины

Этот рецепт я узнал от президента Федерации рестораторов и отельеров России Игоря Бухарова. Главное, по его мнению, – это не пересушить мясо, иначе весь смысл шашлыка теряется. Некоторые, правда, любят, чтобы было зажарено аж до хруста. Как такой засушенный *well-done* может кому-то нравиться? Мясо, доведенное до состояния подошвы, – это же невкусно!

1 кг баранины
0,5 кг репчатого лука
50 г оливкового масла
50 г белого сухого вина
соль, перец по вкусу

Положите в маринад мясо и хорошенько все перемешайте. Маринуйте часов 5–6. Но если есть возможность все подготовить накануне, то лук для маринада лучше нарезать кольцами, а миску с мясом на ночь убрать в холодильник, к утру оно будет полностью готово.

Выньте мясо и хорошенько оботрите от маринада. Нанижите куски плотно на шампуры и выложите на горячие угли.

Рубленый кебаб по-марокканси

600 г бараньей грудинки
1 яйцо
1 ст. ложка муки
1 ч. ложка сухого чеснока
1 ч. ложка измельченного кориандра
1 ч. ложка молотого тмина
1/2 ч. ложки молотого имбиря
1/2 ч. ложки молотой гвоздики
соль, перец по вкусу

Прокрутите в мясорубке или кухонном комбайне мясо и пряности, промешайте с яйцом и мукой. Скатайте 6 колбасок и наденьте каждую на предварительно вымоченную в воде деревянную шпажку (брошет).

Слегка смажьте колбаски растительным маслом и жарьте на решетке примерно 20 минут, несколько раз перевернув металлической лопаткой.

Шашлычки из барашка с чесночно-перечным соусом

600 г мякоти барашка (почечная часть или окорок)
сладкие перцы трех цветов
4 ст. ложки сметаны

Для маринада:

1 нарезанная колечками луковица
3 ст. ложки подсолнечного (дезодорированного) масла
2 ст. ложки лимонного сока
соль, перец по вкусу

Для соуса:

2 красных сладких перца
1 ч. ложка тмина или зиры
1 ч. ложка паприки
5 ст. ложек нарезанной петрушки
1 зубчик чеснока
4 ст. ложки оливкового масла
1/2 лимона (сок и цедра)
соль

Замаринуйте нарезанное кубиками мясо примерно на 2 часа. Тем временем приготовьте соус. Для этого все ингредиенты смешайте в блендере.

Выньте из маринада куски мяса, хорошенько смажьте сметаной и нанижите на предварительно вымоченные в воде деревянные шпажки (брошеты) вперемежку с кусочками сладкого перца трех цветов. Жарьте на решетке, постоянно переворачивая.

Подавайте с рисом по-креольски, запеченными на углях помидорами и чесночно-перечным соусом.

Люля-кебаб

1 кг баранины
60 г курдючного сала
4 луковицы
соль, черный молотый перец по вкусу

Мякоть баранины вместе с курдючным салом и луком дважды пропустите через мясорубку (еще лучше – порубите двумя тяжелыми ножами), посолите, поперчите, тщательно перемешайте, чтобы получилась вязкая масса. Затем поставьте на 20 минут в холодильник.

Смоченными в холодной воде руками нанижите фарш в форме сарделек на широкие шампуры и, часто поворачивая, обжарьте над раскаленными углями.

Подавайте люля-кебаб с нарезанными кольцами луком, зернами барбариса и запеченными на вертеле помидорами.

Шарики из баранины

1 кг фарша из баранины
1 большая луковица
2 яйца
2 ст. ложки лимонного сока
1 ст. ложка сухого чабреца
панировочные сухари
растительное масло
соль, перец по вкусу

Добавьте в фарш мелко нарубленный лук и свежие яйца, тщательно перемешайте, приправьте лимонным соком, чабрецом, солью и перцем.

Слепите из смеси примерно 20 небольших шариков, обваляйте их в сухарях и насадите по 5 шариков на широкие шампуры. Смажьте растительным маслом и жарьте на решетке примерно 8 минут, перевернув шампуры лишь один раз.

Подавайте, посыпав луком-резанцем, с лепешками, ломтиками лимона и давленым барбарисом.

Барашек в йогурте по-индийски

2 кг грудинки молодого барашка
4 лимона
2 ст. ложки порошка тандури (или приправы для баранины)
750 мл белого йогурта
3 ст. ложки растительного масла
3 ст. ложки винного уксуса
2 ч. ложки соли

Разделайте грудинку так, чтобы в каждом куске было по 2 ребрышка. Растворите соль в 8 ст. ложках лимонного сока, смажьте этой смесью мясо и оставьте на полчаса, смажьте еще раз, и пусть полежит еще полчаса.

Смешайте йогурт, масло, уксус, лимонный сок и пряности. Смажьте этой смесью баранину и зажарьте (не стирая йогуртную смесь) на хорошо разогретой и смазанной растительным маслом решетке.

Жарится люля-кебаб на довольно жарких углях, поворачивать его надо чаще, чем другой шашлык, и очень желательно постоянно обмахивать опахалом, чтобы он не сушился горячим воздухом, поднимающимся от углей, но быстро запекался в их лучах...

Не пережаривайте люля, но и не оставляйте его внутри розовым. Цвет люля-кебаба на поверхности должен стать от золотистого до коричневого на подпалинах, а внутри он должен иметь приятный взгляду розово-серый цвет первой спелости.

Сталик Ханкишиев, автор кулинарного бестселлера «Казан, мангал и другие мужские удовольствия»

Ах, ножки, ножки!

Поспешим поддаться искушению, пока оно нас не покинуло.

Эпикур

Секреты шефа

К блюдам из баранины прекрасно подходят приготовленные на барбекю маленькие помидоры, нарезанные ломтями кабачки, баклажаны, сладкие перцы и шампиньоны. Подержите их несколько минут в маринаде из оливкового масла, ароматизированного уксуса и давленого чеснока и запекайте на решетке в папильотах или на шампурах.

Смазывать мясо на углях хорошо пучком пряных трав, например розмарина или тимьяна (чабреца), тогда их нежный аромат будет передаваться блюду.

Во времена Людовика XIV женщины были прекрасно осведомлены, какими путями пробирается любовь в сердце мужчины. На кулинарном ристалище мерились силами многие фаворитки «короля-солнце» – с именем одной из них, мадам де Шампваллон, связан рецепт бараньих отбивных, приготовленных на подстилке из обжаренного лука и покрытых запеченным картофелем. Правда, некоторые историки вспоминают в этой связи некоего Алле де Шампваллона – одного из любовников королевы Марго. Но, учитывая, что в амурном меню знаменитой «пожирательницы мужчин» этот шевалье был скорее легкой закуской, чем основным блюдом, *côtelettes à la Châmpvallon* вряд ли были названы в его честь.

Да и сама мадам де Шампваллон была вскоре вытеснена из королевской постели куда более изобретательной мадам де Мэнтенон, оставившей в истории французской кулинарии весьма заметный след. Даже в рецептах тех же бараньих отбивных она пошла гораздо дальше, предпочитая готовить их в папильотах и под изысканными соусами на основе мадеры и трюфелей. Что же касается виновника этих придворных кухонных дрязг, то Людовик XIV, обладавший фантастическим аппетитом, вполне был способен, в перерыве между паштетом из каплуна и фрикасе из телятины, спаржи и петушиных гребешков, съесть без особого напряга отбивные и той и другой возлюбленной. Чего не сделаешь ради покоя в доме?

Французский адвокат и журналист Гримо де ла Рейньер (1758–1837), основавший в Париже первое в мире периодическое кулинарное издание «Альманах гурманов», сетовал: «В наше время найти нежную баранью ножку гораздо труднее, чем нежную даму». Как здесь не вспомнить нашего дорогого Александра Сергеевича, также прекрасно разбировавшегося в предмете, и его строки, написанные примерно тогда же: «Ах, ножки, ножки! Где вы ныне?»

Но не будем отвлекаться и, как говорят французы, «вернемся к нашим баранам». Верхнюю мясистую часть ноги барашка надо нашпиговать несколькими зубчиками чеснока, обмазать мясо солью и, по вкусу, перцем, а затем запекать в духовке на противне или на вертеле, еще лучше – на вертеле над углями. Времени на это потребуется из расчета по 22 минуты на килограмм в духовке и по 25 минут – на вертеле.

Баранью ножку нужно уметь не только умело приготовить, но и грамотно нарезать. Диаметрально противоположные мнения, которые по этому поводу высказывали англичане и французы, в течение веков разделяли эти народы надежнее, чем пролив Ла-Манш, и непримиримее, чем борьба за испанский престол. Так вот, англичане утверждали, что бараний окорок надо резать поперек, то есть перпендикулярно к кости, французы же отстаивали свой, строго горизонтальный метод нарезки. А вот какой совет дает все тот же Гримо де ла Рейньер: «Мы укажем вам метод нарезки бараньего окорока, при котором он всегда вам покажется нежным. Удерживая кость в левой руке, надо резать горизонтально, как будто обстругиваешь доску. Ломтики при этом должны получаться чрезвычайно тонкими, не толще игральной карты. Нарезанное таким образом жаркое, если, конечно, мясо не было каменным от природы, всегда будет мягким. Просто надо нарезáть постепенно и вдоль всего куска и брать не по одному, а по три-четыре ломтика сразу. Полейте мясо его собственным соком и соком лимона, добавьте соль, перец и щепотку мускатного ореха, и вы получите изысканное и к тому же пробуждающее чувственность блюдо».

Так что без нежной дамы все равно не обойтись!

В глазах волка светилась душевная тоска и неукротимая любовь к баранине.

Борис Андреев

Секреты шефа

Мне очень нравится ножка барашка, приготовленная на открытом огне, но не на решетке, а на вертеле. Потребуется ляжка молодого барашка. Качество и свежесть мяса здесь очень важны. Нашпигуйте ее сельдереем, красным перцем, чесноком. Сделайте маринад из небольшого количества мелко рубленного лука, белого вина, томата, растительного масла, добавьте соль и перец. Замаринуйте в нем ножку – недолго, совсем слегка. И готовьте над углями на вертеле. Безумно вкусно! Если еще подать ее с правильным овощным гарниром – просто замечательно.

Александр Филин, президент Национальной гильдии шеф-поваров России

Рецепты

Окорок барашка на решетке

1 окорок барашка весом 2,3–2,7 кг

бальзамический уксус
3–4 лавровых листа
10–15 гвоздиков гвоздики
1 ст. ложка сухого розмарина
чеснок
соль, перец по вкусу

Мясо замаринуйте на 10–12 часов в растворе бальзамического (эстрагонового) уксуса, разведенного в пропорции 1:20. В маринад добавьте лавровый лист, гвоздику и сухой розмарин. Нашпигуйте мясо зубчиками чеснока, натрите солью и перцем. Поставьте на 1–2 часа в холодильник.

Затем в течение 45 минут запекайте окорок в духовке при температуре 190 °C, поливая маринадом и мясным соком.

Посолите, поперчите и выложите на хорошо разогретую, смазанную растительным маслом решетку. Жарьте на углях еще 20 минут. За это время ножку 2–3 раза переверните, смазывая маринадом. Не забудьте перед подачей дать готовому мясу «дойти» в фольге.

Корейка ягненка

4 куска корейки ягненка
1 сладкий перец
1 небольшой баклажан
соль, перец по вкусу

Нарезанную на порционные куски корейку обжарьте на гриле с двух сторон до готовности. Предварительно мариновать необязательно. Достаточно слегка смазать оливковым маслом и поперчить. Солить надо, когда снимите мясо с решетки. Одновременно обжарьте на решетке полоски сладкого перца и баклажана. Подавайте с обжаренными овощами, рисом или кускусом.

Окорок барашка на вертеле

Ножку, натертую солью и перцем, фаршированную в наиболее мясистой части чесноком, насаживают на вертел и жарят над углями. Время готовки определяется из расчета 25 минут на 1 кг веса.

Баранья ножка с лимоном и розмарином

1 баранья ножка без кости весом 1,5–2 кг

Для маринада:

4 ст. ложки лимонного сока
3 ст. ложки оливкового масла
4 зубчика чеснока
2 ст. ложки натертой лимонной цедры
2 ст. ложки нарезанного свежего розмарина (или 2 ч. ложки сушеного)
2 ч. ложки нарезанного свежего базилика (или 1/2 ч. ложки сушеного)
соль, перец по вкусу

Сделайте в толстых частях бараньей ножки глубокие разрезы, чтобы кусок стал более плоским и жар мог бы более равномерно проникать внутрь.

Положите мясо в стеклянную или эмалированную неглубокую миску, добавьте лимонный сок и оливковое масло, посыпьте измельченным чесноком и травами, посолите, поперчите и перемешайте. Накройте крышкой и поставьте мариноваться в холодильник на 4–8 часов. За это время мясо надо несколько раз перевернуть.

Перед тем как жарить, дайте мясу «отогреться» с полчаса при комнатной температуре, затем положите на хорошо разогретую, смазанную растительным маслом решетку и жарьте в течение 30–40 минут на средних углях, часто переворачивая и смазывая оставшимся маринадом.

Переложите готовое мясо на деревянную доску, накройте алюминиевой фольгой и оставьте на 10 минут. Нарежьте на ломти и подавайте с веточками свежего розмарина, дольками лимона и зеленым салатом.

Мешуи – барашек целиком

Перед вами, наверное, один из древнейших рецептов в истории человечества. В странах Ближнего Востока, Северной и Центральной Африки его называют мешуи. Это, скорее, не рецепт, а способ приготовления. Не важно, что запекается на углях: курица, коза, баран или бык, – но если большим куском или целой тушей, то это – мешуи.

1 барашек
500 г топленого масла
500 мл оливкового масла
3 ст. ложки молотого тмина
3 ст. ложки имбиря
2 ч. ложки молотого острого красного перца (по желанию)
5 ст. ложек шафрана
10 зубчиков чеснока
1/2 ст. ложки молотого лаврового листа
1/2 ст. ложки молотого чабреца

Насадите подготовленную баранью тушу на жердь длиной 3 м, крепко привяжите к жерди проволокой передние и задние ноги и шею. Разведите в яме глубиной 40 см огонь, вбейте по ее краям рогатины так, чтобы они возвышались над огнем на полметра, и, когда образуются угли, положите на рогатины жердь с бараном, которую необходимо время от времени поворачивать.

Нагрейте оливковое масло, растопите в нем топленое масло, положите специи и перемешайте. По мере жаренья смазывайте этой смесью барана со всех сторон.

Через 2,5–3 часа мясо должно быть готово (готовность его проверяют, воткнув глубоко вилку в одну из задних ног: если выделяется светлый сок – мясо готово).

При подаче куски мяса посыпьте смесью приправ (по 3 ст. ложки тмина, молотого черного перца, имбиря, по 2 ст. ложки белого (или душистого) и острого красного перца, соль по вкусу).

Цыпленок жареный...

Бедная курица была худа и покрыта той толстой и щетинистой кожей, которую, несмотря на все усилия, не могут пробить никакие кости; должно быть, ее долго искали, пока наконец не нашли на насесте, где она спряталась, чтобы спокойно умереть от старости. «Черт возьми! – подумал Портос. – Как это грустно! Я уважаю старость, но не в вареном и не в жареном виде».

Александр Дюма. Три мушкетера

Блюдо высокого полета

Наши предки научились готовить птицу на барбекю, очевидно, сразу же после того, как научились ее ощипывать. С тех пор они прекрасно научились жарить куриц, индеек и уток. Есть счастливцы, которым даже довелось попробовать дичь, но с кулинарной точки зрения ее приготовление отличается лишь несколько более частым применением маринадов. Кто-то в наше время добрался уже и до страусов, но все же для человека наших очень средних широт «птица» – это, прежде всего, курица.

Археологи утверждают, что курица была одомашнена более четырех тысяч лет назад в долине реки Инд (это на границе нынешних Индии и Пакистана). Эту, тогда еще птицу было несложно и недорого содержать, и в итоге курятина стала самым распространенным, а после того, как производство бройлеров было поставлено на индустриальную основу, и сравнительно дешевым видом мяса во многих странах мира.

Классический, проверенный веками способ приготовления курицы: половинки тушки, слегка замаринованные, а затем зажаренные на решетке. Причем во время жарки их надо часто смазывать одним из тех соусов-маринадов, рецепты которых вы найдете в этой книге. Но сейчас, когда человек благодаря прогрессу вновь разучился ощипывать птицу и курица-кормилица поступает на наши прилавки все больше в виде «запчастей», появилось множество способов приготовления всех этих окорочков, филе, крылышек, грудок и бедер.

Тому, кто собрался жарить курицу на углях, будь то целиком или «россыпью», придется решить для самого себя нелегкую дилемму. Как известно, куриная кожа чрезвычайно жирна, и при жарке на сильных углях стекающий с нее жир горит, в буквальном смысле слова, синим пламенем.

Пусть и вправду,
Постум, курица не птица,
Но с куриными мозгами
хватишь горя...

Иосиф Бродский

Секреты шефа

Подготовку птицы к жарке лучше всего начать с «кислотной обработки»: натрите ее разрезанным пополам лимоном, а затем уже пряностями.

Когда еврей покупает курицу,
то или еврей болен, или
курица больна.

Леонид Андреев

Заметки на полях

В маринад для курицы хорошо добавлять лимонный или апельсиновый сок, фруктовый уксус. Оригинальный вкус курятине придает также сок или свежее пюре из персиков, слив и вишен. Не забудьте запастись необходимыми специями и приправами: чесноком, эстрагоном (тархуном), чабрецом, базиликом, розмарином, укропом. Обмазать тушку можно также дижонской горчицей, смесью горчицы и меда, разведенным в сметане карри, острыми восточными специями. Чтобы мясо получилось сочнее, а корочка поджаристее, надо аккуратно протолкнуть под кожу кусочки сливочного масла, смешанного с мелко нарезанными пряными травами или измельченными специями.

В итоге вы получите чумазую, обугленную снаружи и полусырую внутри тушку. Конечно, столь неприятного поворота событий можно избежать – достаточно снять кожу. Но ведь именно она впитывает в себя дымок живого огня и аромат специй, она же не дает мясу пересохнуть. К тому же что может быть вкуснее аппетитно скворчащей, золотистой кожицы?

Так что пусть курица жарится с кожей, а уж есть или не есть эту похрустывающую на зубах, истекающую прозрачным жирком, попахивающую дымком золотистую субстанцию, решайте сами.

И пусть говорят, что курица – не птица, но только не применительно к барбекю, где она давно уже стала блюдом высокого полета.

Секреты шефа

Время приготовления птицы на углях определяется из расчета 6–7 минут на каждый сантиметр толщины мяса.

Курица – почтенная птица. Она не смеется, не улыбается и вообще относится к жизни всерьез. Но ее почему-то не уважают. Говорят, что у нее куриные мозги. А куриными мозгами пороха не выдумаешь. А зачем нам выдумывать порох? Что, у нас мало пороха?

Феликс Кривин

Рецепты

Курица табака на углях

2 курицы по 1,2–1,3 кг каждая
4 ломтика лимона
16 листиков свежего базилика
соль, перец по вкусу

Для маринада:

0,5 стакана оливкового масла
4 зубчика чеснока
сок 2 лимонов

Разрежьте каждую курицу вдоль грудки и распластайте, как для цыпленка табака. Крылышки закрепите у курицы за спиной.

Смешайте оливковое масло, чеснок и лимонный сок, замаринуйте в этой смеси куриц и поставьте на 2–4 часа в холодильник.

Оботрите куриц от маринада, остаток маринада вылейте. Вложите под кожу по обеим сторонам грудки по ломтику лимона и 4 листика свежего базилика. Если надо, закрепите кожу деревянными зубочистками. Посолите и поперчите.

Запекайте на средних углях, сначала 4–5 минут со стороны кожи – до золотистого цвета, затем переверните распластанной стороной вниз и жарьте еще 15–20 минут, время от времени переворачивая.

Курица по-деревенски

2 курицы по 1,2–1,3 кг

Для маринада:

2 давленых зубчика чеснока
3 ст. ложки оливкового масла
1 ст. ложка соевого соуса
1 ст. ложка томатной пасты
4 ст. ложки куриного бульона (можно из кубика)
несколько капель вустерского соуса
сок 1/2 лимона
1/2 ч. ложки паприки
соль, перец по вкусу

Смешайте все ингредиенты маринада. Выложите разрезанных на половинки куриц на блюдо, смажьте маринадом, посолите, поперчите.

Выложите половинки куриц на хорошо разогретую решетку (внутренней частью вниз) и оставьте жариться на 8 минут. Снова смажьте маринадом и переверните. Продолжайте жарку еще 25–35 минут, часто переворачивая и смазывая маринадом.

Секреты шефа

Собственные рецепты приготовления куриных грудок есть, наверное, во всех кухнях мира. Вот несколько вариантов с местным колоритом. Например, аргентинцы маринуют курицу в нежирном и несладком йогурте с мелко нарезанной мятой, чесноком, молотым тмином и несколькими каплями соуса чили. Греки добавляют в йогурт лимонный сок и майоран, а кубинцы предпочитают сок лайма, лук, майоран и тмин.

Курица в соусе «ясса»

Это блюдо из курицы очень популярно в Сенегале, особенно в провинции Казаманс. Между нами говоря, этот рецепт прекрасно подходит и для рыбы. В Сенегале это блюдо обычно подают с толченым ямсом или маниокой, а в наших широтах оно прекрасно пойдет с отварным рисом.

1 крупная курица
1,5 стакана куриного бульона
2 ст. ложки арахисового или оливкового масла

Для маринада:

1 острый перчик
3 большие луковицы
2 зубчика чеснока
3 лайма
2 ст. ложки арахисового или оливкового масла
крупная соль, черный свежемолотый перец по вкусу

Сначала приготовьте маринад, для чего смешайте сок 3 лаймов с растительным маслом, измельченным острым перцем, давленым чесноком и нарезанным кружочками луком, посолите все это и поперчите.

Разрубите курицу на среднего размера куски, залейте маринадом и поставьте в холодильник на 10–12 часов (но не более чем на сутки), время от времени переворачивая в маринаде куски.

Слейте маринад и сохраните. Куски слегка обжарьте на решетке со всех сторон и снимите с огня.

Поставьте на решетку кастрюлю с толстым дном или глубокую сковороду. Налейте 2 ст. ложки растительного масла и обжарьте в нем лук из маринада. Когда лук приобретет золотистый цвет, добавьте половину оставшегося маринада, накройте крышкой и оставьте потомиться и загустеть. Ваш соус «ясса» готов.

Положите в соус обжаренные куски курицы, добавьте бульона, чтобы куски были наполовину покрыты жидкостью. Если необходимо, дополнительно посолите и поперчите (если из-за обилия сока лайма соус получился кисловатым, можно добавить кусочек сахара). Накройте крышкой и оставьте на несильном жару примерно на полчаса.

Курица, зажаренная на углях

1 курица весом 1,2–1,3 кг
3–4 листика свежего шалфея
2 зубчика чеснока
1 ч. ложка сухого розмарина
3 ст. ложки оливкового масла
свежемолотый черный перец по вкусу
1 ст. ложка соли

Разрежьте курицу вдоль грудки и распластайте, как для цыпленка табака. Крылышки закрепите у курицы за спиной.

Смешайте измельченный розмарин, шалфей, соль и давленый чеснок до состояния пасты, добавьте немного свежемолотого перца, размешайте все с 1 ст. ложкой оливкового масла, натрите этой смесью курицу изнутри и оставьте мариноваться примерно на 1 час.

Приготовьте тем временем угли в вашем барбекю. Выложите распластанную курицу на решетку, установленную над углями на высоте 20 см, и жарьте, часто переворачивая и смазывая оставшимся оливковым маслом.

Когда с курицы перестанет течь жир, а угли больше не будут вспыхивать, опустите решетку ниже (на высоту примерно 15 см). Общее время готовки – около 1 часа.

Подавайте с сухим красным вином и зажаренными на шампурах (брошетах) овощами: сладким перцем, цукини, баклажанами, помидорами и т.д.

Салат «Надин Куприянофф»

Рецепт этого теплого салата я получил от шеф-повара московского ресторана «Амстердам».

1 куриная грудка
микс-салат (лоло-россо, радиччио, руккола, фризе)
сухой тимьян
1 сладкий перец
шампиньоны
соль по вкусу

Для соуса:

3 яичных желтка
1/2 ст. ложки оливкового масла
1 ст. ложка дижонской горчицы
2 ст. ложки зернистой горчицы
3 ст. ложки белого винного уксуса
5 зубчиков чеснока
2–3 луковицы лука-шалота
1 ч. ложка зелени петрушки

Для приготовления соуса взбейте в блендере до однородной консистенции желтки, дижонскую горчицу, измельченные чеснок и лук-шалот. Не выключая аппарат, влейте тонкой струйкой масло и уксус. Под конец добавьте зернистую горчицу.

Обжарьте на гриле с двух сторон куриную грудку, посыпанную тимьяном.

Нарежьте сладкий перец полосками, сырые шампиньоны – пластинками, порвите вымытый и обсушенный салат руками. Смешайте все эти ингредиенты, полейте соусом, рядом выложите обжаренную грудку.

Цыпленок, синий от мытья

СВЕЖУЮ ПТИЦУ лучше всего покупать накануне и никогда не держать ее в холодильнике более 48 часов. Если вы задумали угостить приглашенных на барбекю курицей или индейкой, то закупки делайте исходя из следующего расчета на каждого едока:

птица целиком – по 400–450 г
фарш для гамбургеров – по 125 г
грудка без кожи и костей – по 150 г
ножки, бедра, крылья – по 250 г

Замороженную птицу надо прежде всего грамотно разморозить. Чем медленнее, тем меньше она потеряет сока и тем вкуснее будет блюдо. Лучше всего положить птичку на подходящий по размеру поднос и поставить в самый низ холодильника. Можно прямо в пластиковой упаковке, предварительно проделав в ней несколько отверстий. Необходимое время прикиньте сами – из расчета 10 часов на килограмм веса. Есть и более быстрый способ – в холодной воде, меняя ее каждый час, тогда времени уйдет по 2 часа на килограмм. Хранить размороженную птицу в холодильнике можно не более двух дней.

Независимо от того, покупаете вы свежую или мороженую птицу, она должна быть толстенькой, аппетитной на вид, с бело-розовой гладкой кожей. У свежей птицы и запах свежий, косточки крылышек гибкие, мясо упругое, а кожа лишь слегка влажная (если кожа мокрая, значит – птица размороженная).

И не верьте бессовестному продавцу, когда он выдает нечто голенастое и тонкошеее за свежайшего цыпленка, – у молодых кур и индеек всегда толстые шеи, лапки и колена. Это с возрастом они становятся тощими, а кожа в суставах делается фиолетового цвета. Так что в данный момент

– Мадам, почем ваши синенькие?
– Вы что, ослепли, это не баклажаны, а цыплята...
– Вот я и спрашиваю: почем ваши синенькие?

Очень старый одесский анекдот

Секреты шефа

Курица, зажаренная на углях целиком, готовится около 1 часа. Чтобы не умереть в ожидании от голода, вы можете одновременно, на той же решетке, приготовить какую-нибудь горячую закуску, например колбаски или гамбургеры, а также различные овощи, нанизанные на шампуры (брошеты).

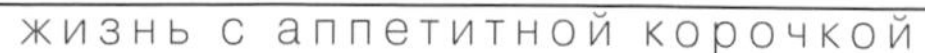

вам пытаются всучить либо скончавшегося от старости куриного дедушку, либо родного братца того несчастного создания, реквием по которому звучит в известном стихотворении Николая Заболоцкого «Свадьба»:

Над нею проклинает детство
Цыпленок, синий от мытья.
Он глазки детские закрыл,
Наморщил разноцветный лобик
И тельце сонное сложил
В фаянсовый столовый гробик.

Рецепты

Куриные грудки с рулетами из овощей

600 г куриной грудки без кости и кожи
200 г бекона
1 баклажан
1 цукини
1 пучок зеленого салата
редиска
лук
лаваш

Для маринада:

3 ст. ложки томатной пасты
1 ч. ложка молотого шафрана
5 ст. ложек растительного масла
соль, перец по вкусу

Смешайте ингредиенты маринада и замаринуйте курицу не более чем на 10–15 минут.

Тем временем обжарьте на решетке полоски бекона и полоски нарезанных вдоль баклажанов и цукини, сверните их в рулеты в следующем порядке: бекон, цукини, баклажан и снова бекон. Внутрь рулета насыпьте обжаренный и нарезанный соломкой сладкий перец.

Тщательно оботрите от маринада куски курицы и зажарьте на решетке до готовности.

Подавайте на лаваше с рулетами, зеленым салатом, редиской и нарезанным кольцами репчатым луком.

Курица с соусом айоли

1 среднего размера курица

Для маринада:

4 ст. ложки лимонного сока
2 ст. ложки растительного масла
3 измельченных зубчика чеснока
по 1 ст. ложке нарезанной свежей зелени тимьяна и розмарина
соль, перец по вкусу

Смешайте маринад, разделайте курицу на среднего размера куски, выложите в большую миску, залейте маринадом и поставьте в холодильник на 3–4 часа.

Насухо оботрите от маринада куски курицы и запекайте на решетке, часто переворачивая и смазывая оставшимся маринадом (в последние 5–7 минут готовки маринад добавлять не надо). Подавайте с соусом айоли.

Курица, глазированная в меде

1,5 кг куриных окорочков и бедер

Для маринада:

4 ст. ложки меда
2 ст. ложки растительного масла
2 ст. ложки сладкой горчицы
2 ст. ложки лимонного сока
нарезанная лимонная цедра для аромата

Смешайте ингредиенты маринада и замаринуйте в нем куски курицы на 30 минут.

Зажарьте на решетке над средними углями, время от времени смазывая маринадом.

Курице было приятно,
что в магазине ее
продавали за цыпленка.

Эмиль Кроткий

Секреты шефа

Слегка замороженную (или недоразмороженную) птицу гораздо проще разделывать на «запчасти».

Фаршированная курица (цыпленок) на вертеле

Посолите тушку курицы снаружи и изнутри, положите в брюшную полость фарш и зашейте отверстие. Наденьте на вертел и жарьте, смазывая маслом, над углями до готовности. Фарш для курицы можно приготовить тремя способами.

Вариант 1

70 г отварного риса
50 г чернослива без косточек
15 г сушеного барбариса
2 ст. ложки топленого масла
соль по вкусу

Смешайте ингредиенты, фарш готов.

Вариант 2

1 средняя луковица
50 г чернослива без косточек
50 г изюма без косточек
зерна граната
2 ст. ложки топленого масла
соль по вкусу

Пропустите через мясорубку репчатый лук, чернослив, изюм, добавьте масло, соль и потушите 10–15 минут.

Сняв с огня, добавьте зерна граната.

Вариант 3

0,5 стакана очищенных грецких орехов
1 сладкий перец
2 зубчика чеснока
1 средняя луковица
1 пучок кинзы
зерна граната
соль по вкусу

Пропустите через мясорубку очищенные грецкие орехи, чеснок, стручковый перец.

Смешайте полученную массу с солью, мелко нарезанной кинзой, репчатым луком и зернами граната.

Фаршированные куриные бедра

4 куриных бедра с костью

Для фарша:

500 г шампиньонов
200 г репчатого лука
200 г моркови
50 г сливок (33%)
2 ст. ложки растительного масла
соль, перец по вкусу

Острым ножом осторожно, чтобы не прорезать, отделите кожу от мяса. Стяните кожу чулком до места крепления ее к голяшке. Отрубите ножом косточку, оставив кончик кости – голяшку с крепящейся к ней кожей. Выверните кожу обратно – вы получили «карман», в который будете класть начинку.

Теперь приготовьте начинку. Отделите мясо от кости. Если вы ограничены во времени, пропустите мясо через мясорубку. Но лучше порубите ножом – так получится сочнее и вкуснее.

Мелко порежьте шампиньоны, лук и морковь, обжарьте в растительном масле до готовности. Остудите до комнатной температуры. Смешайте куриный фарш с обжаренными овощами и грибами. Добавьте сливок, посолите и поперчите по вкусу.

Достаточно плотно нафаршируйте куриные бедра начинкой. Заверните кожу «конвертом». Придайте бедрам плоскую форму, прижав их ладонью к доске. Так они лучше прожарятся.

Выложите бедра на решетку «запечатанной» стороной вниз. Жарьте 10 минут, после чего осторожно переверните щипцами и жарьте еще столько же до готовности.

Подавайте с соусом тартар и свежими овощами.

Куриное филе с ананасами

2 куриные грудки без кости и кожи
4 кружочка свежего ананаса
200 г натурального йогурта или кефира
1 зубчик чеснока
соль, перец по вкусу

Замаринуйте куриные грудки на 30 минут в йогурте, добавив в него давленый чеснок, соль, перец.

Очистите ананас от кожуры и нарежьте его кружочками по 2–2,5 см толщиной.

Оботрите грудки от маринада и обжарьте на решетке в течение 8–10 минут, перевернув два раза. Одновременно можете обжарить на решетке (ближе к тому краю барбекю, где поменьше жара) слегка смазанные растительным маслом кружки ананаса.

Когда куриные грудки будут готовы, нарежьте их поперек волокон на 4–5 кусков. Подавайте с зеленым салатом и обжаренным ананасом.

Бройлер во хмелю

Ежедневно среднестатистический мужчина посвящает готовке 28 минут, среднестатистическая женщина – 68.

Суровая статистика наших будней

Заметки на полях

Казалось бы, что может быть проще – зажарить на углях очищенную от кожи и костей куриную грудку? Однако сделать так, чтобы она получилась нежной, сочной и ароматной, – задача совсем не из простых. Если снять с куриной грудки защитный слой кожи, то этот тонкий и нежный кусочек мяса уже через несколько минут пребывания на решетке становится похожим – и по виду, и по мягкости – на обгорелую щепку. Не поможет и приготовление на слабых углях – мясо обгорит меньше, но станет еще суше и жестче.

Если же кожу оставить, то стекающий с нее жир мгновенно превратит ваши угли в пылающий костер и конечный результат будет тот же. И все же выход из этой патовой ситуации есть: кожу все же снять, но грудки перед приготовлением выдержать в легком рассоле, а жарить их обязательно на сильных углях, но недолго.

КАЖДЫЙ ГОД после импортного Дня святого Валентина с его сердечками из шоколада и марципанов приходит наш собственный, российский праздник влюбленных – 8 Марта, с селедкой «под шубой» и холодцом с хреном. Щедрое российское законодательство подарило этот лишний выходной день заодно и мужчинам, а потому негоже нам, с нашим хорошим аппетитом, перекладывать все хлопоты праздничного стола на хрупкие и любимые женские плечи. Попытаемся и мы, с трудом повязав дамские передники вокруг своих широких талий, встать на кухонную вахту.

Мужская готовка тем и отличается, что не требует больших хлопот и сложных заготовок. А еще – особой привязанностью к привычным продуктам. В данном случае – к пиву. Сегодня нам потребуется всего два основных ингредиента – курица целиком и баночное пиво. Между нами, мужчинами, говоря, блюдо это называется *drunken chicken*, то есть «пьяная курица», но, учитывая, для кого и по какому поводу оно готовится, обзовем его лучше так – «бройлер во хмелю».

Тушку курицы надо ласково вымыть, обсушить полотенцем и натереть разрезанным пополам лимоном (или, если больше нравится, апельсином), а затем уже солью и пряностями. Можно, конечно, воспользоваться покупной приправой для курицы, но лучше сделать свою. Смешайте в блюдце 1 ст. ложку соли с сухим базиликом, сладкой паприкой, сухим чесноком и черным перцем. Натрите этой смесью тушку птицы внутри и снаружи. Хорошо также добавить давленого чеснока, но только внутрь, – снаружи он будет обгорать и погубит всю красоту. А затем курочка должна полежать, отдохнуть, промариноваться несколько часов в холодильнике.

Петух, может быть, хорошо кукарекает, но яйца все-таки сносит курица.

Маргарет Тэтчер

Теперь наконец-то дошла очередь до пива. Подойдет любое баночное по 0,33 л, но лучше покупайте свое любимое, потому что, открыв банку, придется первым делом из нее отхлебнуть не менее трети. И сыпануть внутрь (в пиво, конечно, а не в рот) 1 ч. ложку специй. Затем нашего бройлера надо аккуратно посадить на банку. И сразу же открыть еще пивка – курица тоже имеет право «принять за воротник». Указательным пальцем аккуратненько расширяете «карман» между куриной кожей и шеей и наливаете туда пиво. Чтобы мясо получилось сочнее, а корочка поджаристей, туда же можно протолкнуть кусочки сливочного масла, смешанного со специями или мелко нарезанными пряными травами. Кстати, тем, что после жарки останется в банке, можно потом воспользоваться как соусом.

Восседающую на пивном троне курицу надо аккуратно поставить внутрь сковороды или небольшого противня, налить на дно сантиметра три воды (чтобы капающий жир не пригорал) и поставить жариться под крышкой в барбекю-котле. А теперь оставьте птичку в покое! Если вы ее будете без толку теребить и ненароком опрокинете, то вокруг будет много дыма и крика.

Как видите, все очень просто – одна курица и полдюжины пива. Почему полдюжины? Но ведь курице еще целый час-полтора поспевать в барбекю-котле...

Заметки на полях

Да, пивная банка не может похвастаться особой устойчивостью на решетке гриля. Поэтому для любителей drunken chicken конструкторами американской компании Weber придуман специальный ростер с четырьмя вертикальными распорками, на который очень удобно «усаживать» курицу.
В центре этого чрезвычайно устойчивого приспособления имеется емкость для специй и пива, хотя туда можно налить и другую жидкость по вкусу, например сок или вино. А чтобы образующиеся при жарке пары не вырывались наружу через куриное горло, в комплекте есть специальная пробка, чтобы его плотно закупорить.
Приготовленная на ростере курочка получается с поджаристо-хрустящей кожицей, а мясо внутри – сочным и нежным.

Рецепты

Курица по-американски

Этот рецепт я получил от моего американского друга, автора знаменитой книги «BBQ Bible» Стивена Райклэна.

2 курицы весом по 1,3–1,6 кг
3 ст. ложки набора специй для жарки курицы
2 чашки покупного соуса «Барбекю»

Промойте тушки внутри и снаружи холодной водой, тщательно обсушите бумажным полотенцем. Удалите лишний жир.
Положите курицу грудкой вниз и кулинарными ножницами разрежьте тушку вдоль по одну сторону хребта. Затем вырежьте хребет. Переверните курицу и разрежьте ее вдоль грудного хряща, отделите и удалите хрящ. Обрежьте излишки кожи с каждой из половинок. Отрежьте концы крылышек.
Половинки тушек положите в миску, щедро обмажьте со всех сторон специями и поставьте в холодильник на 2–4 часа.
Запекайте при средней температуре. Оставьте сбоку в жаровне небольшое пространство без углей, чтобы при необходимости половинки куриц можно было сдвинуть в менее горячее место. Сначала положите половинки кур на решетку той стороной, где кожа, обжарьте до золотистого цвета, потом доведите до готовности в течение примерно 20–25 минут, часто переворачивая и смазывая разведенным в воде (1:5) яблочным или винным уксусом. В течение 5 последних минут готовки смазывайте курицу соусом «Барбекю».

Куриные грудки в кунжутном маринаде

4 средние куриные грудки без кости и кожи
2 ч. ложки обжаренных семян кунжута

Для маринада:

4 ст. ложки кунжутного масла
4 ст. ложки яблочного уксуса
4 ст. ложки соевого соуса
2 давленых зубчика чеснока
1 ч. ложка свежемолотого черного перца
соль по вкусу

Сполосните и насухо вытрите салфеткой или бумажным полотенцем куриные грудки.
Смешайте маринад и замаринуйте грудки на 30–40 минут.
Оботрите грудки от маринада и зажарьте на хорошо разогретой решетке по 4–6 минут с каждой стороны.
Посыпьте готовые куриные грудки обжаренными зернами кунжута и подавайте. Если вы хотите использовать оставшийся маринад в качестве соуса, обязательно его прокипятите.

Куриные грудки в остром маринаде

2 куриные грудки без кости и кожи

Для маринада:

2 давленых зубчика чеснока
1 ч. ложка молотого имбиря
2 ст. ложки соевого соуса
4 ст. ложки лимонного сока
1 ч. ложка соуса «Табаско»
1 ст. ложка винного уксуса
4 ст. ложки оливкового масла
1/4 ч. ложки свежемолотого перца

Нарежьте грудки на длинные полоски, смешайте ингредиенты маринада, добавьте курицу и поставьте мариноваться в холодильник на 15 минут.
Выложите полоски курицы на хорошо разогретую решетку и жарьте 3–4 минуты. Затем смажьте маринадом и переверните. Повторите эту операцию 2–3 раза, до полной готовности блюда.

Фаршированные куриные грудки в папильотах

4 средние куриные грудки без кости и кожи
3 ст. ложки оливкового масла
2 ст. ложки лимонного сока

Для фарша:

4 тонких ломтика ветчины
4 ст. ложки натертого сыра пармезан
1 ст. ложка мелконарезанного эстрагона (тархуна)
1 ч. ложка молотой сладкой паприки
соль, перец по вкусу

Разрежьте по горизонтали (но не до конца) куриные грудки, «разверните», как книжку, слегка отбейте и выложите на большой лист сложенной вдвое алюминиевой фольги.
Положите внутрь каждой грудки по ломтику ветчины, тертый сыр, эстрагон, паприку, посолите, поперчите.
«Закройте» грудки, обмажьте смесью оливкового масла и лимонного сока, посыпьте оставшимися ингредиентами фарша.
Плотно заверните фольгу с фаршированными куриными грудками внутри и жарьте на решетке, не переворачивая, в течение 15–20 минут.

Куриные эскалопы

4 куриные грудки без кости и кожи
3 ч. ложки соли
3 ст. ложки сахарного песка
1 л холодной воды
растительное масло

Отбейте куриные эскалопы до примерно одинаковой толщины. Растворите соль и сахар в холодной воде и замочите в этом рассоле грудки как минимум на 30 минут (но не более чем на 2 часа).
Сполосните эскалопы от рассола, насухо оботрите, слегка смажьте растительным маслом и жарьте над сильными углями на решетке по 4 минуты с каждой стороны.
Подавайте с обжаренными шампиньонами и помидорами черри.

Куриные грудки с цукини и сладким перцем

4 средние куриные грудки без кости и кожи
1 сладкий перец
1 небольшой цукини
1 ст. ложка оливкового масла

Для маринада:

1 небольшая луковица
2 ст. ложки лимонного сока
1 ч. ложка измельченного красного острого перца
1/2 ч. ложки зерен пряного перца
1/2 ч. ложки карри
2 зубчика чеснока
1/8 ч. ложки молотого имбиря
сушеный тимьян по вкусу
1/2 ч. ложки соли
молотый черный перец по вкусу

Для приготовления маринада в кухонном комбайне перемешайте до получения однородной массы лук, лимонный сок, измельченный красный перец, соль, чеснок и все указанные специи. Замаринуйте куриные грудки и поставьте в холодильник на 30 минут.

Тем временем нанижите кусочки сладкого перца и нарезанного кружочками толщиной 1 см цукини на четыре шампура. Сбрызните маслом и посыпьте черным перцем.

Жарьте куриные грудки на углях примерно 4–6 минут. Затем переверните, смажьте оставшимся маринадом и жарьте еще 4–6 минут до готовности.

Одновременно на краю мангала зажарьте, постоянно поворачивая, нанизанные на вертела овощи. Подавайте вместе с куриными грудками. Если вы хотите использовать оставшийся маринад в качестве соуса, обязательно его прокипятите.

Куриные грудки с овощами и ананасами в папильотах

4 средние куриные грудки без кости и кожи
4 средние картофелины
2 средних цукини или кабачка
8 луковиц лука-шалота
4 кольца консервированного ананаса
4 ч. ложки сливочного масла
2 ч. ложки лимонно-перечной приправы
соль по вкусу

Для маринада:

1 стакан апельсинового сока
4 ст. ложки лимонного сока
2 измельченных зубчика чеснока
1 ч. ложка молотого кориандра
соль по вкусу

Смешайте маринад и замаринуйте грудки на 30–40 минут.

Приготовьте для папильотов 4 листа плотной (или сложенной вдвое) алюминиевой фольги. На каждый лист положите очищенные и нарезанные на кружочки картофель и цукини, нарезанный лук-шалот, посолите и посыпьте лимонно-перечной приправой, добавьте по 1 ч. ложке сливочного масла. Сверху положите куриную грудку и кружок ананаса. Плотно заверните фольгу «конвертом».

Выложите получившиеся «конверты» (папильоты) на решетку и жарьте 12–15 минут на среднем жару. Затем переверните и жарьте еще 12–15 минут.

Секреты шефа

Когда вы покупаете разделанные фабричным способом грудки, то к ним обычно прикреплен кусочек филе. Поскольку на углях оно готовится еще быстрее, его лучше отделить и использовать для каких-нибудь других кулинарных нужд. Куриные грудки имеют продолговатую, сужающуюся к концам форму, и поэтому их лучше слегка отбить, чтобы они приобрели примерно одинаковую толщину и прожаривались равномерно.

Почаще мойте руки

Из всех качеств повара главными являются точность и аккуратность.

Ансельм Брийа-Саварэн, французский кулинар XIX в.

Секреты шефа

Чтобы при жарке куриных ножек на решетке косточки не обугливались и не горели, надо проделать следующее. Перед тем как замариновать ножки, с помощью острого ножа слегка отделите мясо от кости, сдвиньте его «вверх», зачистите ножом кончик косточки и оберните его алюминиевой фольгой.

В приготовлении разного рода пернатых на решетке или вертеле есть, конечно, свои особенности, но есть и одно общее нерушимое правило – любое блюдо из любой птицы должно быть хорошо прожарено. Не хотелось бы портить вам аппетит, рассказывая страсти о сальмонеллах и стафилококках, но о соблюдении элементарных правил гигиены напомнить придется. Их не так много:

- следите, чтобы при размораживании в холодильнике птица или стекающая с нее жидкость не соприкасались с другими пищевыми продуктами;
- птица должна быть до конца разморожена; тогда при готовке в ней не останется непропеченных частей;
- птица считается готовой, когда температура внутри нее достигает 72 °C (160 °F), – на этом рубеже погибают все опасные бактерии;
- фаршу обязательно надо дать остыть (теплый фарш внутри холодной птицы – это запал в мине с бактериями);
- после обработки сырой птицы необходимо тщательно вымыть или поменять все кухонные принадлежности, миски и доски, служившие для ее разделки и переноски;
- никогда нельзя прерывать сам процесс готовки птицы, так как при этом резко увеличивается рост бактерий, а значит, опасность пищевого отравления;
- и, главное, золотое правило наших бабушек: «Почаще мойте руки!»

Рецепты

Куриные окорочка с имбирем

6 куриных окорочков
2 ст. ложки оливкового масла
2 небольшие луковицы
0,5 стакана консервированных абрикосов
5 ст. ложек кетчупа
2 ст. ложки винного уксуса
1 ч. ложка молотого имбиря
1 1/2 ст. ложки соевого соуса

Смешайте мелко нарезанный лук, измельченные абрикосы, кетчуп, уксус, имбирь и соевый соус.
Смажьте окорочка оливковым маслом и жарьте на решетке, часто переворачивая до золотистого цвета. Последние 10 минут обильно смазывайте окорочка абрикосовой массой.
Подавайте с отварным рисом. Если вы хотите использовать абрикосовую массу в качестве соуса, обязательно ее прокипятите.

Куриные бедра на решетке

8 куриных бедер (с кожей)

Для маринада:

4 ст. ложки лимонного сока
3 измельченных зубчика чеснока
по 1 ст. ложке нарезанной зелени тимьяна и розмарина
2 ст. ложки оливкового масла
соль, перец по вкусу

Смешайте лимонную цедру, лимонный сок, тимьян, розмарин, чеснок, соль, перец и масло. Выложите куски курицы в большую миску, залейте маринадом и поставьте в холодильник на 4 часа.
Выньте курицу из маринада и насухо оботрите куски. Жарьте на решетке, часто переворачивая и время от времени поливая оставшимся маринадом (прекратите поливать маринадом за 10 минут до конца готовки).

Куриные ножки по-калифорнийски

12 куриных ножек

Для маринада:

1 стакан апельсинового сока
цедра 1/2 апельсина
4 ст. ложки растительного масла
1 ст. ложка нарезанного свежего эстрагона
1 ч. ложка кайенского перца
1 ч. ложка молотого имбиря
соль, перец по вкусу

Смешайте ингредиенты маринада и замаринуйте ножки на 2 часа.
Оботрите ножки от маринада и зажарьте до готовности.

Куриные шашлычки с фруктами

250 г куриного филе (грудка)
2 крупные сливы
1 апельсин
4 кружка ананаса

Для маринада:

2 ст. ложки апельсинового сока
1 ст. ложка хереса
1 ст. ложка мелко нарезанного лука
2 ч. ложки растительного масла
1 ч. ложка давленых семян кунжута
1 давленый зубчик чеснока
соль, перец по вкусу

Смешайте ингредиенты маринада, нарежьте грудку на кусочки 2 см толщиной и поставьте в холодильник мариноваться на 2 часа.
Нанижите на вымоченные предварительно в воде деревянные шпажки (брошеты), перемежая кусочки курицы с дольками апельсина, нарезанными на четвертинки сливами и кусочками ананаса.
Зажарьте шашлычки на углях, постоянно поворачивая, в течение примерно 15 минут.

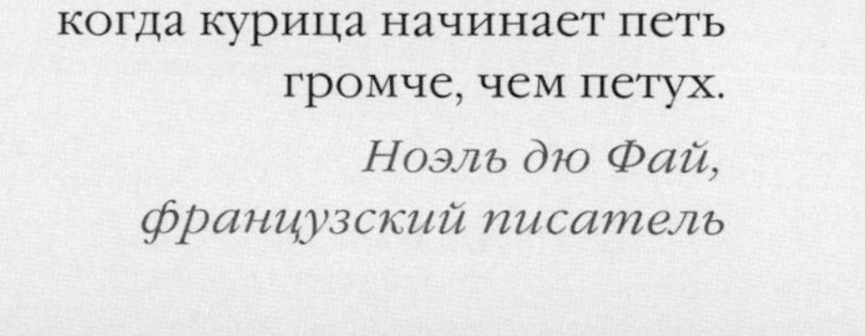

В доме все идет кувырком,
когда курица начинает петь
громче, чем петух.

Ноэль дю Фай,
французский писатель

Куриное филе с клубникой

400 г куриного филе (грудка)

Для маринада:

4 ст. ложки замороженной или свежей клубники
4 ст. ложки клубничного или винного уксуса
1 давленый зубчик чеснока
1 маленькая луковица
1 ст. ложка нарезанного свежего базилика
4 ст. ложки оливкового масла
сок и цедра 1/2 апельсина
свежемолотый перец по вкусу

Смешайте ингредиенты маринада, добавьте нарезанное кубиками или полосками куриное филе, перемешайте и поставьте на 2 часа в холодильник.
Нанижите филе на вымоченные предварительно в воде деревянные шпажки (брошеты) и жарьте на решетке по 5–7 минут с каждой стороны, пока стекающий с мяса сок не станет прозрачным.

Секреты шефа

Приготовление кусков, имеющих различную форму и толщину, например куриных ножек, лучше начать в микроволновой печи, а завершить на решетке. Тогда они пропекутся равномерно.

Шашлычки из куриных грудок

1 кг куриных грудок без кости и кожи

Для маринада:

1 большая луковица
2 ст. ложки лимонного сока
1 ч. ложка измельченного красного острого перца
по 1/2 ч. ложки соли, зерен пряного перца и карри
2 зубчика чеснока

Для соуса:

200 г майонеза
150 г натурального йогурта
1 зубчик чеснока

Куриные грудки разрежьте на кусочки толщиной 1,5 см, залейте маринадом и поставьте в холодильник на 30 минут.

Приготовьте соус: смешайте майонез и йогурт, добавьте давленый чеснок.

Нанижите кусочки грудки на вымоченные предварительно в воде деревянные шпажки (брошеты), плотно подгоняя один кусочек к другому. Жарьте на горячих углях, смазывая маринадом и часто переворачивая, до готовности. Подавайте с соусом.

Куриное филе на брошетах

400 г куриного филе (грудка)
10 небольших шампиньонов
2 сладких перца
8 ст. ложек кетчупа

Нарежьте куриное филе полосками толщиной чуть более 1 см. Нанижите на вымоченные предварительно в воде деревянные шпажки (брошеты), перемежая кусочки курицы с целыми грибами и нарезанным квадратиками сладким перцем. В небольшой кастрюльке подогрейте кетчуп, смажьте мясо и овощи.

Жарьте на решетке 10–12 минут, периодически поворачивая и смазывая кетчупом, пока мясо не станет мягким, а овощи не подрумянятся.

Подавайте на горячем рисе, посыпанном нарезанным зеленым луком и розмарином.

Люля-кебаб из курицы с фаршированным помидором

1 кг куриного мяса без костей
2 луковицы
100 г свиного сала
1 большой помидор
1 яйцо
соль, красный и черный перец по вкусу

Куриную мякоть (подойдет любая часть, например, окорочка без костей) заморозьте при температуре -6–7 °С. Прокрутите трижды вместе с луком и салом через мясорубку, добавьте соль, перец.

Налепите фарш на шампуры, обжимая его смоченными в холодной воде руками так, чтобы получился «волнистый узор».

Фаршированный помидор готовится следующим образом: отрежьте у помидора верхнюю «крышечку», аккуратно извлеките мякоть, влейте яйцо, поперчите и посолите. Затем поместите помидор в подставку, скрученную из фольги, и запекайте на решетке в течение примерно 15 минут.

В течение 5–7 минут зажарьте, переворачивая, кебабы над углями на сильном жаре. Подавайте кебабы на лаваше с фаршированным помидором.

Куриная печенка с беконом

Нанижите на брошеты обернутые в полоски бекона кусочки куриной печени и шляпки шампиньонов. На брошеты можно также нанизать кусочки сладкого перца и маленькие помидоры. Смажьте подготовленные брошеты оливковым маслом и жарьте на углях до готовности.

Шашлычки из курицы с овощами

200 г куриного филе (грудка)
1 цукини
1 небольшой баклажан
1 луковица (либо белая часть одного лука-порея)
1 сладкий перец
1 стебель сельдерея
оливковое масло

Для маринада:

1–2 измельченных зубчика чеснока
2–3 ст. ложки оливкового масла
2–3 ст. ложки соевого соуса
свежий тертый имбирь

Смешайте все компоненты маринада, куриную грудку нарежьте небольшими кусочками, перемешайте с маринадом и оставьте мариноваться на 30 минут.

Нарежьте все овощи толстыми кольцами. Нанижите их на вымоченные предварительно в воде деревянные шпажки (брошеты), перемежая с кусочками курицы. Смажьте готовые шашлычки оливковым маслом. Жарьте на решетке до готовности. Подавайте с отварным рисом, слегка обжаренным с зеленым горошком и приправленным вашими любимыми специями.

Индейка

Мной обожаемый индюк

Дюжая индейка наверху витрины выставляла напоказ свою белую грудь, из-под кожи у нее сквозили черные пятнышки трюфелей. Это было нечто варварское и великолепное – как бы само брюхо в ореоле славы, но представленное в такой беспощадной манере, с такой яростной насмешкой, что перед витриной собралась толпа, встревоженная этой пылающей выставкой снеди...

Эмиль Золя. Чрево Парижа

Колумб был не прав

«Индейский петух» – так их раньше называли в России, и в этом смахивающем скорее на ироничную кличку имени хорошо отражался и гневливый, задиристый характер птицы, и ее происхождение. В Европу индюки попали из Вест-Индии, то есть из Америки. Как доказали археологические раскопки, эта разновидность фазана обитала на северо-американском континенте еще 10 млн лет назад, и еще задолго до Рождества Христова американские индейцы если не приручили их, то уже умели содержать в специальных загонах.

Англичане и американцы, сами толком не зная почему, называют индеек *turkey*, что по созвучию очень напоминает название одного из средиземноморских государств. Хотя Турция имеет отношение к индейкам не больше, чем к слонам. В итоге, как повелось, все свалили на Христофора Колумба – он, мол, считал эту птицу родственницей павлина, которого на островах Индийского океана зовут *tuka*. А если уж он Вест-Индию с Индией перепутал, то чего с него взять как с орнитолога?

Но нас с вами больше интересует в истории с индейкой не ее «пятый пункт», а вкусовые качества. В Северной Америке и Западной Европе эта птица давно уже стала синонимом рождественской трапезы. «Достоинство индейки заключается в том, что она объединяет вокруг себя все классы общества». Несмотря на классовую закваску, эти слова принадлежат не одному из последователей марксизма-ленинизма, а основателю Французской кулинарной академии Ансельму Брийа-Саварэну. И кулинарный академик был прав – ни одно блюдо так не подходит для семейного праздника, особенно если семья большая...

Мне почему-то кажется, что индейки должны особо не любить начало зимы. Ведь их массовое избиение начина-

На утре памяти неверной
Я вспоминаю пестрый луг,
Где царствовал высокомерный
Мной обожаемый индюк.
Была в нем злоба и свобода,
Был клюв его, как пламя, ал...

Николай Гумилев

Секреты шефа

Как определить, что индейка готова? Проколите ее длинной вилкой или спицей в самом «толстом» месте – если выступит прозрачный, а не красноватый сок, то вам остается только разделать индейку.

Заметки на полях

Еще не так давно индюшатина была у нас редким блюдом. Выгодно отличавшиеся от посиневших в борьбе за существование отечественных кур дебелые венгерские индейки ненадолго появлялись на наших прилавках только перед Новым годом. Но советские хозяйки были недоверчивы: как приготовишь такую тушу – не то что в утятницу, даже не во всякую духовку влезет. И покупали индейку разве что с кем-нибудь в доле, прямо как мужики – поллитру. С той только разницей, что бутылка водки в России традиционно делится на троих, а индеек, снисходя к запросам скинувшихся покупателей, мясники рубили пополам.

Но время шло, и вслед за «ножками Буша» на Россию двинулись полчища мороженых индюшек, и в итоге обиженная Колумбом птица сейчас представлена у нас в любом обличье и любой расфасовке.

Индейки поступают в магазин уже полностью подготовленными для жарки: ощипанными, опаленными, выпотрошенными. Если же учесть, что у взрослой индейки насчитывается около трех с половиной тысяч перьев, то можете себе представить, каково приходилось нашим прабабкам...

ется сначала в Соединенных Штатах, где в конце ноября, в День благодарения, американцы ежегодно поедают несколько миллионов этих птиц. А три недели спустя подходит празднование Рождества, и настают последние денечки для европейских индеек.

«Одного цыпленка на семь блюд не разложишь», – гласит народная мудрость. При хорошем застолье курицей, уткой или гусем не обойдешься. Другое дело – индейка. Особенно мясисты у этих птиц ножки и бедрышки. Это не иначе наследственное, ведь дикие индейки, до сих пор разгуливающие по Северной Америке, способны летать на небольшие расстояния и передвигаться по земле со скоростью 40 км в час.

Отменные ходовые качества уже одомашненных индеек оригинально использовались вплоть до начала XX века. За неимением грузового транспорта английские фермеры доставляли своих индеек на городские рынки в пешем строю, привязывая им на лапы подобие кожаных тапочек. Причем маршировали так именно индейки, а не индюки. Дело в том, что самцы у этих птиц меньше, чем самки; да и мясо у них посуше и жестче. Потому индейки всегда считались вкуснее индюков, зато последние жили дольше.

Рецепты

Индюшачьи грудки, фаршированные курагой

1 грудка с косточкой (800–900 г)
растительное масло
соль, перец по вкусу

Для фарша:

1,5 стакана панировочных сухарей
0,5 стакана измельченной кураги
1/4 стакана поджаренных и измельченных орехов (фундук, миндаль)
2 ст. ложки яблочного сока
1 ст. ложка сливочного масла
1/4 ч. ложки мелко истолченного сухого розмарина
1/4 ч. ложки чесночной соли

В миске смешайте панировочные сухари, курагу, орехи, яблочный сок, сливочное масло, розмарин и чесночную соль.

Сделайте сбоку в грудке надрез – «карман» и наполните его фаршем. Закрепите края деревянными шпажками или зубочистками (можно сшить).

Смажьте приготовленную грудку растительным маслом, поперчите, посолите и обжарьте на решетке по 8–10 минут с каждой стороны, пока мясо внутри не потеряет розовый оттенок. Сняв с решетки, заверните грудку в алюминиевую фольгу и дайте постоять 15 минут. Затем подавайте.

Индюшачьи грудки в пикантном маринаде

0,5 кг филе из индюшачьей грудки
4 ст. ложки лимонного сока
1 ст. ложка оливкового масла
2 ст. ложки каперсов с заливкой
1/8 ч. ложки черного молотого перца
1 лимон

Смешайте заливку от каперсов с лимонным соком, оливковым маслом и перцем. Полейте маринадом нарезанные толщиной в 1 см индюшачьи грудки и поставьте на 30 минут в холодильник.

Выложите мясо индейки на горячие угли, через 2 минуты переверните, смажьте маринадом и жарьте до готовности.

Подавайте с каперсами и кружочками лимона.

Эскалопы «Святой Валентин» с соусом из клубники

Это блюдо предназначено специально для влюбленных, но есть его можно (и нужно!) круглый год. Рецепт рассчитан на 6 порций.

6 кусков филе индейки, по 150 г каждый
оливковое масло

Для маринада:

50 г коньяка
сок 1 лимона
3 ст. ложки меда
1 ч. ложка горчицы
свежемолотый черный перец

Для соуса:

3 стакана свежей или мороженой клубники
250 г сухого розового вина
$1^1/_2$ ложки меда
2 ч. ложки крахмала, разведенные в воде

Сделайте острым ножом по два горизонтальных надреза в каждом филе.

Смешайте маринад, залейте мясо и поставьте в холодильник на 4 часа.

Выньте куски мяса из маринада, добавьте в маринад клубнику, вино и прокипятите. Отложите с десяток клубничин для украшения. Добавьте мед и томите на малом огне, пока жидкость не выпарится наполовину. Пропустите все через сито, добавьте разведенный крахмал и доведите соус до кипения, постоянно помешивая.

Оботрите филе от маринада, смажьте оливковым маслом и зажарьте на углях до готовности.

Подавайте на подогретых тарелках, щедро полив горячим соусом и украсив припасенными ягодами клубники.

За рождественский обед уселись в два часа дня. Это был настоящий пир. Огромные поленья весело потрескивали в широком камине, но еще громче был шум множества голосов, говоривших одновременно. Суп из дичи был уже съеден, за ним две гигантские индейки, а оставшиеся от них кости убраны.

Агата Кристи. Похищение королевского рубина

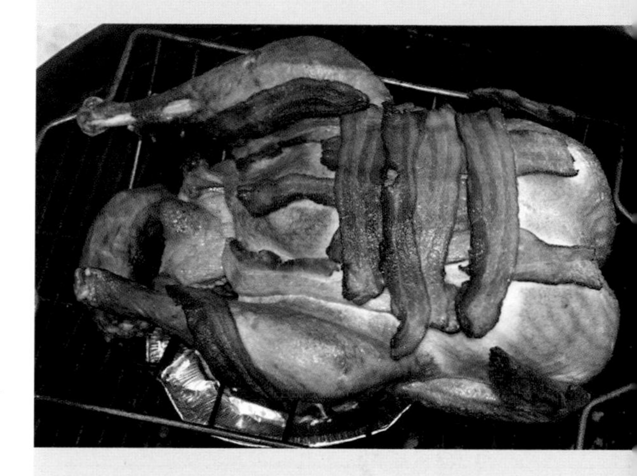

Индюшачьи грудки в апельсиновом маринаде

1 кг филе из индюшачьей грудки

Для маринада:

2 ст. ложки апельсинового сока
3 ст. ложки оливкового масла
1 ч. ложка соевого соуса
1/2 ч. ложки молотого имбиря
2 измельченных зубчика чеснока

Смешайте маринад, полейте им индюшачьи грудки и поставьте на 2 часа в холодильник.

Запекайте на средних углях, смазывая маринадом. Когда грудки будут готовы, заверните их в алюминиевую фольгу и дайте постоять 15 минут. Подавайте с рисом и зеленым салатом.

При хорошем ветре и индейка взлетает.

Английская поговорка

Индейка – это ходячее подтверждение тому, что животное не нуждается в разуме для того, чтобы существовать.

Харвей Комсток, американский поэт

Секреты шефа

Если вы не смогли купить готовые эскалопы, то вы можете приготовить их сами, нарезав не до конца размороженную индюшачью грудку и слегка отбив куски (до толщины в полсантиметра).

Индюшачьи грудки по-карибски

1 кг филе из индюшачьей грудки

Для маринада:

0,5 стакана воды
1/4 стакана соевого соуса
1/4 стакана коричневого сахара
1/4 стакана шерри (или десертного вина)
2 ст. ложки растительного масла
2 ст. ложки абрикосового джема или варенья
1 ст. ложка лимонного сока
1/2 ч. ложки молотого имбиря
1 зубчик измельченного чеснока

Хорошо размешайте все ингредиенты маринада (до полного растворения сахара). Вылейте маринад в пластиковый пакет, положите туда же индюшачьи грудки. Пакет поместите в миску и поставьте в холодильник на 4–6 часов (маринад должен прикрывать мясо).

Затем обсушите индейку от маринада, но сам маринад сохраните. Выложите на разогретую, смазанную маслом решетку и жарьте, смазывая маринадом, по 8–10 минут с каждой стороны, пока мясо внутри не потеряет розовый оттенок.

В последние 3–4 минуты, перед тем как снять с решетки, блюдо смазывать маринадом не надо!

Эскалопы из индейки с салатом «Цезарь»

4 эскалопа из индейки, по 150–200 г каждый

Для сухого маринада:

1 ст. ложка сладкой паприки
1 ч. ложка луковой соли
по 1/2 ч. ложки молотого черного перца, майорана, чабреца, тимьяна
1/2 ч. ложки кайенского перца
соль по вкусу

Для салата:

3 ст. ложки растительного масла
3 ст. ложки легкого майонеза
2 ст. ложки лимонного сока
1 ст. ложка дижонской горчицы
1/4 ч. ложки измельченных анчоусов
2 измельченных зубчика чеснока
1 пучок зеленого салата
4 ст. ложки тертого сыра (лучше всего пармезан)
соль по вкусу

Смешайте паприку, луковую соль, черный перец, майоран, чабрец, тмин, кайенский перец, соль и натрите этой смесью эскалопы.

Теперь займемся заправкой для салата. В блендере или кухонном комбайне смешайте до получения однородной массы растительное масло, майонез, лимонный сок, дижонскую горчицу (можно заменить любой незлой), анчоусы (на крайний случай можно заменить килькой пряного посола) и чеснок. Хорошо вымойте и стряхните листья салата; не режьте, а крупно нарвите их руками, выложите в миску. Заправлять салат надо непосредственно перед подачей на стол.

Зажарьте на решетке эскалопы, по 3–4 минуты с каждой стороны, пока мясо не потеряет розовый цвет.

Разложите эскалопы и салат по тарелкам, посыпьте тертым сыром и подавайте.

Крылышки и ножки индейки в трех маринадах

1 кг крылышек или ножек индейки

Для маринада «на скорую руку»:

3 ст. ложки покупного соуса «Барбекю» или шашлычного кетчупа
2 ст. ложки соевого соуса
1 ст. ложка меда
2 измельченных зубчика чеснока

Для имбирно-чесночного маринада:

2 ст. ложки соевого соуса
2 ст. ложки шерри или яблочного сока
1 ст. ложка мелко нарезанного свежего имбиря (или 1 ч. ложка молотого)
1 ч. ложка растительного масла
1 ч. ложка коричневого сахара
1 измельченный зубчик чеснока

Для тайского маринада:

0,5 стакана воды
0,5 стакана арахисового масла
3 ст. ложки соевого соуса
3 ст. ложки лимонного сока
2 ст. ложки коричневого сахара
2 мелко нарезанные луковицы
несколько капель соуса «Табаско»

Разрубите крылышки и ножки на порционные части (ножку на две, крыло на три, возле сочленений, колючий и несъедобный кончик крыла выбросьте). Сложите все в кастрюлю, залейте водой, доведите до кипения и варите на малом огне 20 минут. Остудите.
Положите куски индейки в маринад и поставьте на несколько часов в холодильник.
Оботрите от маринада и жарьте на углях в течение 25–30 минут до готовности.

Эскалопы из индейки по-дижонски

4 эскалопа из индейки, по 150–200 г каждый

Для маринада:

2 ст. ложки растительного масла
2 ст. ложки меда
2 ст. ложки дижонской горчицы
2 ст. ложки лимонного сока
1 измельченный зубчик чеснока
1/4 ч. ложки молотого чабреца
соль, перец по вкусу

Смажьте маринадом эскалопы и зажарьте на решетке по 3–4 минуты с каждой стороны, пока мясо внутри не потеряет розовый цвет.
Подавайте с зеленым салатом.

Глазированные крылышки индейки в двух маринадах

1 кг крыльев индейки
растительное масло
соль, перец по вкусу

Для маринада из лимона и чабреца:

2 ст. ложки оливкового масла
1 ст. ложка лимонного сока
1 ч. ложка чабреца
соль, свежемолотый черный перец по вкусу

Для маринада из меда и дижонской горчицы:

2 ст. ложки оливкового масла
1 ст. ложка дижонской горчицы
1 ч. ложка меда

Разрубите крылышки на порционные части (каждое крыло на три, возле сочленений, колючий и несъедобный кончик крыла выбросьте). Смазанные растительным маслом, посоленные и поперченные крылышки в течение 15–20 минут обжарьте на решетке, часто переворачивая. И только затем смажьте маринадом и жарьте еще 10 минут, до тех пор пока кожица не станет хрустящей и словно глазированной.

Эскалопы из индейки с медовым соусом

4 эскалопа из индейки, по 150–200 г каждый
растительное масло
соль, перец по вкусу

Для соуса:

1 стакан воды
1 щепотка чабреца
1/4 ч. ложки молотого имбиря
250 г меда
260 г йогурта
соль, перец по вкусу

В кастрюльке с водой размешайте мед, чабрец, имбирь и прокипятите на малом огне, пока жидкость не выпарится наполовину. Слегка охладите смесь и добавьте к ней, помешивая, йогурт, посолите, поперчите.
Смажьте растительным маслом, слегка посолите и поперчите эскалопы, зажарьте их на решетке по 3–4 минуты с каждой стороны, пока мясо внутри не потеряет розовый цвет.
Подавайте с медовым соусом.

> Фермер, которому удалось бы скрестить индейку с кенгуру, создал бы таким образом первую птицу, которую можно фаршировать снаружи.
>
> *Франсуа Каванна, французский карикатурист*

Крылышки и ножки индейки в соусе хойсин

4 небольшие ножки и 4 крылышка

Для соуса:

1/4 стакана соуса хойсин
2 ст. ложки соевого соуса
1 ст. ложка меда
2 ч. ложки молотого имбиря
2 измельченных зубчика чеснока

Разрубите крылышки и ножки на порционные части (ножку на две, а крыло на три, возле сочленений, колючий и несъедобный кончик крыла выбросьте). Сложите все в кастрюлю, залейте водой, доведите до кипения и варите на малом огне 20 минут. Остудите.
Смешайте ингредиенты соуса, смажьте им куски и зажарьте на углях на несильном огне в течение 25–30 минут, время от времени переворачивая и смазывая соусом.

Грудка индейки с сальсой из дыни

1 кг филе из индюшачьей грудки
оливковое масло
черный молотый перец

Для сальсы:

1 небольшая дыня
1/4 стакана нарезанного красного лука
2 ст. ложки нарезанной кинзы
сок 1/2 лимона
1 ч. ложка нарезанной лимонной цедры
1/2 ст. ложки давленого черного перца горошком
соль по вкусу

Сначала приготовим сальсу. Для этого смешаем нарезанную кубиками дыню с нарезанными луком и кинзой, с лимонным соком и приправами. Поставим на полчаса в прохладное место, а сами займемся приготовлением индейки.
Смажьте филе оливковым маслом, посыпьте черным молотым перцем и зажарьте на углях до готовности.
Подавайте, обильно полив сальсой.

Фарш французский для индейки с ветчиной и потрошками

4 яйца
1 мелко нарезанная большая луковица
1 давленый зубчик чеснока
3 ст. ложки мелко нарезанной петрушки
1/2 ч. ложки мелко нарезанной зелени эстрагона
6 чашек белого хлебного мякиша (без корок)
0,5 стакана теплых сливок
мускатный орех
потрошки индейки
400 г сырокопченой ветчины или нежирного бекона
соль, перец по вкусу

В большой миске взбейте яйца. Слегка помните нарезанные лук, чеснок, петрушку и эстрагон. Подогретые сливки вылейте на хлебный мякиш и оставьте на 10 минут размокать. Затем смешайте все эти ингредиенты, добавьте соль, перец по вкусу и немного, на кончике ножа, молотого мускатного ореха.

Нарежьте на мелкие кусочки потрошки и ветчину, добавьте в приготовленную смесь, все хорошенько перемешайте.

Секреты шефа

Для шашлычков из индейки прекрасно подходят не только грудки, но и бедра – надо только освободить от кожи и костей, а затем нарезать на кусочки необходимого размера.

Фарш для индейки с клюквой и сладким луком

6 ст. ложек сливочного масла
3 большие луковицы, нарезанные тонкими полукольцами
2 ч. ложки сахара
0,5 стакана воды
1,5 стакана нарезанного корня сельдерея
2 ч. ложки сухого чабреца
1 стакан клюквы
2 стакана панировочных сухарей
0,5 л кипятка

Растопите в большой кастрюле половину сливочного масла, добавьте лук и сахар. Обжарьте, помешивая, в течение 5 минут, пока лук не станет золотистым. Влейте 0,5 стакана воды, убавьте огонь и томите 10 минут, пока лук не станет мягким и жидкость не выкипит. Выньте лук из кастрюли.

В той же кастрюле растопите оставшееся масло, обжарьте сельдерей и чабрец, пока сельдерей не станет мягким.

Снимите кастрюлю с огня, добавьте клюкву, приготовленный лук, панировочные сухари и приправы. Влейте 0,5 л кипятка и хорошо перемешайте. Посолите, поперчите и, если нужно, добавьте сахару.

Переложите фарш в утятницу и запекайте в духовке в течение примерно 40 минут. Должно получиться примерно 2 кг фарша.

Праздничный фарш для индейки с орехами

1 большая луковица
250 г шампиньонов
125 г сливочного масла
по 1/4 стакана разных орехов (пекан, грецкий орех, фундук, миндаль и др.)
2 стакана панировочных сухарей
0,5 стакана зелени сельдерея
1 ст. ложка приправы для птицы
соль

В сковороде с маслом обжарьте до мягкости нарезанные шампиньоны и лук.

Добавьте дробленые орехи и хорошо перемешайте. Снимите с огня. Смешайте в большой миске с панировочными сухарями, зеленью сельдерея и приправами.

Фарш для индейки с карри и изюмом

125 г сливочного масла
2 нарезанные луковицы
3 давленых зубчика чеснока
1 ч. ложка карри
1 ч. ложка молотого тмина
1/2 ч. ложки молотого имбиря
2,5 стакана длиннозерного риса
6 стаканов куриного бульона
1 банка (400 г) консервированных абрикосов (без сока)
1 стакан изюма
4 пера зеленого лука
соль, кайенский перец по вкусу

Растопите сливочное масло в большой кастрюле. Добавьте чеснок, лук и пряности и обжарьте 5 минут на сильном огне. Добавьте рис и хорошо перемешайте. Влейте бульон, доведите до кипения. Плотно прикройте кастрюлю, убавьте огонь и томите, пока жидкость не испарится и рис не станет мягким (примерно 30 минут).

Нарежьте абрикосы и добавьте в рис вместе с изюмом и нарезанным зеленым луком. Такой фарш может сохраняться в холодильнике не более суток.

Брошеты из индейки с овощами

750 г филе из индюшачьей грудки
по 2 сладких разноцветных перца, цукини и луковицы

Для маринада:

3 ст. ложки растительного масла
сок 1/2 лимона
1 ч. ложка молотого перца чили
1/2 ч. ложки сухого чеснока
1/2 ч. ложки соли

Смешайте маринад и хорошо перемешайте в нем мясо, нарезанное кубиками примерно по 2,5 см, и нарезанные на примерно такие же кусочки овощи. Нанижите все вперемежку на металлические шпажки (брошеты) и запекайте на решетке до готовности.

Отдельно можно таким же образом приготовить брошеты из шампиньонов и маленьких помидоров.

Шашлык из индейки с соусом из лесных грибов

Этот рецепт получен от шеф-повара венгерского ресторана «Эстерхази» Жолта Фейхера.

750 г филе индейки
1 ч. ложка русской горчицы
100 г красного лука
щепоть тимьяна
соль, черный молотый перец по вкусу
500 г картофеля для жарки

Для соуса:

30 г белых грибов
30 г отборных шампиньонов
100 г пшеничной муки
50 г сливочного масла
25 г сливок
соль, перец по вкусу

Нарежьте филе индейки большими полосками и слегка отбейте. Натрите их горчицей, посолите, поперчите и смешайте с нарезанным луком. Сверните каждый кусок рулетиком, отложите на несколько минут. Разрежьте рулетики на кусочки шириной 3 см. Нанижите на шампур. Жарьте 15 минут.

Грибы нарежьте на кусочки, обжарьте в масле, добавьте муку, тимьян, соль, перец, залейте сливками и варите до мягкости.

Подавайте с соусом и жареным картофелем.

Брошеты из индейки по-восточному

600 г филе из индюшачьей грудки
1 сладкий перец, нарезанный на квадратики
2 небольшие луковицы, нарезанные на четвертинки
2 небольших цукини, нарезанных кружками толщиной в 1 см

Для маринада:

3 ст. ложки сахарного песка
2 ч. ложки кукурузного крахмала
0,5 стакана соевого соуса
2/3 стакана воды
2 давленых зубчика чеснока
1 ч. ложка молотого имбиря

Нарежьте мясо кубиками примерно по 2 см.

В небольшой кастрюльке смешайте сахар и крахмал, добавьте соевый соус, воду, имбирь и чеснок. Доведите до кипения, постоянно помешивая. Когда загустеет, отлейте примерно четверть стакана, остудите и поставьте в холодильник. Остальным маринадом залейте мясо и поставьте мариноваться в холодильник на 4–12 часов.

Нанижите мясо вперемежку с кусочками перца, цукини и лука на 4 металлические шпажки и смажьте их маринадом. Положите брошеты на горячую, смазанную маслом решетку и запекайте до готовности, смазывая припасенным маринадом. В последние 3–4 минуты, перед тем как снять с решетки, блюдо смазывать маринадом не надо!

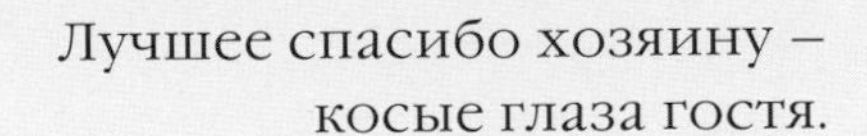

> Лучшее спасибо хозяину –
> косые глаза гостя.
>
> *Йонсен Койколайнер, российский юморист*

Брошеты из индейки с луком

800 г филе из индюшачьей грудки

Для маринада:

2 луковицы
2 луковицы лука-шалота
8 ст. ложек растительного масла
1 ч. ложка сладкой паприки
щепотка кайенского перца
2 зубчика чеснока
соль по вкусу

Смешайте в блендере ингредиенты маринада и замаринуйте на ночь нарезанное кубиками мясо индейки.

Нанижите кусочки филе на металлические шпажки (брошеты) и запекайте на решетке до готовности, смазывая маринадом. В последние 3–4 минуты, перед тем как снять с решетки, блюдо смазывать маринадом не надо!

Подавайте с запеченными на решетке початками кукурузы.

Брошеты из индейки с беконом

600 г филе из индюшачьей грудки
8 ломтиков бекона
8 шляпок шампиньонов
1 цукини, нарезанный кружками 1 см толщиной

Для маринада:

0,5 стакана белого сухого вина
1/4 стакана соевого соуса
2 ст. ложки растительного масла
1 ч. ложка нарезанной петрушки
1/4 ч. ложки сухого майорана

Смешайте маринад, залейте им филе, нарезанное кубиками примерно по 4 см, и поставьте мариноваться в холодильник на 4–12 часов.

На сковороде слегка обжарьте бекон (до золотистого цвета, но не до хруста).

Достаньте мясо из маринада, а сам маринад сохраните. Нанижите кубики филе вперемежку с кусочками бекона, цукини и шампиньонами на 4 металлические шпажки (брошеты) и смажьте их маринадом. Положите брошеты на горячую, смазанную маслом решетку и запекайте до готовности.

Индейка с виски

Виски – это плохая штука,
особенно плохой виски.

Бернард Шоу

То, что нельзя вылечить при
помощи масла и виски –
неизлечимо.

Ирландская поговорка

Алкоголь медленно убивает...
Ну и наплевать – мы не
торопимся!

Жорж Куртелин

Нет вина – нет солдат.

Юлий Цезарь

Этот рецепт предназначен исключительно для мужчин, особенно для тех, кто заранее решил подготовиться к празднику. Итак, потребуется:

1 индейка весом примерно 5 кг
1 бутылка виски (750 мл)
200 г сала
соль, перец
растительное масло

Нарежьте сало на тонкие полоски и обложите ими индейку, посолите и поперчите снаружи и внутри, слегка смажьте растительным маслом. Разогрейте духовку до 220 °С. Налейте себе стаканчик-другой виски, выпейте.

Положите индейку на противень и засуньте в духовку. Налейте себе еще пару стаканчиков виски и выпейте. Эх, жаль, сала на закуску не осталось...

Примерно щерез пылчаса откройте дуфовку и и пысматри-и-те, как жарится эта фигова индейка. Возьмите бутылку и хлебните из горла.

Щерез час попробуте дойти до плиты. Отройте фудовку, репеверни... нет, перепeрни... короче, пе-ре-вер-ни-те птыцу... Сядьте на этот фигов стул – и чего это он все падает! – и выфейте еще 3–4 порцухи. Шарьте, нет, жирьте эту индуйку еще 2 часа.

Достаньте птычку из дуфовки. И ыще раз из горла! Подымите птичку с пола, фытрите и пло-о-жите на лбю... нет, на блю-ю... па-а-рдон, на тырелку.

Не пытайтесь фстать с пола, он все рывно склизкий, лучше допить лежа.

Утром хлебните рассола, закусите холодной индейкой и попробуйте прибрать весь этот бардак, который вы устроили на кухне.

Рыба

Дары воды и огня

На сорок дней прости-прощай, мясное!
О, где рагу, бифштекс или паштет!
Все рыбное, да и притом сухое,
И тот, кто соус любит с детских лет,
Подчас со зла загнет словцо такое,
Каких от музы ввек не слышал свет...

Лорд Байрон

Свежесть первая, она же последняя

Как ни приготовь рыбу – целиком, большими ломтями, в виде филе или шашлыков, – но только на углях она обретает настоящий вкус и аромат. Не попробовать летом собственноручно пойманной и запеченной на решетке свежей рыбки – непростительная ошибка. Тем более что для этого не нужны сложные кулинарные рецепты. Если исходить из того, что настоящий рыбак в предвкушении ухи никогда не забудет взять с собой на рыбалку соль, перец и лавровый лист, то для того, чтобы дополнить свой стол вторым изысканным блюдом, а именно жаренной на углях рыбой, достаточно добавить к этому набору только лимон и немного растительного масла. И хороший пучок зелени. Зачем? Объясню позднее.

Ну а если не удалось выбраться на рыбалку или изменило рыбацкое счастье, то свежей рыбы полно и на рынке. На крайний случай, за отсутствием свежепойманной, можно вкусно приготовить и свежемороженую. Перед готовкой ее, само собой, надо разморозить, но не при комнатной температуре, а не спеша, в холодильнике.

Опытному человеку необязательно принюхиваться к рыбе, чтобы определить степень ее свежести. Свежая рыба покрыта прозрачной слизью, чешуя у нее гладкая, в меру блестящая, плотно прилегающая к телу. Но не стоит полностью доверяться внешнему виду, поскольку торговцам свежей рыбой хорошо знаком старый трюк: верхний ряд рыбин смазывается разведенным в воде яичным белком, отчего рыбья чешуя обретает глянцевый «свежий» вид.

Лежалую рыбу с головой выдает ее собственная голова – глаза у свежей рыбы должны быть светлые, прозрачные, выпуклые, а не мутные и ввалившиеся. Внимательно осмотрите жабры: если они красные (у сельди и скумбрии – бордовые), то рыба свежая, если же очень

– Осетрину прислали второй свежести, – сообщил буфетчик.
– Голубчик, это вздор!
– Чего вздор?
– Вторая свежесть – вот что вздор! Свежесть бывает только одна – первая, она же и последняя. А если осетрина второй свежести, то это означает, что она тухлая!

Михаил Булгаков.
Мастер и Маргарита

Секреты шефа

Чтобы правильно рассчитать количество необходимой к столу рыбы, надо исходить из следующих пропорций: целая рыба, покупаемая с головой (ставрида, скумбрия, сельдь, камбала и др.), – по 200–250 г на человека, стейки из рыбы – по 180–250 г, филе – по 180–200 г.

Очень приятно,
Когда у торговца возьмешь
Рыбы получше,
И ноздри щекочет слегка
Жареного аромат.

Татибана Акэми,
японский поэт

Заметки на полях

Вот несколько простых правил, как хранить рыбу:

- *хранить рыбу нужно в холодильнике или на льду;*
- *потрошеную рыбу всегда следует укладывать брюшком вниз;*
- *никогда не набивайте посуду рыбой «под завязку» – она должна дышать;*
- *разделанные куски рыбы не должны соприкасаться со слизью;*
- *время от времени следует устраивать сырой рыбе легкий «ледяной душ» (она лучше всего сохраняется во влажной и холодной атмосфере, теплый воздух или, не дай бог, теплая вода – враги рыбы и соответственно вашего здоровья).*

темные или бледно-розовые или с белой бахромой, то вам пытаются всучить лежалый товар. Так что, если не хотите, чтобы вас считали за безголового, не покупайте свежую рыбу без головы.

Для определения свежести рыбы можно опустить ее в таз с водой: свежая при погружении в воду тонет. Есть и другие приметы: брюшко не должно быть раздуто, а ямочка, которая образуется при надавливании на тушку, должна быстро выравниваться.

Первый признак того, что рыба была заморожена, – белые жабры и запавшие глаза. «Мороженая рыба, – пишет Елена Молоховец, – узнается по выпуклости глаз и по хорошему ее виду вообще, то есть если кожа на ней блестящая, покрытая инеем и вся она прямая – это знак, что она свежая, если же кожа тусклая, лед весь спал, хвост загнут и есть в рыбе впадины, знак – что она была оттаяна и вторично была заморожена, а подобная рыба никуда не годится».

Понятно, что горожанам нечасто удается отведать свежей рыбки, зато они круглый год могут есть свежемороженую. Но и мороженую рыбу надо уметь выбрать, то есть уметь определить, имеет ли она право на приставку «свеже».

Когда рыба заморожена свежей, при размораживании ее эластичность восстанавливается. Свежесть мороженой рыбы можно определить и так: воткните в рыбину нагретый в кипятке нож и понюхайте его. Резкий, неприятный запах покажет, что рыба несвежая.

Купленную рыбу можно некоторое время хранить в холодильнике, но не более суток. Вымойте рыбу под струей холодной воды и оботрите. Если вы положите в холодильник рыбу влажной, она потеряет вкус, а если непотрошеной, то вам потом будет очень трудно ее очистить от чешуи. Последнее лучше делать под струею воды, иначе вы так уделаете кухню, что наверняка получите нагоняй от жены.

Рецепты

Ешь рыбу, пока она свежая; выдавай дочь замуж, пока она молодая.

Датская поговорка

Форель в остром маринаде

4 форели по 400–450 г

Для маринада:

4 ст. ложки лимонного сока
2 ст. ложки растительного масла
2 ст. ложки нарезанной петрушки
2 ст. ложки семян кунжута
1 ст. ложка соуса «Табаско»
1/2 ч. ложки молотого имбиря
1/2 ч. ложки соли

Смешайте в плоской посуде ингредиенты маринада. Наколите булавкой или вилкой кожу рыбы во многих местах, обмажьте рыбу снаружи и внутри маринадом и поставьте на 1 час в холодильник, время от времени ее переворачивая.

Выньте рыбу из холодильника, насухо оботрите, а маринад сохраните. Жарьте на решетке примерно по 4–5 минут с каждой стороны, смазывая маринадом.

Подавайте с зеленым салатом и дольками лимона.

Фаршированный карп

1 большой карп
2 луковицы
5–6 грецких орехов
1 ст. ложка растительного масла
1 ст. ложка специй для рыбы
соль, перец по вкусу

Смойте с карпа слизь и положите его в лоток. Двумя большими пальцами подденьте у хвоста чешуйки и, как бы подрезая их у основания, водите ногтями вправо-влево, постепенно продвигаясь к голове. Чешуя будет пластами отделяться от рыбы. Чем больше рыбина, тем проще с нее снимается чешуя. Выпотрошите рыбу и промойте ее брюхо. Удалите жабры из головы и ополосните тушку со всех сторон холодной водой.

Приготовьте фарш. Лук нарежьте полукольцами и обжарьте до готовности. Орехи поломайте на не очень мелкие кусочки и обжарьте вместе с луком. Посолите, поперчите.

Натрите карпа внутри и снаружи специями и солью. Нафаршируйте начинкой и брюхо, и голову. Выложите на смазанную растительным маслом плотную фольгу карпа, тщательно заверните в форме конверта и выложите на разогретую решетку барбекю-котла или в горячий духовой шкаф. Во время готовки переворачивать конверт не надо. Время приготовления рыбы зависит от ее размера и степени нагрева котла или духовки – от 20 до 40 минут.

Готового карпа осторожно освободите из фольги, выложите на блюдо и подавайте на стол с зеленью, маслинами и ломтиками лимона.

Форель по-флорентийски

4 форели
4 ст. ложки оливкового масла
4 ст. ложки нарезанного зеленого лука
2 стакана нарезанного шпината
4 ст. ложки сухого шерри или свежего апельсинового сока
4 ст. ложки очищенных кедровых орешков
1,5 стакана панировки
4 ст. ложки сливок
1/4 ч. ложки лимонного сока
2 ч. ложки сливочного масла
1 стакан сухого белого вина
1/4 ч. ложки черного молотого перца

В небольшой кастрюльке обжарьте лук до мягкости в оливковом масле, добавьте нарезанный шпинат, шерри, кедровые орешки и обжарьте еще в течение 2 минут.

Снимите с огня и добавьте панировку, сливки и лимонный сок. Хорошенько перемешайте и остудите.

Очистите и нафаршируйте брюшко каждой из 4 форелей, зашейте или обвяжите суровой ниткой, чтобы фарш не вываливался.

Затем смешайте в небольшой кастрюльке белое сухое вино, перец и сливочное масло и доведите эту смесь до кипения.

Выложите форель на хорошо разогретую и смазанную маслом решетку. Смажьте смесью вина и сливочного масла и зажарьте до готовности, периодически смазывая.

Секреты шефа

Не покупайте обезглавленную рыбу: она заведомо суше, чем цельная, ведь часть сока она уже потеряла.

Рыбу, пахнущую тиной, необходимо вымыть в крепком холодном растворе соли.

Рыба должна пахнуть как морской прилив. Как только она стала пахнуть как рыба – считай, пропало.

Оскар Гизелт, администратор нью-йоркского ресторана «Делмонико»

Заметки на полях

Биологические названия рыб и то, что пишут рыночные торговцы на ценниках, – две большие разницы, как говорят в известном портовом городе. Например, и скумбрия, и макрель относятся к семейству скумбриевых. Макрель менее ценная рыба, мясо ее не кремово-розоватое, как у скумбрии, а с отчетливым сероватым оттенком или просто некрасиво серое. Да и на вкус она хуже. Но поскольку макрель ощутимо крупнее и «толще», чем самая упитанная скумбрия, это побуждает покупателей сделать неправильный выбор. Причем подчас даже продавцы искренне уверены, что эти названия просто синонимы, тем более что на упаковочных коробках как с той, так и с другой рыбой стоит одинаковая английская надпись mackerel.

К счастью, при определенном навыке этих близких родственниц можно различить по внешнему виду. У скумбрии серебристое (иногда белое) брюшко, на него никогда не заходят темные пятна и полосы со спины. У макрели же брюхо сероватое или желтоватое, на него переползают со спины пятна и полосы. Нельзя сказать, что макрель совсем несъедобна: она мясиста и после термической обработки вполне хороша в рыбных салатах. Но для барбекю берите только скумбрию, которая при правильном приготовлении способна конкурировать по вкусу с дорогой рыбой.

Дорадо, фаршированная морепродуктами

Этот рецепт мне подсказал шеф-повар московского пивного ресторана «Черная каракатица» Серж Марьянович.

1 средней величины дорадо
сок 1/2 лимона
соль, перец по вкусу

Для фарша:

несколько веточек укропа
40 г очищенных креветок
40 г консервированных мидий
30 г консервированных морских гребешков
40 г сыра эдам
20 г сливок
2 ст. ложки оливкового масла
2 зубика чеснока

Дорадо выпотрошите со спины. Смажьте рыбу изнутри смесью перца, соли и лимонного сока.

Мелко нарежьте укроп, натрите сыр на терке и раздавите чеснок. Все смешайте, добавьте морепродукты, залейте сливками и оливковым маслом и перемешайте. Фаршируйте рыбу подготовленной смесью.

Жарьте в барбекю-котле при закрытой крышке примерно 35 минут. В домашних условиях это блюдо можно приготовить в духовке, нагретой до 220 °С.

Подавайте с жареным картофелем на листьях салата.

Форель в белом сливочном соусе

Этот рецепт получен от шеф-повара московского ресторана «Рио-Рио» Карлоса де Оливейры.

Для приготовления соуса обжарьте нарезанный кольцами репчатый лук, добавьте белое вино и концентрированный рыбный бульон. Затем выпарьте соус наполовину, процедите, добавьте сливки, соль, перец и лимонный сок и все проварите еще 10 минут. Дайте соусу слегка остыть, перед подачей добавьте в соус красную икру.

Подготовленную рыбу посолите, поперчите, сбрызните лимонным соком и белым вином, затем обжарьте на решетке барбекю до готовности.

Подавайте с каперсами, очищенным грейпфрутом и соусом.

Рыба, фаршированная шампиньонами

Вот рецепт, для которого подходит практически любая рыба весом до 1 кг и желательно с объемистым пузцом – чтобы фарша влезло побольше. Само собой, ее надо почистить, выпотрошить и освободить от жабр.

1 рыба целиком
2 лимона
3 ст. ложки оливкового масла
соль, перец по вкусу

Для фарша:

250 г свежих (или консервированных) шампиньонов
4 головки лука-шалота (или 1 обыкновенная луковица)
2 веточки укропа
5 веточек петрушки
2 куска белого хлеба (без корок) и немного молока
1 яйцо
1 ст. ложка белого сухого вина
1 ст. ложка сливочного масла
соль, перец по вкусу

Сначала приготовим фарш. Размочите белый хлеб в молоке. Мелко нарежьте лук, крупно – шампиньоны, положите их в кастрюльку или на сковороду, добавьте сливочное масло и белое вино, посолите и поперчите. Держите на сильном огне до тех пор, пока не выпарится вся жидкость. Снимите с огня, добавьте отжатый белый хлеб, яйцо, нарезанный укроп и петрушку. Все перемешайте и дайте фаршу остыть.

Нафаршированную рыбу положите на смазанную оливковым маслом фольгу, обложите нарезанным лимоном. Полейте оливковым маслом и соком второго лимона. Упакуйте в фольгу и запекайте на решетке.

Форель по-походному

4 форели
4 длинные полоски бекона
4 веточки свежего тимьяна (или 1/2 ч. ложки сухого)
сок 1 лимона
соль, перец по вкусу

Слегка обжарьте полоски бекона на сковороде – они должны стать золотистыми, но оставаться гибкими.
Выпотрошите, сполосните, а затем вытрите насухо форель. Вложите каждой рыбе в брюшко по веточке свежего тимьяна. Обвяжите каждую тушку полоской приготовленного бекона, концы закрепите при помощи деревянных зубочисток.
Запекайте на решетке по 5–7 минут с каждой стороны (в зависимости от размера форели). Когда рыба будет готова, снимите и выбросьте полоски бекона.
Подавайте, посолив, поперчив и полив соком лимона.

Дорадо на решетке

1 средней величины дорадо
сок 1/2 лимона
соль, перец по вкусу

Дорадо выпотрошите и смажьте изнутри смесью перца, соли и лимонного сока.
Жарьте в барбекю-котле при закрытой крышке примерно 30 минут.
Подавайте на листьях салата.

Филе акулы «Акапулько»

Этот рецепт подходит также для меч-рыбы, тунца, осетрины и других плотных и «мясистых» сортов рыбы.

4 куска филе толщиной 2,5 см

Для маринада:
5 ст. ложек текилы
5 ст. ложек лимонного сока
2 зубчика чеснока
1 ч. ложка соли
4 ст. ложки оливкового масла

Для сальсы:
4 помидора
1/2 луковицы
1 острый перец чили
4 ст. ложки зелени кинзы

Смешайте в блендере маринад, залейте им рыбу и поставьте в холодильник. Через 15 минут куски переверните; мариновать не более 30 минут (если продержать больше, рыба начнет «вариться» в лимонном соке).
Пока рыба маринуется, приготовьте сальсу: очистите от семечек и нарежьте мелкими кубиками помидоры, смешайте с кинзой, мелко нарезанным луком и перцем чили (без семечек).
Оботрите от маринада и смажьте оливковым маслом куски рыбы. Сохраните и прокипятите оставшийся маринад. Запекайте куски на решетке по 4–5 минут с каждой стороны.
Полейте маринадом готовую рыбу и подавайте с рисом и сальсой.

Секреты шефа

У акулы мясистая, упругая плоть, к тому же у нее, кроме хребта, практически нет костей, и она идеально подходит для барбекю. В отличие от других сортов рыбы с акулы надо обязательно снимать кожу. Если ее оставить, блюдо приобретет сильный аммиачный запах и будет безнадежно испорчено. Для улучшения вкуса рекомендуется также предварительно замочить куски в течение нескольких часов в молоке или в подкисленной лимонным соком или уксусом холодной воде.

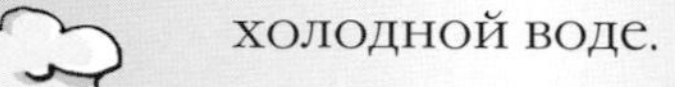

Когда вода понижается,
муравьи едят рыб.
Когда вода повышается,
рыбы едят муравьев.
Тайская поговорка

Сом в остром маринаде

600–700 г филе сома

Для маринада:

2 ст. ложки оливкового масла
4 ст. ложки лимона
1 стакан сухого белого вина
2 ст. ложки сухой горчицы
2 ч. ложки молотого перца чили
2 ч. ложки черного молотого перца
0,5 стакана нарезанной кинзы
соль по вкусу

Смешайте маринад и залейте половиной маринада филе рыбы, оставьте на 15 минут. Вторую половину маринада надо приберечь для смазывания рыбы.

Вытащите рыбу из маринада и насухо ее оботрите. Жарьте на решетке до готовности примерно по 3 минуты с каждой стороны, периодически смазывая припасенным маринадом.

Металлической лопаткой снимите филе с решетки, нарежьте на куски и подавайте.

Секреты шефа

При чистке скользкой рыбы следует обмакнуть пальцы в соль – это облегчит работу.

При разделке постарайтесь максимально сохранить кожу (без чешуи, конечно) – это позволит сохранить сочность и придаст дополнительный вкус блюду.

Скумбрия на решетке

Скумбрия, так же как судак и лососевые, относится к хищникам, а у них жир откладывается преимущественно в стенках брюшной полости. Поэтому этих рыб лучше вскрывать со спины. Если же потрошить, вскрыв брюшко, то жир при термической обработке начнет активно вытапливаться через разрез.

Тушку разрежьте вдоль позвоночника, и она развалится на пласт из двух половинок, объединенных брюшком. Кстати, так гораздо проще удалить внутренности – пока они не разморозились и не потекли. Затем аккуратно вырежьте позвоночник. Тщательно отскоблите черную пленку, выстилающую брюшную полость: она дает горечь. И не забудьте: рыбу мы не моем!

Жарьте пласты скумбрии на решетке на не слишком жарких углях по 4–5 минут с каждой стороны. Сначала к углям должна быть обращена сторона с кожей: так рыба получится сочнее. Если, перевернув рыбу, увидите, что кожа ее вздулась пузырями, не переживайте: на вкус это не влияет. Подавайте, не давая рыбе остыть, с легким светлым пивом или сухим белым вином.

Лосось с апельсиново-анчоусным соусом

600 г филе лосося
4 средние картофелины

Для соуса:

300 г апельсинового сока
несколько капель анчоусного масла
1 ст. ложка сливочного масла

Для сухого маринада:

2 ч. ложки коричневого сахара
1 ч. ложка морской соли
1 ч. ложка молотого кориандра

Сначала приготовьте соус. Налейте в небольшой сотейник апельсиновый сок, доведите его до легкого кипения – сок должен выпариться наполовину. Добавьте в него несколько капель анчоусного масла (из-под консервированных анчоусов), хорошенько перемешайте и снимите сотейник с огня. Добавьте в него сливочное масло, перемешивайте до тех пор, пока масло не растворится, а соус не загустеет.

Нарежьте рыбу на кусочки, обваляйте в сухом маринаде и оставьте на 15–20 минут.

Пока рыба маринуется, почистите картошку, нарежьте ее на ломтики, слегка смажьте их растительным маслом и обжарьте на решетке.

Ломтики рыбы оботрите от остатков маринада, смажьте сливочным маслом и зажарьте на решетке.

Подавайте рыбу, гарнировав ее картошкой и приправив соусом.

Ты жарь, а рыба будет

> Рыба, которую упустил, – всегда крупная.
>
> *Французская поговорка*

Главное правило, которое следует соблюдать при готовке рыбы на барбекю, – не бояться, и у вас все получится, поскольку рыба просто создана для того, чтобы быть зажаренной на углях. Приготовление на открытом источнике тепла позволяет приготовить рыбу просто, быстро и не позволив ей потерять сочности и аромата. Весь секрет здесь заключается в свежести продукта и в точно рассчитанном времени приготовления – пережаренной рыбе не будет рада дажс ваша кошка.

Запекать рыбу целиком совсем несложно. Очистите тушку от чешуи, выпотрошите, обсушите. Натрите солью изнутри, а посолить снаружи лучше в конце. Для аромата можно нафаршировать брюшко зеленью – укропом, петрушкой, кинзой, базиликом, эстрагоном. Обязательно оботрите рыбку насухо, слегка обмажьте растительным маслом, маринадом или пряностями – и на решетку! Само собой, решетка должна быть вычищена и хорошо смазана.

Другой вид разделки рыбы – на пластины филе, которые потом можно разрезать на большие куски, рассчитанные на несколько едоков. Освободите филе от костей (кожу надо обязательно оставить!) и насухо протрите. После маринада филе надо снова обсушить салфеткой или бумажными полотенцами и выложить на хорошо разогретую, слсгка смазанную растительным маслом решетку. Когда рыба будет готова, нарежьте пластины на порционные куски и подавайте. Филе можно и сразу, еще до жарки, разделать на порционные куски. Но ритуал тот же: ни капли лишней влаги, кожу не снимать, решетку смазывать, куски выкладывать сначала кожей вниз. Солить и перчить в самом конце.

Удобны в готовке и стейки из рыбы: нарезанные поперек куски толщиной 2–2,5 см перед готовкой надо насухо

Секреты шефа

Свежесть семги легко определить – она должна быть красно-розового цвета и упругой на ощупь. Самой лучшей считается атлантическая семга, поставляемая к нам в основном из Норвегии. Ее тихоокеанские сородичи из породы лососевых не так жирны, а потому несколько суховаты для барбекю, что можно компенсировать за счет маринадов, соусов и прочих кулинарных хитростей.

Посыпайте пряностями и перчите рыбу перед приготовлением на углях, а солите только после – иначе ваше блюдо потеряет много сока.

Женщина, которая никогда
не видела своего мужа за ужением
рыбы, не имеет понятия,
за какого терпеливого человека
она вышла замуж.

Эдгар Хау,
американский писатель

вытереть, обмакнуть с двух сторон в смеси растительного масла, соли и перца, затем дать маслу стечь и выложить на хорошо разогретую решетку.

Очень удобно запекать рыбу и в конвертах из фольги – папильотах. Недостаток этого способа заключается в отсутствии прямого контакта продукта с дымом, что составляет главную прелесть барбекю. Рыба получается скорее пареная, чем обжаренная на углях, но зато ее можно нафаршировать зеленью, положить поверху разные овощи в любом наборе: картофель, морковь, лук, помидоры, кабачки, баклажаны – все что угодно. Это намного упрощает готовку, поскольку все можно упаковать заранее. Причем разом убив двух зайцев – рыба и овощи готовятся в фольге примерно одинаковое время. Так что и главное блюдо, и гарнир попадут на стол вместе, к тому же в индивидуальной расфасовке.

Время на готовку в фольге надо планировать из расчета по 5 минут на каждый сантиметр по высоте упаковки в ее самом объемистом месте. Само собой разумеется, что переворачивать на решетке это алюминиевое сооружение не требуется.

Секреты шефа

На гарнир к рыбе, жаренной
на углях, я предпочитаю подавать
салаты из свежих овощей.
Обычно это смесь из разных
салатов с тонко нарезанным
сладким перцем и помидорами,
заправленная традиционно:
солью, перцем, оливковым маслом
и соком лимона. Бесспорно,
как это ни банально, хорош
к рыбе картофель фри.
Ну а жаренную на решетке дорадо
я подаю с горячим маринадом.
Рецепт традиционен: тонко
нашинкованную морковь и
репчатый лук пассерую
в растительном масле, потом
добавляю томатную пасту,
соль, перец, гвоздику. Маринад
в данном случае является и
гарниром, и ароматным соусом.

Евгений Мороз,
главный шеф-повар
гостиницы «Космос» (Москва)

> Жители пустыни всегда готовы дать зарок не есть рыбы.
>
> *Иоганн Вольфганг Гете*

Рецепты

Стейки семги под соусом муселин

4 стейка семги толщиной 2–2,5 см

Для соуса:

250 г майонеза
3 ст. ложки нежирного молока
3 ст. ложки свежей зелени: петрушка, укроп, эстрагон (тархун), лук-резанец, щавель
2 ст. ложки лимонного сока
соль, перец по вкусу

Смешайте в блендере все ингредиенты соуса. Подогрейте соус в водяной бане, но не кипятите.
Смажьте стейки семги растительным маслом и жарьте на решетке примерно по 6 минут с каждой стороны.
Полейте разогретым соусом и подавайте.

Семга под соусом из слив и кинзы

4 куска филе семги, по 150–200 г каждый

Для маринада:

1 1/2 ст. ложки оливкового масла
2 ст. ложки дижонской (незлой) горчицы.

Для соуса:

1 1/2 ст. ложки оливкового масла
3 ст. ложки лимонного сока
1 ч. ложка карри
1/2 ч. ложки имбиря
130 мл куриного бульона (можно из кубика)
2 ст. ложки сахарного песка
4 разрезанные свежие сливы (или из компота)
2 ст. ложки нарезанной кинзы

Смешайте в кастрюле все ингредиенты соуса, за исключением кинзы. Доведите до кипения и подержите на самом малом огне 1–2 минуты. Снимите с огня и добавьте кинзу.
Смешайте оливковое масло и горчицу. Обмажьте им куски филе, выложите на решетку и жарьте по 2–3 минуты с каждой стороны. Полейте соусом и подавайте на стол.

Стейки семги с маслом и травами

4 стейка семги толщиной 2–2,5 см
60 г сливочного масла
1 ч. ложка свежей петрушки
1 ч. ложка майорана
1/2 ч. ложки базилика
1 лимон
соль, перец по вкусу

Смешайте масло, мелко нарезанную петрушку, майоран и базилик. Смажьте рыбу этой смесью, полейте соком лимона, посолите, поперчите.
Жарьте на решетке, не прикрывая крышкой, в течение 4 минут. Переверните куски и, постоянно перевертывая и смазывая рыбу смесью и поливая соком лимона, жарьте еще 15 минут с полуприкрытой крышкой. Если у вашей жаровни нет крышки, то можно поступить следующим образом: сначала «прихватите» стейки на сильном жару по 2 минуты с каждой стороны, а затем доведите до готовности на слабых углях у края решетки.

Красная рыба на решетке

Атлантическая семга – отменный деликатес, но она и стоит соответствующе. Но ведь по тем же рецептам можно приготовить и любую красную рыбу. Да и не только красную.

800 г филе красной рыбы с кожей

Для маринада:

1 стакан покупной заправки для салатов
2 ст. ложки вустерского соуса
1 зубчик чеснока
1 луковица
2 ч. ложки соуса из красного перца
3 ст. ложки лимонного сока

Смешайте в блендере маринад, разрежьте филе на части, положите в маринад и поставьте не более чем на 1 час в холодильник.
Жарьте филе на средних углях до готовности.
Аккуратно снимите с решетки, нарежьте на куски и подавайте с зеленым салатом и ломтиками лимона.

Семга, маринованная в вине

4 куска филе семги, по 150–200 г каждый

Для маринада:

2 ст. ложки растительного масла
0,5 стакана белого сухого вина
1/4 ч. ложки молотого имбиря
1 ч. ложка соевого соуса
1 ч. ложка лимонного сока
несколько капель соуса «Табаско»
соль, перец по вкусу

Смешайте масло, вино, имбирь, соевый соус, лимонный сок и соус «Табаско» в большой миске, поперчите. Положите куски семги в маринад и оставьте на 15 минут.
Жарьте на решетке барбекю с опущенной крышкой от 12 до 14 минут, смазывая их маринадом. Посолите и поперчите по вкусу.
Подавайте с рисом, приготовленным с овощами.

Секреты шефа

Аккуратно и желательно пореже переворачивайте рыбу – она любит деликатное обращение. Тушку целиком гораздо удобнее запекать в специальной, зажимающей ее с двух сторон решетке.

Кулинарный словарь

ДЕГЛАЗИРОВАТЬ
После обжарки продуктов влить в сковороду немного сухого вина, сока цитрусовых или бульона и кипятить до тех пор, пока все соки, вытекшие из продуктов, не растворятся в жидкости.

Секреты шефа

Определение времени готовки для рыбы зависит скорее не от веса, а от толщины куска. При хороших углях на каждый сантиметр толщины потребуется примерно 3 минуты. Учтите, что нежирная рыба жарится быстрее, чем жирная.

Филе семги с соусом из клубники и эстрагона

4 куска филе семги
2 ст. ложки сливочного масла

Для соуса:

1 головка лука-шалота
2 ст. ложки оливкового масла
0,5 стакана клубничного пюре
4 ст. ложки жирных сливок
1 ст. ложка нарезанного эстрагона (тархуна)
0,5 стакана рыбного бульона

Сначала приготовим соус. Обжарьте в сковороде на оливковом масле мелко нарезанный лук-шалот. Деглазируйте рыбным бульоном, добавьте пюре из свежей (или свежезамороженной) клубники и мелко нарезанную зелень эстрагона. Доведите смесь до кипения, влейте сливки и томите на малом огне, пока слегка не загустеет.
Смажьте филе семги растопленным сливочным маслом и жарьте на решетке до готовности, примерно по 3 минуты с каждой стороны.
Влейте соус в каждую тарелку, положите сверху зажаренную семгу, украсьте ягодами клубники.

Семга под соусом горгонзола

А это несложный, но очень изящный рецепт от итальянского повара Пьетро Ронгони, шеф-повара сети столичных ресторанов «Ла Гротта» и «Фиделио».

На 1 порцию:

250 г филе семги
4 «палочки» свежей спаржи
зеленый салат, лимон, помидор – для украшения

Для соуса:

40 г сыра горгонзола
100 мл сливок (33%)
100 мл рыбного бульона
20 мл водки
соль, перец по вкусу

Для приготовления соуса смешайте в сковороде сыр, сливки, бульон, водку и выпарьте на медленном огне до необходимой густоты.
Спаржу очистите и отварите. Филе семги обжарьте на решетке до готовности.
Выложите на тарелку спаржу, поверх нее – филе семги, полейте соусом, украсьте листом салата, долькой лимона и помидора.

Семга на одном боку

800 г филе семги с кожей

Для маринада:

2 ст. ложки лимонного сока
3 ст. ложки нарезанного лука-порея
3 ст. ложки белого сухого вина
3 ст. ложки оливкового масла
соль, белый перец, молотый имбирь по вкусу

Для соуса:

150 мл натурального йогурта или кефира
2 ст. ложки лимонного сока
соль, белый молотый перец по вкусу

Положите рыбу в приготовленный маринад и поставьте на 1 час (не более!) в холодильник. Тем временем смешайте соус и тоже отправьте в холодильник.
Жарьте филе, положив на решетку кожей вверх (!), не переворачивая, под опущенной крышкой примерно 8 минут.
Снимите кожу (если она отделяется без труда, значит, семга готова). Металлической лопаткой снимите филе с решетки, нарежьте на куски.
Подавайте с соусом и приготовленными на барбекю овощами.
Это блюдо очень вкусно и в холодном виде.

Семга на гриле в стиле солянка

А этот рецепт получен от президента коллегии шеф-поваров Санкт-Петербурга Ильи Лазерсона.

Стейки очищенной от кожи семги смажьте оливковым маслом, посолите, посыпьте белым перцем и жарьте на решетке до готовности. Там же обжарьте ломтики багета и половинки лимона.
Для соуса измельчите соленые огурцы, каперсы, оливки, зеленый лук и помидоры. Смешайте все с взбитым сливочным маслом. Соус остудите до твердого состояния в холодильнике.
При подаче обжаренные ломтики багета смажьте масляным соусом. Выложите на них семгу, после чего положите на рыбу ложку затвердевшего масляного соуса. Рядом разместите обжаренные половинки лимона и оформите их солеными огурцами и оливками, надетыми на шпажки.

Семга, фаршированная лимоном

Еще один фирменный рецепт от Ильи Лазерсона.

600 г филе норвежской семги с кожей
1 лимон
500 г картофеля
1 ч. ложка тимьяна
2 зубчика чеснока
120 г разных салатных листьев
2 ст. ложки оливкового масла
уксус
соль, молотый белый перец по вкусу

Филе семги разделайте на 4 куска, в каждом со стороны кожи прорежьте под углом по три «кармана» и вставьте в каждый «карман» ломтик лимона, панированный в соли и перце. Оставьте для маринования.

Картофель тщательно вымойте и, не очищая, нарежьте кружками толщиной 5 мм. Ломтики картофеля промойте, обсушите и обжарьте на решетке до полуготовности с тимьяном и чесноком. Картофель разложите внахлест на кусок плотной фольги, заверните фольгу конвертом и зажарьте на решетке до полной готовности.

Куски семги слегка обмажьте оливковым маслом, обжарьте на гриле и подавайте с запеченным в фольге и заправленным оливковым маслом и уксусом зеленым салатом.

Семга с ананасовой сальсой

4 куска филе семги, по 150–200 г каждый

Для маринада:

6 ст. ложек сливочного масла
4 ст. ложки меда
4 ст. ложки коричневого сахара
2 ст. ложки лимонного сока
1–2 ч. ложки натертой апельсиновой цедры

Для сальсы:

1 стакан мелко нарезанного свежего ананаса
4 ст. ложки мелко нарезанного красного лука
2 ст. ложки сахара
1 ст. ложка лимонного сока
1/2 ч. ложки измельченного свежего перца чили
1 ч. ложка свеженатертого имбиря
1 ст. ложка нарезанной свежей мяты
соль по вкусу

Смешайте ингредиенты сальсы и поставьте в холодильник не менее чем на 4 часа.

В кастрюльке смешайте сливочное масло, мед, сахар, апельсиновую цедру, лимонный сок и, если хотите, немного соуса чили, разогрейте на слабом огне, пока масло не растает, а сахар не растворится. Остудите смесь, смажьте ею куски филе и оставьте мариноваться на 30 минут.

Зажарьте куски филе на решетке примерно по 5–7 минут с каждой стороны. Подавайте с сальсой.

Почему обычно говорят «финансовая акула», а, например, не «финансовая семга»? А вы задайте этот вопрос маленьким рыбкам и мелким акционерам.

Жан-Франсуа Кан, французский журналист

Семга с грушами в фольге

4 куска филе семги, по 150–200 г каждый
2 груши
4 луковицы
2 ч. ложки прованских трав
8 ст. ложек сливок
соль, перец по вкусу

Обжарьте в сливочном масле тонко нашинкованный лук до тех пор, пока он не станет прозрачным. Затем обжарьте в сливочном масле нарезанные тонкими дольками груши.

Приготовьте 4 куска плотной алюминиевой фольги. На каждый из них положите слой нарезанных тонкими ломтиками груш, затем слой обжаренного лука, по 1/2 ч. ложки прованских трав, посолите, поперчите, положите филе семги, а затем снова груши, лук, приправу, соль, перец по вкусу. Сверху залейте 2 ст. ложками сливок.

Заверните фольгу так, чтобы получились конверты-папильоты, и запекайте их на среднем жару примерно 20 минут.

Секреты шефа

Если вы жарите рыбу целиком, то ее можно считать готовой, когда «мясо» вокруг хребта приобретет розоватый оттенок. А при готовке по специальному термометру рыбу можно подавать, когда ее внутренняя температура достигнет 60° по Цельсию или 140° по Фаренгейту.

Брось счастливчика в реку,
и он вылезет из воды
с рыбой в зубах.
Арабская поговорка

Секреты шефа

Концы стейка надо скрепить деревянной зубочисткой – иначе они расползутся при жарке в разные стороны и кусок может развалиться.
Ваш рыбный стейк, считайте, готов, когда хребтовая кость станет легко отделяться кончиком ножа.

Когда готовите рыбу в фольге, выложите на ней «коврик» из ломтиков лимона, а уж потом кладите куски рыбы. Тогда она не пригорит к фольге, сохранит свой сок и к тому же приобретет приятный лимонный аромат.

Семга с лимоном и базиликом

4 куска филе семги, по 200–250 г каждый

Для соуса-маринада:

2 ст. ложки измельченной лимонной цедры
1 пучок мелко нарезанного базилика
сок 1 лимона
6 измельченных зубчиков чеснока
6 ст. ложек оливкового масла
5 ст. ложек мелких каперсов
соль, перец по вкусу

Смешайте лимонный сок, оливковое масло, чеснок и лимонную цедру. Добавьте каперсы и мелко нарезанный базилик. Посолите, поперчите по вкусу и оставьте при комнатной температуре.

Приправьте обсушенное филе солью и перцем, смажьте маринадом и аккуратно зажарьте на решетке с двух сторон. Переворачивайте только один раз и очень осторожно, чтобы не раскрошить рыбу.

Выложите готовую рыбу на блюдо и полейте припасенным соусом-маринадом.

Филе белой рыбы с перцем и каперсами

600 г филе белой рыбы (треска, судак, окунь и т.п.)

Для приправы:

2 головки лука-шалота
1 ч. ложка раздавленного перца горошком
1 стакан белого сухого вина
5 ст. ложек майонеза
1 ст. ложка каперсов
5 ст. ложек нежирной сметаны
соль, перец по вкусу

Слегка обжарьте в смеси оливкового и сливочного масла нарезанный лук-шалот и раздавленные горошины перца. Влейте вино и перемешайте, добавьте остальные ингредиенты. Постоянно помешивая, доведите до кипения. Подержите на огне еще 1 минуту и снимайте.

Половиной получившейся приправы смажьте филе рыбы и жарьте на решетке по 3 минуты с каждой стороны, смазывая оставшейся частью приправы.

Металлической лопаткой аккуратно снимите филе с решетки, нарежьте на куски и подавайте.

Филе белой рыбы под соусом из маслин и шампиньонов

600 г филе белой рыбы (треска, судак, окунь и т.п.)

Для соуса:

125 г свежих шампиньонов
125 г черных маслин без косточек
60 г лука-резанца
2 ст. ложки лимонного сока
1 ст. ложка меда
125 г. натурального йогурта или кефира

Сначала приготовим соус. На смеси оливкового и сливочного масла обжарьте нарезанные шампиньоны. Добавьте остальные ингредиенты, за исключением йогурта. Потомите в течение 1 минуты и снимите с огня. Добавьте йогурт и хорошо перемешайте. Этот соус хорошо подходит также для телятины и курицы.

Смажьте рыбное филе оливковым маслом, выложите на решетку и жарьте по 3 минуты с каждой стороны.

Аккуратно снимите с решетки, нарежьте на куски, полейте соусом и подавайте.

Филе белой рыбы в фольге

600 г филе белой рыбы (треска, судак, окунь и т.п.)

Для приправы:

60 г сливочного масла
2 ст. ложки лимонного сока
1 ч. ложка сушеной петрушки
соль, перец по вкусу

В кастрюльке растопите сливочное масло, добавьте лимонный сок, петрушку, соль, перец.

Смажьте сверху оливковым маслом большой лист алюминиевой фольги (лучше двойной толщины). Выложите на фольгу филе рыбы. Смажьте филе получившейся смесью, заверните его в фольгу и запекайте 8–10 минут на среднем жару.

Стейки тунца под горчичным соусом

4 стейка тунца толщиной 2–2,5 см
оливковое масло
соль, перец по вкусу

Для соуса:

4 ст. ложки сливочного масла
2 ст. ложки незлой горчицы
2 ст. ложки нарезанного базилика

Хорошо перемешайте ингредиенты для соуса.
Обмажьте маслом стейки и обжарьте на решетке по 4–5 минут с каждой стороны. Посолите, поперчите по вкусу.
Внимание! Если тунца передержать на огне, он станет жестким.
Подавайте, приправив горчичным соусом.

Филе красной рыбы в фольге

4 куска филе, по 150 г каждый
немного оливкового масла
1 средняя луковица
4–5 веточек укропа
8 кружочков помидоров
2 ст. ложки белого сухого вина

Смажьте сверху оливковым маслом четыре листа алюминиевой фольги (лучше двойной толщины). На каждый лист положите мелко порезанный лук, посыпьте его нарезанным укропом, затем положите по два кружочка помидоров и куску рыбного филе. Сбрызните все белым вином.
Заверните фольгу со всех концов и запекайте на решетке 5–7 минут на сильном жару.

Стейки тунца по-сечуаньски

4 стейка тунца толщиной 2–2,5 см
3 ст. ложки мелко нарезанной кинзы

Для маринада:

4 ст. ложки соевого соуса
4 ст. ложки свежего апельсинового сока
2 ч. ложки кунжутного масла
1/4 ч. ложки измельченного сухого красного перца
1 зубчик чеснока

Смешайте в блендере ингредиенты маринада, отлейте 1/4 стакана получившейся смеси и храните при комнатной температуре. Оставшимся маринадом залейте стейки тунца и поставьте на 40 минут в холодильник.
Выньте рыбу из маринада, обсушите и жарьте на средних углях по 3–4 минуты с каждой стороны.
Переложите стейки на разделочную доску, нарежьте тунца на тонкие ломти, выложите на тарелки, сбрызните прибереженным соусом и посыпьте кинзой.

Стейки тунца на восточный манер

4 стейка тунца толщиной 2–2,5 см

Для маринада:

1 ст. ложка соевого соуса
4 зубчика чеснока
2 ч. ложки сахарного песка
3 ст. ложки белого сухого вина

Смешайте в блендере маринад. Куски тунца маринуйте не менее 1 часа.
Оботрите стейки от маринада, слегка смажьте оливковым маслом и жарьте на решетке по 4–5 минут с каждой стороны. Посолите, поперчите.

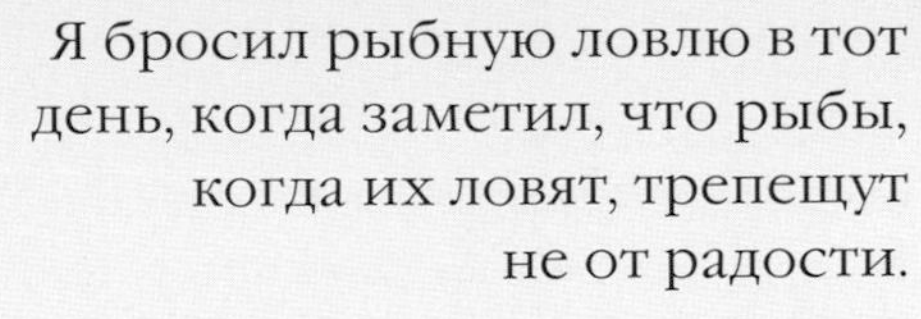

Я бросил рыбную ловлю в тот день, когда заметил, что рыбы, когда их ловят, трепещут не от радости.

Луи де Фюнес

Рыба «под колпаком»

А вот еще один оригинальный способ приготовления рыбного филе. Оно запекается не как обычно, над сильным жаром, а «под колпаком».
Когда угли хорошо разгорелись и уже немного подернулись пеплом, сгребите их в одну сторону. Приправленные по вашему вкусу куски филе положите кожей вниз на решетку, подальше от углей. Накройте их чем-нибудь куполообразным, вроде металлической миски, но очень объемистой – если кусков больше чем два-три, лучше взять несколько мисок.
Таким образом, рыба будет запекаться не жаром углей, а потоком горячего воздуха. На это потребуется 15–20 минут. За несколько минут до окончания процесса снимите крышки и смажьте куски оливковым маслом. Рыба получится удивительно нежной, с хрустящей поджаренной кожицей.

Секреты шефа

Если куски рыбы уж очень велики, сделайте на них надрезы острым ножом, тогда жар скорее доберется до сердцевины. Если кусок с одной стороны толще, то более тонкая его часть должна быть подальше от сильного жара.

Рыба и гость протухают на третий день.

Понтанус, средневековый итальянский философ

Сельдь на решетке

Свежая сельдь готовится на углях почти точно так же, как и сардины, с той только разницей, что селедку потрошат (но ни в коем случае не моют).

4 средние сельди
немного муки и оливкового масла
соль, перец по вкусу

Насухо вытрите рыбу, слегка обваляйте в муке, посолите, поперчите, сбрызните оливковым маслом.
Запекайте на решетке до готовности, исходя из расчета, что на каждый сантиметр толщины потребуется примерно 3 минуты. Переверните только один раз и очень осторожно – сельдь может развалиться.
Подавайте с горчичным соусом и картошкой, зажаренной в фольге.

Брошеты из семги с зеленой чечевицей

600 г филе семги
100 г зеленой чечевицы
1/2 головки красного лука
сок 1/2 лайма
1 зубчик чеснока
1/2 ч. ложки соли
1 ч. ложка оливкового масла
1 ст. ложка мелко нарезанной кинзы или петрушки

Для маринада:

1 ч. ложка индийской смеси специй гарам-масала
1 ст. ложка оливкового масла

Нарежьте филе семги полосками. Размешайте гарам-масалу в оливковом масле, обмажьте полоски этой смесью и оставьте мариноваться при комнатной температуре в течение 30 минут.
Чечевицу отварите до размягчения в несоленой воде примерно 20 минут. Лук нарежьте тонкими ломтиками и смешайте с горячей чечевицей. Добавьте сок лайма, чеснок, соль и масло, а в конце – кинзу или петрушку.
Насадите на вымоченные предварительно в воде деревянные шпажки (брошеты) полоски семги, смажьте оливковым маслом и жарьте на решетке 2–3 минуты.
Подавайте с чечевицей.

Шашлык из осетрины

На 2 порции:

400 г осетрины
2 ст. ложки растительного масла
1 красный сладкий перец
салат, огурцы, помидоры – для гарнира

Для маринада:

1 средняя луковица
30 мл белого сухого вина
1/2 лимона
соль, перец по вкусу

Тонко нарежьте лук, добавьте в него вино, сок лимона, соль и перец. В приготовленный маринад положите нарезанную на крупные кубики осетрину и оставьте мариноваться 2 часа.
Нанижите осетрину на шампуры, чередуя с кусочками сладкого перца, смажьте растительным маслом и жарьте над углями в течение 15–20 минут, периодически переворачивая.
Подавайте со свежими овощами и зеленым салатом.

Рыба с беконом на шпажках

1 кг филе белой нежирной рыбы (судак, окунь, треска и др.)
300 г бекона
600 г маленьких помидоров

Для маринада:

1/2 лимона
горсточка зерен граната
0,5 стакана красного сухого вина

Филе разрежьте на кусочки примерно 4 x 4 см и положите на 1 час в посуду с сухим красным вином, соком лимона и раздавленными зернами граната.
Затем заверните каждый кусочек рыбы в полоску бекона и насадите на вымоченные предварительно в воде деревянные шпажки (брошеты) вперемежку с целыми маленькими помидорами.
Запекайте на хорошо разогретой, смазанной растительным маслом решетке. Солите и перчите за столом.

Филе белой рыбы на шпажках по-индийски

600 г любой белой рыбы (треска, судак, окунь и т.п.)

Для маринада:

150 мл йогурта или кефира
1/2 ч. ложки пряной смеси гарам-масала
1/4 ч. ложки красного жгучего перца
1 ч. ложка сока лимона
щепотка куркумы

Разделите рыбу на 12 кусочков. Смешайте венчиком ингредиенты маринада, замаринуйте в нем на 15 минут рыбу.
Нанижите по 3 куска на вымоченные предварительно в воде деревянные шпажки (брошеты) и запекайте на хорошо разогретой, смазанной растительным маслом решетке.

Стейки тунца терияки

4 стейка тунца толщиной 2–2,5 см

Для маринада:

4 ст. ложки соевого соуса
3 ст. ложки коричневого сахара
3 ст. ложки оливкового масла
2 ст. ложки белого винного уксуса
2 ст. ложки шерри
2 ст. ложки свежего ананасового сока
2 зубчика чеснока

Смешайте в блендере ингредиенты маринада, отлейте 1/3 стакана получившейся смеси. Оставшимся маринадом залейте стейки тунца и поставьте на 1 час в холодильник.
Выньте стейки из маринада, обсушите и жарьте на средних углях по 4–5 минут с каждой стороны, смазывая припасенным маринадом.

Филе белой рыбы на шпажках

600 г белой рыбы (треска, судак, окунь и т.п.)
6 небольших крепких помидоров
100 г сливочного масла
2 зубчика чеснока
1 пучок петрушки или кинзы
соль, перец по вкусу

Разрежьте рыбу и помидоры на куски размером с грецкий орех. Нанижите куски через один на металлические шпажки или деревянные шампуры (по 5 кусочков рыбы и по 4 кусочка помидора).
Обжарьте на решетке, поперчите и посолите. Подавайте с растопленным сливочным маслом, смешанным с давленым чесноком и мелко нарезанной петрушкой или кинзой.

Стейки тунца в остром маринаде

4 стейка тунца толщиной 2–2,5 см

Для маринада:

сок 2 лаймов
2 ст. ложки нарезанной кинзы
1/2 ч. ложки молотого тмина
1 ч. ложка молотого перца чили
2 ст. ложки оливкового масла
1/2 свежего острого перца (без перегородок и семечек)
3 зубчика чеснока

Смешайте в блендере ингредиенты маринада, отлейте 1/3 стакана получившейся смеси. Оставшимся маринадом залейте стейки тунца и поставьте на 30 минут в холодильник.
Выньте стейки из маринада, обсушите и жарьте на средних углях по 4–5 минут с каждой стороны, смазывая припасенным маринадом.

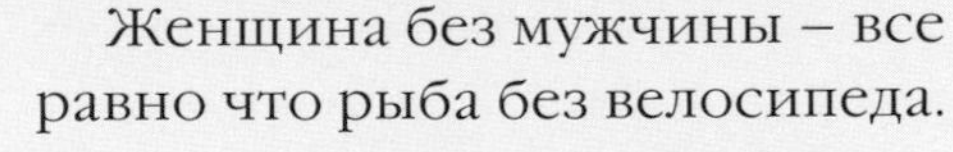

Женщина без мужчины – все равно что рыба без велосипеда.

Лозунг майских событий 1968 года

Секреты шефа

Идеальным гарниром к рыбе станут запеченные на гриле шампиньоны – у них с рыбой одно время приготовления.

Очень простой соус для приготовленной на углях рыбы: возьмите с куста красную смородину, разотрите ее в густое желе, добавьте туда меда, перчика, мяты.

Если ты дашь кому-нибудь рыбу, которую украл, он сможет поесть один раз. Если ты научишь его воровать, он будет сыт всю жизнь.

Филипп Гелюк, бельгийский карикатурист

Рыба в горчичном маринаде

500 г филе (семга, меч-рыба, палтус, сом и др.)

Для маринада:

4 ст. ложки лимонного сока
2 ст. ложки нарезанного укропа
2 ст. ложки оливкового масла
2 ст. ложки дижонской горчицы
соль, перец по вкусу

Смешайте лимонный сок, мелко нарезанный укроп, оливковое масло, горчицу, соль и перец. Залейте получившимся маринадом куски рыбы и поставьте в холодильник не менее чем на 45 минут (но не более чем на 2 часа).
Выньте куски из маринада, обсушите бумажным полотенцем. Маринад сохраните.
Выложите куски рыбы на хорошо разогретую, смазанную растительным маслом решетку и запекайте до готовности, периодически смазывая маринадом.

Секреты шефа

Как можно суше оботрите куски или тушку целиком, перед тем как отправить их на решетку: хотя рыбе и положено любить влагу, но только не на углях.

Рыба в апельсиновом маринаде с фруктовой сальсой

4 куска филе толщиной 2 см (семга, меч-рыба, палтус, сом и др.)

Для маринада:

2 ст. ложки растительного масла
6 ст. ложек апельсинового сока
1 ст. ложка лимонного сока
2 ч. ложки нарезанной апельсиновой цедры
2 ст. ложки нарезанного эстрагона (тархуна)

Для сальсы:

0,5 стакана кусочков персика и (или) апельсина
1/2 красного сладкого перца
2 головки лука-шалота
1 зубчик чеснока
2 ст. ложки нарезанной петрушки или кинзы
1 ст. ложка сока лайма или лимона
соус «Табаско» по вкусу

Смешайте ингредиенты маринада, залейте им куски рыбы и поставьте в холодильник на 2 часа.
Тем временем приготовим сальсу. Для этого смешайте кусочки фруктов с нарезанным кубиками сладким перцем, мелко нарезанным луком-шалотом, давленым чесноком, свежей петрушкой (или кинзой), соком лайма или лимона и соусом «Табаско». Приготовленную сальсу поставьте на 2 часа в холодильник.
Выньте куски рыбы из маринада, обсушите бумажным полотенцем и запекайте до готовности, периодически смазывая маринадом.
Подавайте с сальсой и отварным рисом, посыпанным зеленью петрушки.

Рыбное филе с греческим салатом

300 г любого рыбного филе

Для соуса-маринада:

0,5 стакана оливкового масла
4 ст. ложки лимонного сока
1 ст. ложка дижонской горчицы
2 зубчика чеснока
2 ч. ложки сахарного песка
1 ч. ложка зелени майорана
перец по вкусу

Для салата:

1 пучок зеленого салата
1 красная луковица
1 небольшой огурец
2 помидора
125 г сыра фета или слабосоленой брынзы
12 черных маслин без косточек

Смешайте в блендере ингредиенты соуса-маринада.
Обсушите бумажным полотенцем или салфеткой рыбное филе и положите в глубокую большую тарелку. Залейте одной третью маринада и поставьте в холодильник на 1 час.
Достаньте из холодильника филе, оботрите от маринада и запекайте на решетке.
Непосредственно перед подачей на стол смешайте вымытый и порванный руками на крупные куски (но ни в коем случае не нарезанный!) зеленый салат; тонко нашинкованный красный лук; очищенный от кожи и семечек, нарезанный сначала на четвертушки в длину, а затем тонко поперек огурец; тонко нарезанные дольки помидоров; кубики сыра фета и маслины. Взболтайте припасенный соус-маринад, полейте им салат и хорошенько перемешайте.
Разложите в тарелки греческий салат, выложите сверху зажаренное филе и подавайте.

Деликатес в хитиновых латах

– Что ж омаров не дают? – кричат с одного конца, – омаров!!!
– Monsieur? – подлетает гарсон...
– Омаров!
Несут и омары...

К. Станюкович.
От Бреста до Мадеры

Кардинал стола и другие

Если вы не знаете, как правильно есть лобстеров, – ешьте ртом.

Евгений Кащеев

Представьте себе, что вы оказались в тех прекрасных уголках Земли, где водятся омары. Александр Дюма-отец, завершивший свои подвиги на литературном поприще написанием одной из лучших в мире кулинарных книг, советовал покупать только живых омаров, причем выбирать пусть не столько больших, сколько увесистых. Его рекомендации по-прежнему остаются в силе, и хорошие повара знают, что своих максимальных кулинарных достоинств омары достигают в мае–июне, после периода линьки.

Лучше всего – пятилетний омар, к этому возрасту он достигает 30 см в длину и весит более полукилограмма; причем съедобна только треть: хвост, лапки, клешни. Знатоки утверждают, что самое нежное мясо – у самок, особенно во время кладки яиц. Самцов легко отличить по более широкому «торсу», а самок – по более широкой нижней части, то есть по хвосту; они и весом потяжелее.

Итак, выберите шуструю и мощную омариху. Постарайтесь увернуться от ее грозных клешней и бросайте бедолагу на несколько минут в крутой кипяток. Причем головой вниз – для того чтобы меньше мучилась. Существует и более свирепый, с помощью ножа, способ умерщвления этих морских страшилищ, но не буду его описывать, чтобы не портить вам аппетита.

Покрасневшего от ужаса омара затем разрезают вдоль на две части, в каждой клешне с помощью специальных щипцов или просто ударом топорика проделывают по одному отверстию. Омара избавляют от песочного мешка (он находится поближе к голове) и заполняют образовавшуюся впадину заранее приготовленным фаршем. Вот как он делается: в жидкость, вытекшую при разрезании омара (ее непременно надо сохранить), добавляют 1 ст.

Заметки на полях

С крабами можно обращаться так же, как с омарами и лангустами: разрезать пополам и использовать те же маринады и соусы. На мой взгляд, надо быть большим мастером, чтобы при разделке этих танкообразных существ не покалечить себя и окружающих. Но овчинка стоит выделки – крабовое мясо (настоящее, а не сфабрикованное из крашеной дешевой рыбы) удивительно вкусно и нежно. Опытные люди вообще считают, что для приятной трапезы в компании друзей необходимы лишь хорошие угли, сами крабы... и побольше бумажных салфеток.

На женщину никогда не надо смотреть, когда она ест или пьет, если только это не салат с омарами и шампанское.

Лорд Байрон

Заметки на полях

В чем разница между омарами и лобстерами? Один из моих кулинарных собратьев, а в прошлом морской биолог Николай Максимов так отвечает на этот вопрос. Дело в том, что для обозначения всех морских раков англоговорящий мир бесхитростно пользуется универсальным термином «лобстер». Это торговое наименование превращает в неких гастрономических близнецов-братьев биологически разные виды: не имеющих клешней, зато украшенных длинющими усами лангустов и менее усатых, зато вооруженных мощными дробящими клешнями омаров. Путаница в терминологии усугубляется еще и тем, что мелких лангустов и небольших морских раков с длинными узкими клешнями, обитающих в Средиземном и северных морях, а также в морях Юго-Восточной Азии, тоже называют общим именем лангустины.

ложку панировки, 2 мелко нарезанные веточки петрушки, 1 ч. ложку коньяку и 1 ст. ложку размягченного сливочного масла.

Нафаршированного омара вроде бы можно отправлять на угли. Но чтобы его округлые половинки не кувыркались на барбекю, их лучше зажать в решетку для рыбы.

Приготовьте смесь из 5 ст. ложек оливкового масла, сока 1/2 лимона и зубчика давленого чеснока. Смажьте этой смесью омара и жарьте 1–2 минуты на сильно разогретых углях, причем сначала со стороны фарша. (Нефаршированный омар запекается только на спине, примерно 10 минут.) Затем переверните панцирем к углям и подержите 7–8 минут на среднем жару, смазывая время от времени оставшимся маринадом. Переложите на разогретые тарелки и идите удивлять гостей новым коронным блюдом. Недаром французы прозвали омара «кардиналом стола».

Еще более изысканным блюдом считаются лангусты. Все тот же Дюма-отец в своем знаменитом «Кухонном словаре» писал, что «лангуст принадлежит к ракообразным и отличается от омара более тонким вкусом и тем, что у него нет больших лап». Лишенный этих мощных украшений, лангуст внешне чем-то напоминает громадное насекомое, отсюда и его название – от латинского locusta (кузнечик). И вкушать его плодовитый романист и неутомимый гурман предписывал «с ремуладом из каперсов и майонезом из оливкового масла с лимоном».

Рецепты

Лангустины на гриле

Этот рецепт получен от шеф-повара московского ресторана «Морские гады».

6 мороженых лангустинов
1 корень имбиря
2 неочищенные дольки чеснока
2 пера лука-порея
2 веточки розмарина
10–12 стеблей лемонграсса
1 стручок красного перца средней жгучести
2 щепотки крупной морской соли
1 ч. ложка оливкового масла

Сформируйте «вязанку» из размороженных лангустинов. Уложите их параллельно, переложив тонко наструганными пластинками корня имбиря и стеблями лемонграсса. Дольки чеснока раздавите ножом, перец разрежьте вдоль на две половинки и положите на лангустинов, посолите. Обвяжите лангустинов пореем, закрепите узелки веточками розмарина.
Смажьте лангустинов оливковым маслом и запекайте на хорошо разогретом электрогриле по 4 минуты с каждой стороны.

Кальмары с карри

500 г очищенных кальмаров

Для маринада:

2 ч. ложки карри
1 давленый зубчик чеснока
1 ч. ложка молотого имбиря
1/2 ч. ложки чабреца
сок 1/2 лимона
2 ст. ложки оливкового масла
соль по вкусу

Разрежьте очищенные от кожицы и внутренностей конусообразные тушки кальмаров с одной стороны – получится нечто вроде эскалопов. Сделайте на них ромбовидные надрезы. Смешайте маринад и положите в него на 15–20 минут подготовленные тушки кальмаров.
Оботрите кальмары от маринада и жарьте на решетке не более 2 минут с каждой стороны.
Подавайте с дольками лимона.

Лангустины с цедрой грейпфрута

В Северной Америке лангустинов готовят на гриле, смазав растопленным маслом и посыпав панировкой. Французы поступают более изящно, что видно из следующего рецепта.

20 лангустинов (на 4 порции)
1 большой грейпфрут
100 г сливочного масла
2 капли экстракта ванили
50 г стружки кокосового ореха
соль, перец по вкусу

Разрежьте грейпфрут пополам и острой ложечкой аккуратно выньте мякоть из половинки плода (только без перегородок – они горчат), разделите мякоть на «волокна». На терке натрите примерно 1 ч. ложечку цедры грейпфрута (только самый верх кожи, без белого – там тоже горечь).
Взбейте сливочное масло с ванилью, добавьте мякоть грейпфрута, цедру и кокосовую стружку.
Глубоко надрежьте в длину хвосты лангустинов и смажьте их масляной смесью. На углях лангустины должны находиться не более 4–5 минут.
На тарелках красиво расположите листья зеленого салата, посолите, поперчите их, сбрызните растительным маслом и соком из второй половины грейпфрута. Сверху положите готовых лангустинов, сглотните слюну и подавайте с домашним майонезом или соусом ремулад.

Соус ремулад

Этот соус делается очень просто: в майонез положите два корнишона – это такие маленькие маринованные огурчики, 2 ст. ложки зелени (лук-резанец, петрушка, эстрагон, кинза – любые сочетания на ваш вкус) и 1 ст. ложку каперсов. Все это должно быть пробито в блендере, а еще лучше – очень мелко нарезано.
Как вариант, можно добавить зеленый сладкий перец или немного анчоусов.

Кулинарный словарь

ЛЕМОНГРАСС (лимонное сорго)
Многолетнее травянистое растение, применяющееся в кулинарии как пряная приправа для ароматизации супов, вторых блюд, а также напитков. Культивируется в тропической и субтропической области Азии, Африки, Америки, а также в Центральной Азии, Италии, Грузии. Широко используется в кухне народов Юго-Восточной Азии.

Заметки на полях

Сказать по совести, продающиеся у нас в дорогих гипермаркетах омарчики граммов на 800 весом являются жалкими недомерками: в Северной Атлантике на полукилометровой глубине живут «терминаторы» килограммов по 6–7, способные своей размером с боксерскую перчатку клешней сломать руку человека. Но на вкус они уже грубоваты. Ловцы омаров обычно таких монстров отпускают. Самый «товарный», точнее, кулинарный вес для омаров порядка 1–1,2 кг при длине 25–28 см: отходы составят 40–60% веса, так что омар традиционно подается на две персоны.

Лангуст нежнее омара, но есть его лучше сразу после поимки, замороженные лангусты сильно проигрывают. К сожалению, нежные живые лангусты плохо переносят перевозку. Омары же более жизнестойки, их можно транспортировать, переложив льдом, на достаточно большие расстояния.

У семги мясо розовое потому, что она питается креветками.

Макс Жакоб, французский писатель

Заметки на полях

А вы знаете, откуда, собственно, взялся майонез? Словарь Французской академии гастрономов утверждает, что этот соус из яиц и растительного масла обязан своим именем повару кардинала Ришелье. Тот порадовал им его преосвященство в честь взятия в 1756 году войсками кардинала Порт-Майона на Балеарских островах. Именно там, в походных условиях, из яиц, уксуса и растительного масла, одним словом, из того, что нашлось под рукой, и был изготовлен первый майонез. Правда, другая версия академиков от кулинарии берет за основу слово moyen *– так на старофранцузском назывался желток.*

Секреты шефа

Раки готовятся на решетке так же, как лангустины. Но лангустины, в отличие от других ракообразных, почти не изменяют цвета при термической обработке, так что не удивляйтесь.

Хвостики лангустинов с шафраном

16 хвостиков лангустинов
16 головок лука-шалота
50 г топленого масла
1 щепотка шафрана
1 ч. ложка лимонного сока
2 ст. ложки нарезанной петрушки
соль по вкусу

Разотрите масло с шафраном, солью и лимонным соком и оставьте при комнатной температуре. Нанижите по 4 очищенных хвостика лангустинов и по 4 луковицы на вымоченные предварительно в воде деревянные шпажки (брошеты).

Подготовленные брошеты смажьте половиной масляной смеси и обжарьте на решетке не более 4–5 минут (хвостики лангустинов внутри должны остаться мягкими).

Когда лангустины будут готовы, смажьте их оставшейся масляной смесью, выложите на блюдо, посыпьте сверху нарезанной петрушкой и подавайте.

Соус майонез

Секрет здесь в том, что все ингредиенты должны быть одинаковой температуры, лучше комнатной. Приготовить этот классический соус не так сложно, но может с первого раза и не получиться. Зато если наловчитесь делать свой майонез, то вы, как говорится, почувствуете разницу и перестанете покупать те эрзацы из крахмала и уксуса, которые навязывают нам реклама и недобросовестные производители.

1 яичный желток
1 ч. ложка незлой горчицы
растительное масло
уксус или лимонный сок
соль, перец по вкусу

В керамической или фарфоровой миске хорошо разотрите яичный желток и горчицу, затем потихоньку добавляйте растительное масло, постоянно взбивая венчиком образующуюся смесь.

Когда смесь начнет густеть, можно продолжить взбивание миксером. В конце добавьте соль, перец и потихоньку тоненькой струйкой влейте немного уксуса или лимонного сока.

Фаршированные кальмары с сырным соусом

4 тушки кальмара

Для фарша:

1 небольшой цукини
1 луковица
2 зубчика чеснока
2 ст. ложки растительного масла
1 яйцо
3 ст. ложки муки
1 ст. ложка нарезанной петрушки
соль, перец по вкусу

Для соуса:

100 г молодого сыра
75 мл белого йогурта
2 ст. ложки сливок
2 зубчика чеснока
2 ч. ложки измельченных орехов
1 ч. ложка прованских трав

Для фарша очистите и нарежьте на мелкие кубики цукини, лук и чеснок мелко порубите. Подготовленные овощи посолите, поперчите и потушите с растительным маслом примерно 5 минут. Слегка охладите, добавьте сырое яйцо, муку и тщательно перемешайте. Посыпьте фарш мелко нарезанной петрушкой.

Для соуса смешайте молодой сыр с йогуртом, сливками, давленым чесноком, дроблеными орехами и прованскими травами.

Нафаршируйте предварительно очищенные от кожицы и внутренностей тушки кальмаров, отверстия скрепите деревянными шпажками. Жарьте фаршированные кальмары на решетке 7–10 минут.

Подавайте к столу с сырным соусом.

Шашлык из щупальцев кальмара

600 г щупальцев кальмара
1 пучок зеленого лука
1 лайм

Для соуса-маринада:

2 ст. ложки нарезанного перца чили
2 ст. ложки зелени кинзы или мяты
1 ст. ложка сахарного песка
3 ст. ложки винного уксуса
1 ст. ложка оливкового масла
соль по вкусу

Смешайте перец чили, зелень кинзы (или мяты – по вкусу), сахар, соль, уксус и оливковое масло. Очистите щупальца кальмаров, нарежьте на части и замаринуйте в течение 1–1,5 часа.

Нанижите щупальцы на 4 шампура. Готовьте на углях в течение 3–4 минут, постоянно поворачивая шампуры.

Кальмары нельзя пережаривать, иначе они будут жесткими.

Зеленый лук слегка подпеките на решетке. Прогрейте маринад, в котором мариновались кальмары.

Подавайте вместе с печеным зеленым луком, разрезанным пополам лаймом и соусом-маринадом.

Осьминог на решетке по-мадагаскарски

1 осьминог весом 1 кг
1 морковь
1 луковица
1 лавровый лист
10 горошин черного перца

Для маринада:

2 ст. ложки растительного масла
1/2 ч. ложки молотого имбиря
2 измельченных зубчика чеснока
1 лимон (сок и цедра)
1/4 ч. ложки чабреца
соль, перец по вкусу

Отварите осьминога в течение 1,5 часа на малом огне с луком, морковью, лавровым листом и черным перцем. Выньте осьминога из кипятка и остудите.

Разрежьте голову на четыре части и вместе со щупальцами положите в маринад на 20–30 минут. Затем дайте маринаду стечь и положите куски осьминога на горячую решетку. Жарьте, смазывая маринадом, в течение 10–12 минут.

Брошеты из морских гребешков (вариант 1)

500 г морских гребешков
1 маленький ананас, нарезанный кубиками
18 шляпок мелких шампиньонов
3 зеленых сладких перца
16 помидоров черри
6 полосок бекона

Для маринада:

4 ст. ложки растительного масла
4 ст. ложки лимонного сока
4 ст. ложки белого сухого вина
3 ст. ложки соевого соуса
2 ст. ложки нарезанной петрушки
1/2 ч. ложки соли
1/2 ч. ложки молотого черного перца
1/4 ч. ложки сухого чеснока

Смешайте маринад, залейте им гребешки, нарезанный квадратиками перец и шампиньоны и оставьте мариноваться в холодильнике на 1–1,5 часа.

Обжарьте на сковороде полоски бекона – они должны обрести слегка золотистый цвет, но оставаться мягкими.

Нанижите вперемежку на вымоченные предварительно в воде деревянные шпажки (брошеты) гребешки, шампиньоны, помидоры, нарезанный бекон; кусочки перца и ананаса. Маринад сохраните.

Жарьте на решетке 7–10 минут, периодически смазывая маринадом.

Брошеты из морских гребешков (вариант 2)

500 г морских гребешков
10 полосок бекона
2 яблока
16 помидоров черри
3 ст. ложки растопленного сливочного масла
1 ч. ложка вустерского соуса
1 ст. ложка лимонного сока
соль, перец по вкусу

Нанижите вперемежку на вымоченные предварительно в воде деревянные шпажки (брошеты) обернутые кусочками бекона гребешки, помидоры, кусочки очищенного яблока (с обеих сторон брошет должен заканчиваться кусочком яблока).

Смешайте размягченное сливочное масло, соус, лимонный сок, соль и перец и смажьте этой смесью брошеты.

Запекайте на решетке в течение 7–8 минут, смазывая масляной смесью.

Тут были и омары в горчичном соусе, и морские рыбы, и анчоусы, и сливочное масло, и знаменитый честер, и ко всему этому, в качестве приправы, пикули, горчица, три бутылки пэль-эля и фляжка бренди.

Луи Жаколио. Пожиратели огня

Секреты шефа

Если кальмар жарится на углях почти мгновенно, то осьминог требует медленного и долгого приготовления.

А прекрасный пол вкуснее

Чем больше я узнаю мужчин,
тем больше я люблю женщин.

*Франсис Бланш,
французский юморист
и шансонье*

Секреты шефа

Когда покупаете креветок, обращайте внимание на цифры, которые написаны на пакете. Например, если вы видите маркировку 90/130 – это не какое-нибудь хитрое обозначение «калибра» креветок, а просто их количество в данном пакете – от 90 до 130. То есть чем меньше размер креветок, тем больше их умещается в пакете. И соответственно наоборот.

Для приготовления на углях конечно же лучше подходят крупные креветки. Кстати, самки у креветок всегда больше самцов, и, выбирая отменные экземпляры, вы, сами того не зная, отдаете предпочтение прекрасному полу. Теперь вам понятно, почему крупные креветки так дорого стоят?

Правда, самим креветкам трудно разобраться, какого они пола, поскольку в течение жизни они успевают побыть в возрасте 2–2,5 года сначала самцами, а потом, где-то к четырем годам, самками. Причем каждый раз, когда креветка собирается подрасти, ей приходится сбрасывать свой панцирь, составляющий обычно до 50 процентов ее общего веса.

Итак, выбираем самых крупных, а вернее, самых мясистых и увесистых самок (это я о креветках, конечно!). Для приготовления на барбекю их надо прежде всего хорошенько помыть и обсушить. Можно оставить их в панцире, а можно «раздеть». И тот и другой способ имеют свои преимущества: оставляя панцирь, мы сохраняем нежность вкуса, снимая – позволяем лучше проявиться приправам, но сами креветки станут несколько суше. На мой взгляд, пусть лучше остаются «одетыми».

Перед тем как выложить на решетку, креветок смазывают оливковым маслом, приправляют травами или слегка маринуют в лимонном соке. При жарке их также необходимо постоянно смазывать. Удобнее всего наколоть креветки на вымоченные предварительно в воде деревянные шпажки (брошеты) – так будет проще, и не придется, говоря нехорошие слова, наблюдать, как почти готовые, приобретающие коричневатый оттенок креветки проваливаются сквозь решетку и бездарно сгорают.

Я люблю запах креветок, но не настолько, чтобы их есть.

Илип, французский писатель, художник

Рецепты

Креветки в собственном соку

Это, наверное, самый простой способ приготовления креветок.

1 кг крупных варено-мороженых креветок

Креветки слегка разморозьте – так чтобы они утратили ломкость.

Выложите креветки на решетку над углями со средним жаром и жарьте 5 минут. Солить не надо.

Подавайте горячими и наслаждайтесь соком, который скопится в каждой шейке, как в отдельной маленькой кастрюлечке. (При варке такой сок вымывается водой и вкус моря пропадает.)

Брошеты из креветок и авокадо

1 кг крупных креветок
2 авокадо

Для маринада:

3 ст. ложки лимонного сока
5 ст. ложек оливкового масла
3 ст. ложки сухого белого вина
4 ст. ложки йогурта или кефира
1 ст. ложка нарезанного укропа
1 ст. ложка соуса чили
соль, перец по вкусу

Очистите креветки, оставив нетронутыми только кончики хвостов. Нанижите их на вымоченные предварительно в воде деревянные шпажки (брошеты), чередуя с нарезанной кубиками мякотью авокадо. (Авокадо лучше брать слегка недозрелые, упругие на ощупь.)

Смешайте маринад и полейте им брошеты.

Готовьте на углях в течение 2–3 минут, постоянно поворачивая.

Креветки «баттерфляй»

Этот рецепт гораздо сложнее, но его, право, стоит попробовать.

1 кг самых крупных креветок

Для маринада:

2 ст. ложки оливкового масла
1 ст. ложка сока лайма
4 ст. ложки белого сухого вина
20 листиков базилика
1 головка красного сладкого лука
2 ст. ложки мелко нарезанного корня имбиря
соль, черный молотый перец по вкусу

Почистите креветки, оставив так называемый тельсон, то есть веер задних лопастей, а проще – хвостик. Сделайте продольный надрез по вогнутой стороне шейки и удалите темную кишочку (у крупных креветок рекомендую удалять ее всегда). Надрезанная креветка развернется двумя полумесяцами – бабочкой.

Смешайте в блендере маринад, залейте им шейки, перемешайте и поставьте мариноваться на 2 часа в холодильник.

Нанижите замаринованных и распластанных бабочкой креветок на вымоченные предварительно в воде деревянные шпажки (брошеты). Нанизывать лучше поперек на две параллельные шпажки.

Жарьте подготовленные брошеты на решетке по 1–2 минуты с каждой стороны, не больше, – разрезанные вдоль креветки стали тоньше.

Заметки на полях

Из всех способов приготовления креветок и прочих ракообразных самый лучший – зажарить их на углях. Именно так считает и лидер кубинской революции Фидель Кастро, большой гурман и знаток кулинарии. О секретах хорошей кухни он способен говорить часами – не хуже, чем о воспитании молодежи и происках американского империализма.

Вот его размышления по поводу приготовления креветок и лангустов из книги-интервью «Фидель и религия», подготовленной доминиканским монахом Фреем Бетто: «Варить их лучше не стоит; кипящая вода лишает их вкуса и сочности, делает более твердыми. Я предпочитаю жарить их на решетке или в виде брошетов. Для креветок достаточно пяти минут, а для лангустов – шести. Единственные приправы: сливочное масло, чеснок и лимон. Хорошая еда всегда проста в приготовлении. Знаменитые повара лишь все портят».

Рак – небольшое членистоногое, очень походящее на омара, но не столь трудно перевариваемое.

Амброз Бирс. Словарь Сатаны

Заметки на полях

Если вам доведется побывать в тех местах, где можно приобрести только что выловленных из моря креветок, то попробуйте приготовить их следующим способом. Поставьте на решетку вашего барбекю большую чугунную сковороду, насыпьте в нее слой крупной соли – и пусть хорошенько нагреется. Когда соль начнет потрескивать, выложите на нее живых креветок. Что, страшновато, но разве будет более гуманно бросить их в кипящую воду или предварительно заморозить живьем?

Когда креветки приобретут красивый розовато-оранжевый цвет, снимите их с раскаленного ложа, на мгновенье – чтобы смыть излишек соли – сполосните под струей воды, и наслаждайтесь этим поистине гурманским блюдом, садист вы этакий!

Секреты шефа

Если у вас нет специальной мельнички для перца, раздавите в прессе для чеснока или просто между двумя ложками несколько зерен черного перца. Но, прошу вас, не пользуйтесь едкой дрянью без запаха, которую продают в бумажных пакетиках под названием «Молотый перец».

Креветки «баттерфляй» в апельсиновом маринаде

12 самых крупных тигровых креветок

Для соуса-маринада:

1 стакан апельсинового сока
2 ст. ложки саке или рисового вина
1 ч. ложка натертой цедры апельсина
2 стрелки зеленого лука
1 ч. ложка натертого корня имбиря
2 ст. ложки сливочного масла
соль, черный молотый перец по вкусу

Смешайте в сотейнике ингредиенты соуса-маринада, поставьте на огонь и помешивайте, пока масло полностью не растопиться. Снимите с огня и поставьте в теплое место.

Почистите креветки, оставив на шейках панцирь. Сделайте продольный надрез по вогнутой стороне шейки, надрезанная креветка развернется двумя полумесяцами – «бабочкой».

Нанижите распластанных бабочкой креветок на вымоченные предварительно в воде деревянные шпажки (брошеты). Нанизывать лучше поперек на две параллельные шпажки, по три креветки на каждую порцию.

Жарьте подготовленные и смазанные соусом-маринадом брошеты на решетке: сначала 1–2 минуты панцирем вверх, а затем, еще раз смазав соусом-маринадом, 2–3 минуты – панцирем вниз.

Подавайте с оставшимся соусом-маринадом.

Брошеты из креветок в апельсиновом маринаде

1 кг креветок среднего размера

Для соуса-маринада:

2 лимона
125 г апельсинового мармелада
60 г меда
3 ст. ложки лимонного сока
1 ч. ложка кукурузного крахмала
1/3 ч. ложки белого молотого перца

Смешайте в сотейнике ингредиенты соуса-маринада, поставьте на огонь и помешивайте, пока смесь не загустеет.

Нанижите креветки на вымоченные предварительно в воде деревянные шпажки (брошеты), смажьте соусом и жарьте на решетке 3–4 минуты, постоянно переворачивая.

Креветки с соком лайма

1 кг крупных креветок
соль, черный молотый перец по вкусу

Для маринада:

1 стакан сока лайма
1 головка лука-шалота
2 зубчика чеснока
2 перчика чили без семян и перегородок
2 стрелки зеленого лука
по 0,5 стакана нарезанной зелени кинзы и петрушки
2 ст ложки меда
0,5 стакана воды
1 стакан оливкового масла

Очистите креветки, оставив нетронутыми только кончики хвостов. Смешайте в блендере ингредиенты маринада, полейте им креветки и поставьте в холодильник на 1 час.

Отбросьте креветки на дуршлаг, дайте маринаду в течение 5 минут стечь и жарьте креветки примерно по 1–2 минуты с каждой стороны. Перед подачей посолите и приправьте черным молотым перцем.

Креветки по-техасски

1 кг крупных креветок
1 небольшой кабачок
1 сладкий перец

Для соуса-маринада:

2 ст. ложки оливкового масла
3 ст. ложки текилы
3 ст. ложки красного сухого вина
2 ст. ложки сока лайма
2 зубчика чеснока
1 ч. ложка красного перца
соль по вкусу

Смешайте в блендере ингредиенты маринада, залейте им креветки и поставьте в холодильник на 1 час.

Нанижите очищенные креветки вперемежку с нарезанными кубиками кабачком и сладким перцем на вымоченные предварительно в воде деревянные шпажки (брошеты), смажьте соусом-маринадом и жарьте на решетке 3–4 минуты, постоянно переворачивая.

Подавайте с подогретым соусом-маринадом.

Креветки с соусом айоли

1 кг самых крупных неочищенных креветок

Для маринада:

6 зубчиков чеснока
3 ст. ложки нарезанной зелени тимьяна (чабреца)
0,5 стакана оливкового масла
соль, перец по вкусу

Смешайте в блендере ингредиенты маринада, залейте им креветки и поставьте в холодильник на 30 минут.

Жарьте креветки по 1–2 минуты с каждой стороны и подавайте с соусом айоли.

Айоли

В миске смешайте (а лучше разотрите в фарфоровой ступе) 4–5 зубчиков чеснока, 2 желтка, соль, черный перец по вкусу. Добавьте лимонный сок (можно заменить винным уксусом или соком лайма).

Взбивайте венчиком или миксером, постепенно добавляя оливковое масло. У вас должна получиться однородная масса, которая постепенно побелеет и начнет загустевать.

Креветки по-гавайски

1 кг креветок среднего размера
1 банка консервированных ананасов
250 г бекона
2 сладких перца
20 помидоров черри
250 г шляпок шампиньонов
1 стакан покупного кисло-сладкого соуса

Очистите креветки и нанижите их вперемежку с кусочками бекона, сладкого перца, помидорами черри и шляпками шампиньонов на вымоченные предварительно в воде деревянные шпажки (брошеты).

Выложите подготовленные брошеты на решетку в самое нежаркое место, предварительно сдвинув угли в противоположную сторону жаровни. Готовьте в течение 20–25 минут, время от времени переворачивая и смазывая кисло-сладким соусом.

Айоли для ленивых

Смешайте миксером или пробейте в блендере равные доли покупного майонеза и сливок, добавьте побольше чеснока, немного соли, молотого перца и лимонного сока по вкусу.

Если вы еще не начали непосильную борьбу с лишним весом, то майонез возьмите 67 %-ный, а сливки – 33 %-ные. Соус из менее жирных ингредиентов получится жидковатым. Исправить это можно, положив в него немного мелко нарезанной зелени – петрушки и укропа. Но в идеале соус айоли не требует зелени. Хотя покажите мне рецепт, который испортят укроп и петрушка? Разве что клубнику со сметаной...

Любить чужую жену, что есть чеснок. Хоть и спрячешься в углу, но в конце концов запах тебя выдаст.

Кабир, индийский поэт и философ

Кулинарный словарь

АЙОЛИ

Соус, очень популярный на северном побережье Средиземноморья, от Испании до Италии. Его подают к рыбе холодного копчения, рыбному супу буррида, холодному мясу, салатам и морепродуктам.

Когда уроженец Прованса заводит речь о «гранд айоли», то он имеет в виду роскошное ассорти, включающее в себя копченую треску, вареную говядину или баранину, припущенные овощи (морковь, сельдерей, фасоль, цветная капуста), а также улиток, отваренные вкрутую яйца, ну и конечно соус айоли.

Существует много разновидностей этого соуса. В дополнение к основным ингредиентам добавляют горчицу, красный острый перец, пюре авокадо или яблока.

Секреты шефа

Чтобы придать очищенным размороженным креветкам утраченный аромат, подержите их 10–15 минут в небольшом количестве портвейна или коньяка.

Кулинарный словарь

ХАРИСА
Острая приправа североафриканской кухни, похожая по составу на абхазскую аджику. Различают несколько разновидностей харисы: простая, приготовляемая из острого и сладкого стручкового перца, очищенного от семян и толченного с крупной солью, и сложная – из сушеного острого перца, который после замачивания в воде толкут с солью, зернами лугового тмина и чесноком. Иногда, чтобы смягчить остроту, в харису добавляют растительное масло.

Секреты шефа

Покупая не замороженные креветки, доверяйте только своему носу: свежие креветки обычно ничем не пахнут. Если вы унюхали слабый аммиачный запах, поостерегитесь. Но если пахнуло йодом, то все в порядке: просто эти креветки выловлены в глубоких водах.

Креветки по-мароккански

1 кг крупных креветок

Для маринада:

3 ст. ложки оливкового масла
сок 1 лимона
1 ч. ложка приправы хариса
1 зубчик давленого чеснока
1 щепотка молотого тмина или зиры

Смешайте маринад, залейте им креветки и оставьте мариноваться на 1–3 часа в холодильнике.
Нанижите креветки на вымоченные предварительно в воде деревянные шпажки (брошеты) и готовьте на углях в течение 2–3 минут, постоянно поворачивая и смазывая маринадом.

Креветки по-средиземноморски

1 кг крупных креветок

Для маринада:

2 ст. ложки растопленного сливочного масла
2 ст. ложки оливкового масла
20 нарезанных листиков базилика
1 ст. ложка лимонного сока
2 головки лука-шалота (или 1/2 обычной луковицы)
4 ст. ложки белого сухого вина
1/2 ч. ложки молотого имбиря
1 ч. ложка соуса чили
соль по вкусу

Смешайте маринад, залейте им очищенные креветки и оставьте мариноваться на 1–3 часа в холодильнике.
Нанижите креветки на вымоченные предварительно в воде деревянные шпажки (брошеты) и готовьте на углях 2–3 минуты, постоянно поворачивая и смазывая маринадом.

Креветки по-креольски

1 кг крупных креветок
1 огурец
12 маленьких помидоров
1 зеленый или желтый сладкий перец
соль по вкусу

Для маринада:

2 ст. ложки лимонного сока
2 измельченных зубчика чеснока
несколько капель острого перечного соуса
немного свежего или сушеного сельдерея

Замаринуйте на 1,5 часа очищенные креветки.
Нанижите их на вымоченные предварительно в воде деревянные шпажки (брошеты) вперемежку с нарезанными кубиками сладким перцем, огурцом и маленькими помидорами. (Сладкий перец лучше перед этим бланшировать, то есть выдержать несколько минут в кипятке.)
Смажьте маринадом, посолите и жарьте на углях 3–5 минут, переворачивая и смазывая маринадом.

Ароматные креветки

1 кг самых крупных креветок
6–8 лавровых листов

Для маринада:

сок 4 лимонов
1 ст. ложка свеженатертого хрена
2 ч. ложки нарезанного укропа
1 стакан сухого белого вина
4 ст. ложки острого кетчупа
3 ст. ложки оливкового масла
3 ст. ложки мелко нарезанного лука
1 давленый зубчик чеснока

Смешайте маринад, залейте им креветки и оставьте мариноваться на 1–2 часа в холодильнике. Замочите в воде лавровые листья.

Выложите креветки на хорошо разогретую решетку, бросьте на угли половину замоченных лавровых листьев, закройте крышку барбекю. Через 3 минуты откройте крышку, переверните креветки и бросьте на угли остающиеся лавровые листья.

Жарьте креветки еще 2–3 минуты и сразу же подавайте с ломтиками лимона.

Креветки с коньяком в папильотах

10–15 креветок на человека
(в зависимости от размера креветок, конечно, а не едока)
3 разноцветных сладких перца
60 мл коньяку

Для соуса:

2 ст. ложки оливкового масла
2 ст. ложки растопленного сливочного масла
2 измельченных зубчика чеснока
1 ч. ложка соуса чили
1 ст. ложка лимонного сока
2 ст. ложки нарезанной зелени (кервель, петрушка)
соль, перец по вкусу

Выложите на хорошо смазанный оливковым маслом лист плотной фольги креветки и нарезанный на мелкие кубики сладкий перец. Смешайте ингредиенты соуса и вылейте на креветки и перец. Заверните фольгу конвертом и жарьте на решетке 3–4 минуты.

Аккуратно снимите конверт с решетки, откройте фольгу, полейте блюдо коньяком и подожгите. Физиономию при этой операции держать подальше, а то останетесь без ресниц и бровей.

Креветки с беконом

1 кг самых крупных креветок
ломтики бекона
покупной соус «Барбекю»
чесночное масло

Очистите креветки, оставив нетронутыми только кончики хвостов. Оберните креветки ломтиками бекона и заколите их деревянными зубочистками.

Смажьте обернутые беконом креветки соусом и выложите на решетку в самое нежаркое место, предварительно сдвинув угли в противоположную сторону жаровни. Готовьте в течение 20–25 минут, время от времени переворачивая.

Положите поверх готовых креветок кусочки чесночного масла и подавайте.

Брошеты из креветок, семги и сладкого перца

300 г крупных креветок
200 г филе семги
2 сладких перца
соль по вкусу

Для маринада:

2 ст. ложки лимонного сока
2 измельченных зубчика чеснока
несколько капель острого перечного соуса

Замаринуйте на 30 минут очищенные креветки и нарезанную кубиками семгу. Нарезанный квадратиками перец бланшируйте, то есть выдержите несколько минут в кипятке.

Нанижите на вымоченные предварительно в воде деревянные шпажки (брошеты) креветки и семгу вперемежку с бланшированным сладким перцем.

Смажьте маринадом, посолите и жарьте на углях 3–5 минут, время от времени переворачивая и смазывая маринадом.

Устрица – это рыба, сделанная в виде ореха.
Жан-Шарль, французский юморист

Секреты шефа

Не бойтесь недожарить креветки, бойтесь их пережарить.

Креветки по-креольски огнедышащие

1 кг крупных креветок

Для маринада:

2 ст. ложки паприки
2 измельченных зубчика чеснока
1 ст. ложка черного молотого перца
1 ст. ложка луковой соли
1 ст. ложка кайенского перца
1 ст. ложка молотого майорана
1 ст. ложка молотого тмина

Смешайте маринад (и дайте попробовать кому-нибудь другому).

Залейте маринадом неочищенные креветки и оставьте мариноваться на 1–2 часа в холодильнике.

Нанижите креветки на вымоченные предварительно в воде деревянные шпажки (брошеты) и готовьте на углях 3–4 минуты, постоянно поворачивая и смазывая маринадом.

Креветки с салатом рукола и соусом бальзамик

На 1 порцию:

3 тигровые креветки
2–3 помидора черри
маленький пучок салата рукола
1 ст. ложка тертого сыра пармезан

Для соуса:

2/3 ст. ложки дижонской горчицы
3–4 ст. ложки бальзамического уксуса
3 ст. ложки оливкового масла
мед по вкусу

Смешайте в блендере все компоненты соуса до однородного состояния. Очистите креветки от панциря, оставив хвостики.

Соедините в миске листья руколы с нарезанными пополам помидорами черри, заправьте соусом бальзамик.

Обжарьте в течение 2–3 минут смазанные оливковым маслом креветки и выложите на тарелку поверх заправленного соусом салата.

Креветки с овощами и грибами в папильотах

1,5 кг полностью очищенных крупных шеек
4 сладких перца
2 луковицы
1 баклажан
800 г свежих грибов
растительное масло
соль по вкусу

Овощи почистите и мелко нарежьте, обжарьте на сковороде в растительном масле, подсаливая, практически до готовности. Грибы (лучше всего белые или подосиновики, годятся опята и вешенки) обжарьте до готовности, смешайте с овощами и креветками.

Заверните эту смесь в плотную фольгу, слегка прижмите получившийся конверт ладонью, чтобы придать ему равномерно плоскую форму, и осторожно положите на горячую решетку. Запекайте над умеренно жаркими углями 10–12 минут, не переворачивая.

Перед подачей на стол вскройте конверт и выложите дымящееся содержимое на блюдо.

Креветки по-португальски

1 кг крупных неочищенных креветок
брокколи
соевый соус

Для маринада:

3 ст. ложки оливкового масла
сок 1 лимона
1 зубчик давленого чеснока

Очистите креветки, оставив неочищенными лишь хвостики. Смешайте компоненты для маринада, залейте маринадом креветки и оставьте мариноваться на 30 минут в холодильнике.

Залейте кипятком брокколи и оставьте бланшироваться на 20 минут. Обсушите брокколи, смажьте маринадом и жарьте на краю решетки в течение 7–10 минут, периодически переворачивая и смазывая маринадом.

Выньте креветки из маринада, просушите их на салфетке, выложите на хорошо разогретую решетку и жарьте 2–3 минуты.

Подавайте креветки с брокколи и соевым соусом.

Секреты шефа

Компенсировать потерю влаги у мороженых креветок можно следующим образом. Разведите 3 ст. ложки соли в 1,5 л ледяной воды, положите туда креветки и поставьте в холодильник на 20 минут (не больше!). Затем сполосните креветки холодной водой, обсушите и... далее по понравившемуся вам рецепту.

Овощи

Не мясом единым...

Как правило, дикция Эгберта была безупречной – такой, какую можно приобрести только на государственной службе, – но от наплыва чувств он начал заикаться.
– Вы имеете в виду, – вскричал он, вставив пять или шесть «д» в «виду», – что стали вегетарианкой?!
– Да, дорогой.
– И сегодня не будет индейки?
– Боюсь, что нет.
– Ни черепахового супа? Ни мясных пирожков?

Пэлем Грэнвил Вудхауз.
Еще одна рождественская песнь

Не только для господ вегетарианцев

Обязательно запланируйте в вашем меню овощи, приготовленные на барбекю. Кто его знает – вдруг к вам на огонек, а вернее, на дымок забредет вегетарианец? Все изменчиво: еще вчера, казалось, вроде бы нормальный мужик – ел бифштексы «с кровью», а назавтра заявится с новой тощей пассией и будет с ней на пару терроризировать других гостей, проповедуя поедание силоса и высчитывая каждому присутствующему на салфетке «в столбик» количество неразумно поглощенных калорий...

Кроме того, бывают моменты, когда просто нельзя есть мясо и всякие деликатесы (например, в период поста или при благих, но недолгих попытках соблюсти диету) – не питаться же тогда одной вареной капустой или же сырой морковкой!

Но самое главное – овощи, запеченные на решетке, – это украшение вашего стола, прекрасная закуска или гарнир к основным блюдам, и не прав тот, кто лишает себя этого простого и аппетитного удовольствия.

Наконец, и это немаловажно, – ошибки повара в данном случае обходятся гораздо дешевле.

Как и любая стряпня, приготовление разного рода и размера овощей требует знания определенных правил.

Баклажаны: можно запекать целиком (для салата или гарнира); небольшие можно разрезать вдоль на половинки, побольше – нарезав на кольца толщиной 2,5–3 см. Нарезанные куски смажьте оливковым маслом или маринадом; время приготовления – по 3–4 минуты с каждой стороны.

Кабачки и цукини: небольшие разрежьте вдоль на половинки, побольше – нарежьте кольцами толщиной в 1,5 см; смажьте оливковым маслом или маринадом; время приготовления – по 3–4 минуты с каждой стороны.

Многие в настоящее время начали по разным причинам и с разною целью придерживаться вегетарианства, состоящего в том, чтобы не употреблять в пищу никакого мяса, никакой рыбы, ни селедок даже, ни раков, ни даже икры.

Елена Молоховец

Секреты шефа

Я делаю шашлыки из овощей, завернутых в бараний сальник, «сетку». Делаю набор из кусочков перца, баклажана, помидора, чеснока, заворачиваю в сальник, насаживаю на шпажки и – на угли. Сок не капает на угли, овощи не сохнут. Вещества, формирующие вкус и запах, как правило, жирорастворимые, а не водорастворимые. Без жира или масла витамины из овощей практически не усваиваются.

Сталик Ханкишиев, автор кулинарного бестселлера «Казан, мангал и прочие мужские удовольствия»

Если бы Господь хотел нас видеть вегетарианцами – он непременно снабдил бы нас рогами, хвостом и копытами.

Неизвестный автор

Заметки на полях

Для запекания малых по размеру овощей, например зеленой фасоли, грибов и тому подобного, лучше использовать специальную корзинку с мелкими ячейками (ее может заменить выложенный поверх решетки лист плотной фольги с проделанными в ней мелкими отверстиями). Такое же приспособление поможет при запекании длинных, но тонких овощей, например зеленого лука и спаржи, которые так и норовят провалиться между прутьями решетки. Еще один способ справиться с зеленым луком и спаржей – насадить стебли мясистой нижней частью на деревянные шпажки или зубочистки (звучит садистски, но очень помогает при манипулировании на раскаленной решетке). Для большего удобства закрепите таким же образом и верхнюю часть стеблей, в итоге у вас должно получиться нечто вроде «плота». При этом необходимо оставить между стеблями небольшой зазор, чтобы они могли запекаться равномерно.

Картошка: хорошо вымойте (чистить не надо), нарежьте на кольца толщиной не более 1 см, смажьте оливковым маслом или маринадом; время приготовления – от 7 до 10 минут.

Кукурузные початки: замочите початки в холодной воде на 30 минут, затем обсушите, смажьте маслом с какой-нибудь приправой, например чесночной солью, и запекайте на решетке, время от времени поворачивая, в течение 8–12 минут.

Лук: очистите от шелухи, нарежьте поперек на кружки толщиной 1–1,5 см, смажьте оливковым маслом, или маринадом, или сливочным маслом с добавлением пряностей; время приготовления – по 2–3 минуты с каждой стороны.

Морковь: маленькие запекайте целиком, крупные – нарезав вдоль или кубиками; время приготовления – около 10 минут.

Помидоры: можно запекать целиком или разрезав (сверху вниз) на половинки, разрезанную часть смажьте оливковым маслом или маринадом, запекайте разрезанной частью к решетке; крупные помидоры можно нарезать толстыми кружками поперек и смазать с обеих сторон; время приготовления – 4–5 минут с одной стороны и 1–2 минуты – с другой.

Свекла: обрежьте хвостики, смажьте растительным маслом или маринадом; время приготовления – от 15 до 20 минут.

Сладкий перец: можно запекать целиком или разрезав вдоль на половинки (в этом случае очистите половинки от плодоножки и семян) или поперек на кольца толщиной 2,5–3 см; нарезанные куски смажьте оливковым маслом или маринадом; время приготовления – 2–3 минуты.

Острый перец: нанижите стручки на металлическую шпажку и обжаривайте на сильном жару, поворачивая, как только кожица начнет чернеть и пузыриться. Не вздумайте при этом нюхнуть выделяющиеся при жарке пары! Семена и белые прожилки в перчиках чили не только более жгучие, чем мякоть, но при этом и менее ароматны. Перед употреблением их обычно удаляют.

Чеснок: отрежьте у головки чеснока корешок, смажьте ее оливковым маслом и запекайте отрезанной частью к решетке примерно 10 минут, пока шелуха не станет коричневой.

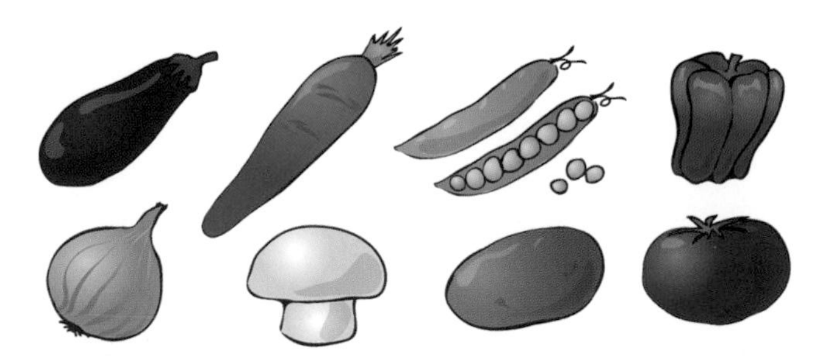

Рецепты

Баклажаны «Сюрприз»

4 баклажана
4 зубчика чеснока
маленький пучок петрушки
3 ст. ложки панировки
растительное масло
сливочное масло
соль, перец по вкусу

Вымойте и обсушите баклажаны, разрежьте их вдоль пополам, посолите и поперчите.
Мелко порубите чеснок и петрушку, смешайте с панировкой и хорошей порцией растительного масла, затем щедро смажьте этой смесью половинки баклажанов.
Приготовьте восемь кусков фольги, намажьте их с одной стороны сливочным маслом, положите сверху по половинке баклажана, плотно заверните фольгу и запекайте на решетке примерно 30 минут.

Баклажаны-барбекю

1 большой баклажан
0,5 стакана оливкового масла
2 зубчика чеснока
несколько капель соуса «Табаско»
соль по вкусу

Нарежьте баклажан на кружки толщиной 2–2,5 см, смажьте их с обеих сторон смесью оливкового масла, давленого чеснока, соуса «Табаско», соли и оставьте мариноваться примерно на час.
Запекайте на решетке до готовности.

Баклажаны с сыром и салатом

Этот рецепт широко распространен на юге Франции и в других странах по берегам Средиземного моря.

1 средний баклажан
ломтики сыра
зеленый салат

Для маринада:

оливковое масло
сок 1/2 лимона
3 зубчика чеснока
свежий базилик или другая зелень по вкусу
соль, перец по вкусу

Нарежьте баклажан кружочками толщиной 1–2 см. Смешайте в тарелке лимонный сок, соль, перец, давленый чеснок, оливковое масло, мелко нарезанный базилик или любую другую зелень по вкусу, обмакните с двух сторон в этой смеси кружочки баклажана и оставьте мариноваться не менее чем на 3 часа.
Приготовьте салат из листьев салата и заправку к нему (например, из лимонного сока, оливкового масла и сладкой горчицы).
Запекайте кружочки баклажана на решетке в течение примерно 5 минут с каждой стороны, смазывая оставшимся маринадом. В самом конце положите поверх запеченных баклажанов по ломтику сыра и посыпьте нарезанной зеленью.
Когда сыр начнет плавиться, снимите баклажаны с решетки и подавайте поверх разложенного по тарелкам и заправленного салата.

Секреты шефа

Для приготовления на барбекю выбирайте баклажаны не круглой или грушевидной, а цилиндрической формы – они пропекаются более равномерно. Причем, как и следовало ожидать, более нежными получаются баклажаны-«девочки» (от «мальчиков» их можно отличить по ямочке на противоположной от плодоножки стороне).

Для того чтобы придать запекаемым кружочкам баклажана более оригинальный вид, надо перед тем, как нарезать баклажан, превратить его в подобие «зебры», срезая кожицу вдоль плода не целиком, а полосками, через равные промежутки.

Заметки на полях

Американский фармацевт Вильбур Сковилл в 1912 году разработал оригинальную методику: раздавал дегустаторам различные сорта чили и замерял, сколько им требовалось подслащенной воды, чтобы запить жгучий перец. Сегодня уже никто не мучает дегустаторов. Жгучесть чили оценивают химически, по уровню содержания капсаицина. А вот шкала и единица измерения остроты перца и по сей день носят имя Сковилла. Нулем в этой шкале служит болгарский перец, а самый термоядерный перец в мире, включенный в Книгу рекордов Гиннесса, – хабанеро сорта Red Savina, оценивается в 577 тысяч единиц Сковилла. Для сравнения: максимально разрешенная концентрация капсаицина в слезоточивых газовых баллончиках – один миллион единиц Сковилла. Один миллиграмм капсаицина, попав на кожу, способен вызвать сильный химический ожог, сравнимый с ожогом от раскаленного железа.

Сорт перца	Жгучесть, ед. Сковилла
Болгарский перец, душистый перец (пимента)	0–100
Черри, нью-мексико, анахайм, Биг Джим	100–1000
Анчо, пасилья, эспаньола	1000–1500
Сандия, каскабель	1500–2500
Халапеньо, мирасоль, чипотле, поблано	2500–5000
Желтый восковой перец (венгерский), серрано	5000–15 000
Чиле де арболь	15 000–30 000
Ахи, кайенский перец, табаско	30 000–50 000
Сантака, тайский чили	50 000–100 000
Хабанеро, ямайский чили, Scotch Bonnet	100 000–350 000
Хабанеро Red Savina, индийский тезпур	350 000–855 000

Баклажаны с пармезаном

А это американский вариант подобного рецепта.

1 большой баклажан
натертый сыр пармезан

Для маринада:

2 ст. ложки винного уксуса
6 ст. ложек оливкового масла
2 зубчика чеснока
1/2 ч. ложки соли
1/2 ч. ложки свежемолотого черного перца
1/2 ч. ложки молотой паприки

Нарежьте баклажан толстыми кружочками. Смешайте ингредиенты маринада.

Выложите кружочки баклажана на разогретую решетку, смажьте маринадом и запекайте до готовности, примерно 15 минут, переворачивая и смазывая маринадом. Когда баклажаны будут готовы, переверните их в последний раз, смажьте маринадом и посыпьте натертым пармезаном.

Когда сыр начнет плавиться, снимите баклажаны с решетки и подавайте горячими.

Брюссельская капуста на решетке

Выложите кочанчики брюссельской капусты на решетку и запекайте до мягкости, смазывая каждые 5 минут смесью сливочного масла и чесночной соли.

Баба гануш

Это чрезвычайно популярное на Ближнем Востоке блюдо. В былые времена баклажаны для баба гануш запекали прямо на углях, теперь это можно делать на решетке гриля или в духовке. Это отличный гарнир, точнее, сопутствующее блюдо к жаренному на углях мясу или рыбе.

3 баклажана
2 зубчика чеснока
3 ст. ложки лимонного сока
3 ст. ложки оливкового масла
2 ст. ложки зерен кунжута
1 ст. ложка сухой паприки
1 ч. ложка черного перца
1 ч. ложка соли

Возьмите спелые баклажаны, желательно одинаковые по размеру. Вымойте их, вытрите и положите на смазанную растительным маслом решетку уже разогретого барбекю-котла. (Можно запечь баклажаны и на решетке в мангале или насадив на шампуры.) Когда баклажаны готовы, они как бы «сдуваются». Если хотите проверить, не сырые ли они, проткните их спицей или ножом. В запеченный баклажан нож входит, как в мягкое масло.

Оставьте баклажаны остывать. Тем временем высыпьте зерна кунжута на сковороду и обжарьте на слабом огне, помешивая, до бежевато-золотистого цвета.

Очистите баклажаны от кожицы, выложите их в блендер. Добавьте остальные ингредиенты и взбивайте 3–4 минуты.

Выложите получившуюся смесь в миску и полейте сверху небольшим количеством оливкового масла. Баба гануш по консистенции напоминает мусс или пасту. Ее едят, подхватывая хлебом, лавашем или питой.

Баклажаны и сладкий перец гриль

В качестве гарнира к мясу, рыбе или курице легко и просто приготовить овощи, запеченные на решетке. Они могут быть и прекрасной закуской, причем как в горячем, так и в холодном виде.

Сладкий перец лучше запекать, разрезав вдоль на половинки (не забудьте очистить перцы от плодоножки и семян). Баклажаны освободите от плодоножки и нарежьте вдоль толстыми, в мизинец толщиной, пластинами. Для маринада нам потребуются 0,5 стакана оливкового масла, 3–4 измельченных зубчика чеснока и несколько капель соуса «Табаско». Смажьте этой смесью нарезанные овощи с обеих сторон и оставьте мариноваться примерно на час.

Сначала выложите на решетку баклажаны – они готовятся дольше, чем сладкий перец.

Овощной салат «Дымок»

Этот салат, очень популярный на Кавказе, можно подавать и как горячую закуску, и как гарнир к основным блюдам. Но он не менее, если не более, вкусен и в холодном виде.

Запеките на решетке целиком баклажаны, сладкие перцы, помидоры и 1–2 острых перчика.

Очистите овощи от кожицы и порубите не очень мелко тяжелым острым ножом. По вкусу приправьте солью, растительным маслом, зеленью и, если хотите, мелко нарезанным репчатым луком.

Горячий овощной салат

Нарежьте цукини и баклажаны кружками, помидоры – четвертинками, сладкий перец – лодочками. По желанию можно добавить лук (четвертинками), морковь (толстенькими пластинками), любые другие овощи по вашему вкусу.

Смажьте овощи растительным маслом и запеките на решетке до появления первых подпалин.

Выложите салат на большое блюдо, не смешивая. Посолите, поперчите, посыпьте зеленью, заправьте растительным маслом и, по желанию, мелко нарезанным репчатым луком.

Подавайте в качестве горячей закуски, впрочем, и остывший салат будет не менее вкусен.

Горячий картофельный салат под соусом рокфор

12 средних красных картофелин (немногим более 1 кг)
2 пучка кресс-салата
3 стебля зеленого лука

Для соуса:

4 ст. ложки красного винного уксуса
1/2 ч. ложки сахарного песка
1 головка лука-шалота
2 ч. ложки дижонской горчицы
0,5 стакана оливкового масла
0,5 стакана сыра рокфор (или любого другого сыра с «плесенью»)
соль, перец по вкусу

Отварите картофель «в мундирах» почти до готовности в большом количестве подсоленной воды. Дайте остыть.

Тем временем приготовим соус. Размешайте сахар в винном уксусе, добавьте мелко нарезанный лук-шалот и горчицу. Постепенно, помешивая, влейте оливковое масло. Добавьте тщательно размятый вилкой сыр и, если надо, соль, поперчите по вкусу.

Не чистя, нарежьте картофелины на кружки, смажьте их оливковым маслом, посолите, поперчите. Обжарьте с двух сторон кружочки картофеля на решетке или в специальной корзинке для гриля.

Разложите на тарелках вымытые и освобожденные от стеблей листья кресс-салата, выложите поверх горячий обжаренный картофель, посыпьте нарезанным зеленым луком и полейте соусом.

Секреты шефа

Подготовленные для жарки овощи лучше перед тем, как отправить на решетку, замочить на полчаса в холодной воде – тогда они не пересохнут и останутся сочными.

Большинство овощей практически не содержат жира, а потому при жарке их надо смазывать растительным маслом или содержащим масло маринадом.

Солить приготовленные на барбекю овощи надо только перед тем, как выкладывать на блюдо, тогда же их можно слегка окропить бальзамическим уксусом или лимоном. Иначе они потеряют сок и будут при жарке прикипать к решетке.

Добавьте помидоры и майоран, и блюдо станет итальянским; вино и эстрагон – французским; сметану – русским; лимон и корицу – греческим; соевый соус – китайским; добавьте чеснок – и это сделает блюдо вкусным!

Алиса Мэй Брок,
американский ресторатор,
автор кулинарных книг

Заметки на полях

Тому, кто собрался сам приготовить молотый перец чили, советую вспомнить правила, которыми нас пичкали в школе на лабораторных занятиях по химии, когда учили, как обращаться с соляной и серной кислотой. Если еще помните эти правила, то можете дальше не читать – очень похоже!

Напоминаю для троечников и двоечников:

- *наденьте резиновые или пластиковые перчатки;*
- *не прикасайтесь к глазам и носу;*
- *когда мелете перец, старайтесь не вдыхать его пыль;*
- *после общения с чили намажьте руки растительным маслом, а затем тщательно вымойте с мылом;*
- *не забудьте также вымыть использованные кухонные принадлежности;*
- *закройте молотый перец в банку с притертой крышкой, обязательно надпишите банку (а еще лучше нарисуйте на ней череп с костями), чтобы потом, когда придется открыть, не попытаться от большого ума определить содержимое по запаху.*

Грибы, фаршированные сыром

4 больших гриба с плоской шляпкой
2 ст. ложки сливочного масла

Для фарша:

1 ломтик белого хлеба
1/4 стакана натертого сыра чеддер
по 1 ст. ложке нарезанного укропа, базилика и розмарина
1 зубчик чеснока
соль, перец по вкусу

Отрежьте корешки у грибов. В кухонном комбайне смешайте ножки грибов, белый хлеб без корок, сыр, чеснок и зелень. Посолите и поперчите фарш.
Смажьте шляпки грибов оливковым маслом, положите внутрь по 1/2 ст. ложки сливочного масла и запекайте на горячей решетке около 4 минут.
Снимите грибы с решетки, наполните шляпки фаршем и запекайте на решетке еще примерно 4 минуты.

Кукуруза, цукини, перцы и грибы на решетке

3 кукурузных початка
1 желтый сладкий перец
1 зеленый сладкий перец
1 красный перец
6 небольших цукини
300 г крупных шампиньонов
0,5 стакана растительного масла
1/4 стакана нарезанной свежей зелени
соль, перец по вкусу

Замочите початки кукурузы в холодной воде на 30 минут, затем оботрите полотенцем.
Смешайте растительное масло и зелень. Разрежьте цукини вдоль пополам. Смажьте цукини, перцы, грибы и початки смесью растительного масла и зелени, выложите на решетку и готовьте до мягкости. Посолите и поперчите по вкусу.

Кабачок и баклажан по-гречески

Смешайте маринад из 3 ст. ложек оливкового масла, 2 ст. ложек красного винного уксуса, 1 ст. ложки дижонской горчицы, 2 измельченных зубчиков чеснока, добавьте соль, перец по вкусу.
Баклажан и кабачок нарежьте кружками толщиной 0,5 см, смажьте маринадом и жарьте с двух сторон на решетке примерно 10 минут.
Выложите готовые овощи на блюдо, посыпьте сыром фета, полейте оставшимся маринадом и подавайте.

Помидоры по-бургиньонски

6 плотных средних помидоров
оливковое масло

Для заправки:

100 г сливочного масла
2 головки лука-шалота
1 зубчик чеснока
1 ст. ложка нарезанной петрушки
соль, перец по вкусу

Разрежьте помидоры пополам по горизонтали, очистите половинки от сока и семечек, посолите, поперчите, выложите на полотенце разрезанной частью вниз и оставьте так на 1 час.
Тем временем приготовьте масло «по-бургиньонски». Хорошенько смешайте с размягченным маслом мелко нарезанный лук-шалот и чеснок, затем добавьте соль, перец по вкусу и нарезанную петрушку. Поставьте в холодильник.
Смажьте половинки помидоров растительным маслом и запекайте на решетке 6–7 минут, аккуратно переворачивая и смазывая маслом.
Когда помидоры будут готовы, подавайте, положив в каждую половинку по шарику масла «по-бургиньонски».

Фаршированные сладкие перцы

3 сладких перца
небольшой кусочек свиного сала
2 ст. ложки растительного масла

Для фарша:

100 г цветной капусты
100 г брюссельской капусты
100 г брокколи
50 г моркови
50 г зерен кукурузы
соль, перец по вкусу

Подготовьте перцы: резким движением вдавите плодоножку внутрь перца и вытащите ее вместе с семенами. Очистите плодоножки от семян, но не выбрасывайте – они вам еще пригодятся. Осторожно очистите перцы от остатков семян и перегородок, стараясь не нарушить целостность стенок. Бланшируйте перцы, опустив их в кипяток на 10–20 секунд. Выложите их на тарелку и дайте остыть.

Фаршируйте перцы нарезанными овощами достаточно плотно, начинку посолите и поперчите. Вставьте плодоножку на место, чтобы начинка не вываливалась на решетку. Смажьте перцы растительным маслом.

Смажьте решетку кусочком сала, чтобы перцы не прилипали. Выложите их на решетку и закройте крышку барбекю-котла. Запекайте перцы до готовности, несколько раз осторожно перевернув их при помощи щипцов для гриля.

Аккуратно переложите перцы на блюдо, украсьте зеленью. Подавайте с майонезом или соусом тартар.

Лук с пивом

по 1 большой луковице на порцию
1 ст. ложка сливочного масла на луковицу
ваше любимое пиво

Очистите лук, оставив почти нетронутой нижнюю часть (надо только слегка подрезать хвостик, чтобы луковица могла стоять на решетке). Вырежьте сверху луковицы воронку, но не насквозь. Вложите в каждую луковицу по 1 ст. ложке масла и залейте пивом.

Заверните луковицы в фольгу и выложите на решетку. Запекайте на слабых углях 20–25 минут, пока лук не станет мягким.

Лук с кока-колой

То же самое, как в предыдущем рецепте, но только заменив пиво кока-колой.

Помидоры с травами

Выберите спелые, но твердые помидоры. Вырежьте в верхней части плодов небольшие воронки и заполните их смесью растительного масла, соли, перца, тмина, лаврового листа или других любимых приправ.

Запекайте на несильном жару примерно 15 минут.

Помидоры, фаршированные сыром и миндалем

4 больших помидора

Для фарша:

1,5 стакана домашнего сыра (или вымоченной брынзы)
3 ст. ложки плавленого сливочного сыра
3 ст. ложки обжаренного измельченного миндаля
1 ст. ложка нарезанного базилика
1 ч. ложка молотого тмина
3 ст. ложки измельченного красного сладкого перца
соль, перец по вкусу

Срежьте «крышечку» у помидоров, аккуратно извлеките из них середину. Половину мякоти измельчите, добавьте остальные ингредиенты фарша и хорошо перемешайте, посолите, поперчите.

Нафаршируйте помидоры и запекайте их на среднем жару примерно 10 минут.

Капуста – известный огородный овощ, примерно такой же большой и мудрый, как человеческая голова.

Амброз Бирс. Дневник Сатаны

Цукини с беконом

2 цукини среднего размера
24 тонких ломтика бекона
1 ч. ложка молотой паприки
растительное масло
соль, перец по вкусу

Цукини нарежьте вдоль полосками толщиной 1 см. Каждую полоску с обеих сторон смажьте растительным маслом и посыпьте смесью паприки, перца и соли. На каждую полоску цукини выложите по 2 ломтика бекона и скрепите деревянными шпажками.

Жарьте на фольге или на специальной решетке для гриля, сначала со стороны бекона – 1 минуту, затем с другой стороны – 2–3 минуты.

Секреты шефа

Для того чтобы легко очистить запеченные сладкие перцы от кожицы, поместите их в пластиковый пакет. Минут через пятнадцать развяжите пакет и снимите почерневшую кожицу под струей холодной воды или просто счистите ножом.

В отличие от маринадов, используемых для приготовления мяса и курицы, маринады для овощей можно затем подавать в качестве соуса без предварительного кипячения.

Несмотря на тонкий вкус, лук-резанец не рекомендуется использовать вместе со свежими овощами, обладающими собственным тонким специфическим вкусом, например, с молодым зеленым горошком, со спаржей, овощной фасолью и т.п. Он может подавить аромат и вкус этих овощей.

Спаржа – овощ, используемый как мера длины.

Пьер Данинос, французский юморист

Брошеты из тофу и овощей

400 г соевого сыра тофу
16 маленьких помидорчиков
1 желтый или зеленый сладкий перец
16 шляпок шампиньонов

Для маринада:

4 ст. ложки соевого соуса
2 измельченных зубчика чеснока
1 ст. ложка нарезанного свежего имбиря
(или 1/2 ч. ложки молотого имбиря)
3 ст. ложки оливкового масла
соль, перец по вкусу

Смешайте все ингредиенты маринада и оставьте в нем на несколько часов кубики плотного соевого сыра тофу.
Нанижите, перемежая, на вымоченные предварительно в воде деревянные шпажки (брошеты) кусочки тофу и примерно равные по размеру кусочки сладкого перца, маленькие помидоры и шляпки шампиньонов, смажьте маринадом и запекайте на решетке примерно по 5 минут с каждой стороны.
Подавайте с рисом и спаржей.

Спаржа на решетке

Обломите затвердевшие концы стеблей, замочите стебли в холодной воде на полчаса-час.
Насухо оботрите и смажьте спаржу растительным маслом или маринадом, выложите на решетку. Переворачивайте ежеминутно. Снимайте, когда мясистые белые части стебля начнут коричневеть.

Сладкие перцы и цукини на решетке

2 желтых сладких перца
2 зеленых сладких перца
1 цукини

Для маринада:

2 ст. ложки растительного масла
2 ст. ложки белого винного уксуса
2 ст. ложки измельченной зелени
1/2 ч. ложки сахара
соль, молотый черный перец по вкусу

В глубокой миске смешайте растительное масло, уксус, зелень, сахар, соль, черный перец. Перец нарежьте на длинные и довольно широкие полоски, цукини – на кружочки толщиной 1–1,5 см и залейте маринадом.
Через полчаса выложите овощи на решетку и запекайте до мягкости. Подавайте с оставшимся маринадом.

Шампиньоны на решетке

400 г свежих шампиньонов
сливочное масло (или оливковое)
лимон
соль, перец по вкусу

Хорошо промойте шампиньоны, отрежьте у них ножки. Аккуратно обсушите грибы полотенцем и сбрызните их лимонным соком – чтобы не почернели. Положите грибы шляпками вниз и смажьте внутреннюю часть шляпок небольшим количеством масла. Посолите, поперчите.
Запекайте шампиньоны на решетке шляпками вниз в течение 10–15 минут. В последний момент переверните грибы шляпками вверх, смажьте их небольшим количеством масла и подавайте.

Кабачки на решетке

1 средний кабачок

Для маринада:

0,5 стакана оливкового масла
2 зубчика чеснока
несколько капель соуса «Табаско»
соль по вкусу

Нарежьте кабачок кружочками толщиной 2–2,5 см, смажьте кружочки с обеих сторон смесью из оливкового масла, давленого чеснока и соуса «Табаско» и оставьте мариноваться примерно на час.
Запекайте на решетке до готовности, до появления хрустящей корочки.

Кабачки в папильотах

8 небольших кабачков
1 пучок петрушки
2 зубчика чеснока
4 ст. ложки оливкового масла
соль, перец по вкусу

Вымойте и обсушите кабачки. Срежьте у них кончики и плодоножки, но от кожи чистить не надо. Смешайте нарезанную петрушку, давленый чеснок с оливковым маслом.
Выложите по 2 кабачка на 4 листа плотной фольги, смажьте кабачки масляной смесью, посолите, поперчите, затем плотно заверните фольгу, выложите получившиеся папильоты на решетку и жарьте на довольно сильном жару примерно 10 минут, часто переворачивая.
Подавайте, не разворачивая фольгу, – каждый развернет свой папильот сам. Приготовленные таким манером кабачки – прекрасный гарнир к любому жареному мясу.

Секреты шефа

Грибы нельзя хранить или готовить в медной посуде. Никогда не мойте и не замачивайте лесные грибы, они мгновенно впитывают влагу и начинают расползаться. Достаточно протереть влажной тряпочкой шляпки, остальное за вас сделает жар от углей.

Рецепты

Маринованный лук

Это острый и ароматный гарнир к мясным блюдам: всевозможным шашлыкам, кебабам, отбивным из свинины, баранины, говядины. Можно подать его к куриным шашлычкам или запеченной на решетке курице.

Лучше всего для такого гарнира подойдут сладкие салатные сорта лука: лиловый или белый. Возьмите лук (из расчета 1/2 луковицы на порцию) и нарежьте тонкими кольцами. Положите в дуршлаг и обдайте кипятком. Выложите лук в миску и дайте ему немного остыть. Посолите, поперчите, добавьте немного сахарного песка, лимонного сока и хорошенько перемешайте. Для красоты добавьте немного нарезанной зелени (кинза, укроп, петрушка). Можете добавить по вкусу соевый соус.

Если хотите приготовить запас маринованного лука, то воспользуйтесь таким рецептом. Репчатый лук нарежьте кольцами, посыпьте сахаром, помните руками и оставьте на 1–2 часа, чтобы лук дал сок. Затем залейте 3 %-ным уксусом, добавьте гвоздику, душистый перец, разложите по стеклянным банкам, поставьте их в холодильник примерно на 5 дней. На 1 кг лука в среднем берется 2 шт. гвоздики и 5 горошин душистого перца. Степень готовности можно определить по нежно-розовому цвету или на вкус – лук должен потерять горечь и специфический аромат.

Чеснок-барбекю

8 головок чеснока
4 ч. ложки сливочного масла
свежий или сухой розмарин (или базилик)

Обрежьте у чесночных головок корешки, выложите их на плотную или свернутую вдвое фольгу, добавьте сливочное масло и приправы. Если нет свежей зелени, ее можно заменить сушеной – из расчета 2 ч. ложки на 8 головок.

Плотно заверните чеснок в фольгу и запекайте примерно 45 минут на решетке, время от времени переворачивая пакет щипцами.

Чесночный хлеб

Смешайте 200 г размягченного сливочного масла с 4 давлеными зубчиками чеснока, 3 ст. ложками нарезанной петрушки и 1/2 ч. ложки измельченного (дробленого) черного перца.

Нарежьте батон-багет по диагонали на ломти толщиной примерно 1,5 см.

Намажьте чесночным маслом ломти хлеба с обеих сторон и жарьте на решетке – там, где поменьше жара, – от 1 до 3 минут с каждой стороны до золотистой корочки.

Никуда не отходите от жаровни – хлеб подгорает очень быстро!

Одной луковицы достаточно, чтобы заставить человека плакать, но еще пока не изобретен овощ, который заставлял бы людей смеяться.

Уил Роджерс, американский юморист

Секреты шефа

Как правило, овощи надо запекать медленно, на не очень жарких углях или на краю решетки, подальше от сильного жара. Принцип здесь такой: серединка должна пропечься до того, как овощи пригорят снаружи.

Картофель в фольге

4 большие картофелины
100 г натертого сыра грюйер
4 ст. ложки сметаны
соль, перец по вкусу

Тщательно вымойте клубни, насухо оботрите и разрежьте пополам. Острым ножом вырежьте в половинках углубления, не доходя примерно на 1 см до «шкурки».
Смешайте в блендере половину вырезанного сырого картофеля с сыром и сметаной, посолите, поперчите по вкусу.
Наполните половинки получившимся фаршем, соедините между собой половинки и плотно оберните картофелины фольгой и запекайте на решетке или прямо в остывающих углях примерно 35 минут.
Подавайте, не разворачивая фольгу, – каждый расправится со своей картофелиной сам. Если вы подадите к этому поджаренные на решетке ломти ветчины и смазанный чесноком и оливковым маслом обжаренный хлеб, у вас получится неплохое меню!

Шампиньоны с чесноком

12 шампиньонов с большими шляпками
60 г сливочного масла
1 ст. ложка нарезанной петрушки
2 зубчика чеснока
2 ст. ложки оливкового масла
2 щепотки молотого кориандра
соль, перец по вкусу

Отрежьте от шампиньонов ножки (они вам пригодятся для супа или соуса). Вымойте и обсушите грибы.
Смажьте шляпки оливковым маслом, выложите на решетку выпуклой частью вниз и жарьте на умеренном жару примерно 4 минуты. Затем переверните, еще раз смажьте оливковым маслом и жарьте еще 4 минуты.
Смешайте размягченное сливочное масло с давленым чесноком, молотым кориандром и мелко нарезанной петрушкой. Положите внутрь каждой шляпки понемногу масляной смеси и запекайте еще 2 минуты.
Посолите, поперчите и подавайте грибы горячими.

Секреты шефа

Молодую картошку можно запекать завернутой в плотную или сложенную вдвое фольгу. Выберите клубни одного размера, хорошо их вымойте и обсушите, смажьте растительным или сливочным маслом, слегка приправьте чесноком и укропом и запекайте на решетке 35–40 минут, время от времени переворачивая пакет из фольги. Упакованный таким образом картофель можно запекать и в остывающих углях.

Есть и другой вариант приготовления молодой картошки. Отварите ее, не чистя, в подсоленной воде почти до готовности, смешайте сливочное масло, давленый чеснок, нарезанный укроп и петрушку, смажьте этой смесью картофелины и подрумяньте их на решетке.

Шашлык из картошки с курдючным салом

Выберите небольшие клубни примерно одного размера, хорошо их вымойте и отварите, не чистя, в подсоленной воде почти до готовности. Дайте остыть.
Разрежьте каждую картофелину на две части и вложите между половинками ломтик курдючного сала.
Нанижите подготовленный таким образом картофель на шампуры, посолите, поперчите и перед подачей хорошенько подрумяньте над углями.

Белые грибы на решетке

12 белых грибов
80 г сливочного масла
1 головка лука-шалота
1 зубчик чеснока
1 ст. ложка нарезанной петрушки
2 ст. ложки оливкового масла
соль, перец по вкусу

Выберите крепкие, одинаковые по размеру грибы. Отрежьте от них ножки (они вам пригодятся для супа или соуса). Мыть грибы не надо! Достаточно протереть шляпки влажной салфеткой и обсушить.

Смажьте шляпки оливковым маслом, выложите на решетку выпуклой частью вниз и жарьте на умеренном жару примерно 15 минут. Затем переверните, еще раз смажьте оливковым маслом и жарьте еще 15 минут. Грибы должны потерять бо́льшую часть влаги, но ни в коем случае не подгореть.

Тем временем смешайте размягченное сливочное масло с давленым чесноком и мелко нарезанной петрушкой, добавьте соль и перец. Положите внутрь каждой шляпки понемногу масляной смеси и запекайте еще примерно 10 минут.

Подавайте грибы горячими. (Если вы захотите попробовать этот рецепт под грилем внутри духовки, то советую присыпать грибы небольшим количеством панировки.)

Помидоры в папильотах

6 помидоров
оливковое масло
прованские травы
крупная соль

Смажьте помидоры оливковым маслом, посолите крупной солью, посыпьте прованскими травами и выложите их на плотную или свернутую вдвое фольгу.

Плотно заверните фольгу и запекайте примерно 15–20 минут на решетке.

Подавайте в качестве гарнира.

Кукуруза по-американски

4 початка кукурузы
1 л молока
сливочное масло
соль, перец по вкусу

Выберите свежие початки понежнее, очистите их, а зеленые листки сохраните.

Положите початки в кастрюлю, залейте молоком и варите примерно 10 минут на слабом огне. Снимите с огня, обсушите, смажьте маслом и оберните каждый початок в зеленые листья.

Жарьте на решетке на несильном жару примерно 30 минут. Листья понемногу начнут обгорать, но зерна кукурузы от этого не пострадают.

Снимите обгоревшие листья и подавайте запеченные початки на отдельных тарелках. Солить, перчить, добавлять масло гости должны сами.

Шашлык для вегетарианцев

12 маленьких помидоров
1 цукини
1 сладкий перец
1 луковица
2 головки брокколи
8 стрелок зеленого лука

Для маринада:

2 ст. ложки соевого соуса
2 ч. ложки меда
0,5 стакана апельсинового сока
соль, перец по вкусу

Нарежьте на примерно одинаковые по размеру кусочки цукини, сладкий перец, репчатый лук и брокколи. Стрелки лука нарежьте на кусочки длиной примерно 2,5 см.

Нанижите вперемежку на вымоченные предварительно в воде деревянные шпажки (брошеты) помидоры, нарезанные овощи и зеленый лук.

Смажьте подготовленные брошеты маринадом и запекайте на решетке 6–7 минут, часто переворачивая и смазывая маринадом.

Секреты шефа

Когда запекаете кукурузные початки, не отрывайте, а аккуратно отогните вниз покрывающие их листья, свяжите кончики листьев – и у вас получится ручка, за которую удобно поворачивать початок на решетке. Чтобы «ручка» не загорелась, подстелите на край мангала лист фольги.

Секреты шефа

Когда готовите грибы, добавьте в самом конце немного чеснока – это усилит грибной аромат, а сам чеснок, как это ни странно, чувствоваться не будет.

Когда в холодную погоду
вылезаешь из бассейна,
то чувствуешь себя
недоразмороженным овощем.

Женевьева Бризак, французская писательница

Рулеты из виноградных листьев с козьим сыром

12 больших виноградных листьев
300–350 г молодого козьего сыра
0,5 стакана оливкового масла
4 ч. ложки нарезанной зелени тимьяна
3/4 ч. ложки грубомолотого черного перца
6 больших помидоров
30 черных маслин
12 ломтиков белого хлеба

Для заправки:

4 ст. ложки оливкового масла
2 ст. ложки бальзамического уксуса
2 ч. ложки дижонской горчицы

Смешайте 0,5 стакана оливкового масла с нарезанной зеленью тимьяна (чабреца) грубомолотым (дробленым) черным перцем горошком.

Выложите сполоснутые и обсушенные виноградные листья на кухонную доску жилкой вверх (консервированные виноградные листья можно купить в магазине или на рынке). Козий сыр продается обычно в виде небольших округленных «палочек» по 100–125 г каждая; такую палочку надо разрезать вдоль на 4 части (или нарезать от куска брусочки сыра, не превышающие по длине размеры виноградного листа).

Обмакните каждый брусок сыра в смесь оливкового масла со специями и выложите на виноградный лист. Заверните сыр в рулеты из виноградных листьев, слегка смажьте масляной смесью, накройте и поставьте в холодильник не менее чем на 1 час. Все эти операции можно проделать накануне и хранить заготовки рулетов в холодильнике.

Незадолго до готовки смешайте заправку из оливкового масла, уксуса и горчицы, приправьте ее солью и перцем. Нарежьте помидоры тонкими кружочками, выложите на блюдо, сбрызните заправкой и посыпьте половиной крупно нарезанных маслин.

Обжарьте подготовленные рулеты на решетке примерно по 2 минуты с каждой стороны, пока виноградные листья не покоричневеют, а сыр не начнет плавиться.

Выложите готовые рулеты на блюдо поверх кружочков помидоров, посыпьте оставшимися нарезанными маслинами, сбрызните оставшейся заправкой. Подавайте с обмазанными остатком масляной смеси и подрумяненными на решетке тостами.

Рататуй-барбекю

1 баклажан
1 цукини
1 кабачок
1 средняя луковица
1 банка консервированных томатов (500 г)
0,5 стакана нарезанной петрушки
0,5 стакана нарезанного базилика
3 ст. ложки оливкового масла
2 зубчика чеснока
соль, перец по вкусу

Баклажан нарежьте кружками толщиной 1,5 см, цукини и кабачок – пополам в длину, луковицу – на 4 части. Смажьте нарезанные овощи и жарьте на решетке: нанизанный на шпажку лук – 8–12 минут, баклажан, цукини, кабачок – 16–18 минут. Снимите обжаренные овощи с решетки и дайте остыть.

Нарежьте баклажан на кубики, а остальные овощи на тонкие ломтики. Поставьте на решетку большую сковороду, влейте оставшееся оливковое масло, обжарьте в нем измельченный чеснок, а затем потомите в течение 30 минут на небольшом огне помидоры, обжаренные овощи, петрушку.

В последний момент добавьте нарезанный базилик, соль, перец по вкусу, хорошо перемешайте и подавайте рататуй с отварным рисом.

Десерт с пылу с жару

Только вспомни всех этих женщин
на борту «Титаника», которые в тот вечер сказали:
«Спасибо, десерта не надо». И чего ради?

Эрнестина Улмер,
американская юмористка

Не просто накормить, но и удивить

Ананасы в шампанском!
Ананасы в шампанском!
Удивительно вкусно,
искристо и остро!

Игорь Северянин

Готовя на барбекю лишь традиционные блюда, например шашлык или куриные грудки, вы всегда рискуете. Ведь среди гостей может оказаться какой-нибудь не особо деликатный господин, который, отведав ваше угощение и сквозь зубы похвалив повара, начнет потом рассказывать о своих рецептах маринования и жарки поданного блюда. А это примерно то же самое, как, выслушав анекдот и для вежливости улыбнувшись, заявить рассказчику, что вы знаете другую концовку услышанного анекдота, и незамедлительно осчастливить присутствующих своей версией. Вряд ли найдется более верное средство нажить себе врага в мужской компании. Точно так же, как лучший способ разгневать женщину – это восхититься платьем ее лучшей подруги.

Вы можете целый день коптиться у жаровни, пытаясь не уронить сквозь решетку гамбургеры, колдуя над куриными крылышками или стейками семги. Но чем вы точно поразите ваших гостей, так это подав в завершение десерт, приготовленный на барбекю. Тем более что в жаровне наверняка еще остались горячие угли.

Прежде чем приступить к готовке, не забудьте хорошенько почистить решетку – пригоревший жир от бараньих отбивных или чешуя от семги вряд ли улучшат вкус и аромат вашего десерта. А чтобы фрукты не прикипали к решетке, не забудьте ее смазать дезодорированным растительным маслом. Но лучше не оливковым – у него слишком резкий для такого дела запах.

Фрукты идеально подходят для барбекю, только надо научиться их правильно готовить. Любой плод почти целиком состоит из воды и сахара, и вы, обжаривая кусочки фруктов при высокой температуре, одновременно аккумулируете, концентрируете их вкус: выпариваете жидкость

Секреты шефа

Если при приготовлении соусов и маринадов для фруктов вы используете алкогольные напитки, будьте осторожны: когда вы выложите фрукты на решетку, алкогольные пары могут вспыхнуть.

Работа – это мясо жизни, а удовольствия – ее десерт.

Берти Чарльз Форбс, основатель журнала Forbes

Заметки на полях

Как выбрать ананас? Прежде всего, вдохните его аромат. Если запах свежий и сладкий, берите не раздумывая. Если сильный и слегка пьянящий, то, вернее всего, плод уже начал портиться и пошел процесс брожения.

На ощупь ананас должен быть упруг. Если же он мягок и податлив, то может оказаться слегка подкисшим. Об этом же говорит и налет плесени на плодоножке.

«Потрепите» ананас за его пушистый хохолок. Он должен крепко держаться на макушке. Если листья легко выдергиваются, это свидетельствует о начавшемся необратимом процессе разложения плода. Лучше не рисковать.

Учтите, что мелкие ананасы, как правило, слаще больших. Ананасы не любят холода, поэтому не стоит долго хранить их в холодильнике.

Секреты шефа

Если хотите украсить ананас поперечными полосками от решетки, поворачивайте кружки на 60° и обжаривайте по 2–3 минуты после каждого поворота.

и повышаете уровень сахара. При этом сахар постепенно кристаллизуется, образуя на поверхности золотистую солнечную корочку, крепко запечатывающую сок и аромат плода.

Легче всего управляться с твердыми по своей консистенции плодами, вроде яблок и груш, – при термической обработке они хорошо держат форму. Более мягкие – персики, нектарины, киви, сливы и манго, – если их передержать на огне, быстро размякают и легко превращаются в неаппетитное месиво, а потому требуют пристального внимания. Если учесть эти маленькие особенности, то соорудить фруктовый десерт не так уж и сложно. Хотя почему обязательно десерт: приготовленные на решетке фрукты – это и необычная закуска, и великолепный гарнир ко многим блюдам.

Проще всего приготовить на десерт ананас. Он хорош запеченный и сам по себе, и с самыми разными и неожиданными ингредиентами и приправами. Например, в сочетании с... давленым черным перцем. На 4 порции потребуются соответственно 4 кружка свежего ананаса и ваше любимое мороженое. А еще особая глазурь, которую вы можете приготовить сами. Тщательно перемешайте в небольшой кастрюле 150 мл свежевыжатого апельсинового сока, 1 ст. ложку меда, 1 ст. ложку свежевыжатого сока лайма и 2 ч. ложки крахмала (лучше кукурузного), доведите до кипения и выдержите на небольшом огне 1–2 минуты, пока не загустеет. Снимите с огня и оставьте на краю решетки.

Посыпьте кружки ананаса с обеих сторон дробленым перцем и слегка примните, чтобы крошки перца «впечатались» в мякоть. Сдвиньте угли на одну сторону жаровни и запекайте кружки ананаса там, где поменьше жара, в течение 6–8 минут с каждой стороны, пока на них не появятся отчетливые полоски от решетки. Подавайте, полив теплой глазурью, с мороженым и охлажденным полусухим шампанским.

Рецепты

Между хорошим обедом и долгой жизнью только та разница, что за обедом сладкое подают в конце.

Роберт Стивенсон

Ананас по-гваделупски

Этот рецепт я получил от автора «Библии барбекю» Стивена Райклэна.

1 зрелый золотистый ананас
1 банка кокосового молока без сахара
1–1,5 стакана сахарного песка
1 ч. ложка молотой корицы
1 кг ванильного мороженого
веточки свежей мяты

Очистите ананас и нарежьте на дольки-кружки толщиной 2 см, удалите сердцевину. Кружки ананаса с обеих сторон смажьте кокосовым молоком и посыпьте смесью корицы с сахарным песком.

Выложите кружки на решетку и жарьте по 4–6 минут с каждой стороны на средних углях, пока поверхность кружков не станет золотисто-коричневой.

Подавайте с мороженым, украсив веточками мяты.

Ананасы «Калипсо»

1 ананас
ванильное мороженое

Для соуса «Калипсо»:

0,5 стакана вустерского соуса
0,5 стакана меда
0,5 стакана сливочного масла
0,5 стакана коричневого сахара
0,5 стакана темного рома

Смешайте в кастрюльке ингредиенты соуса. Подогрейте (но не доводите до кипения), пока сахар весь не растворится, а получившийся сироп слегка не загустеет. Оставьте остывать.

Очистите ананас от кожуры, нарежьте поперек на одинаковые кружки толщиной примерно 2 см, смажьте соусом, выложите на решетку и жарьте на средних углях, пока поверхность кружков не станет золотисто-коричневой.

Подавайте с мороженым и оставшимся соусом.

Ананасы фламбэ

Очистите ананас от кожуры, нарежьте поперек на одинаковые кружки толщиной 1,5–2 см и положите их на 15–20 минут в соус-маринад из рома, коричневого сахара, лимонного сока и корицы.

Перед тем как выкладывать кружки ананаса на решетку, обязательно дайте соусу-маринаду стечь.

Запекайте, пока поверхность кружков не станет золотисто-коричневой.

Подавайте, украсив шариками мороженого, дроблеными орехами, шоколадным или иным соусом, вареньем и т.п.

Ананас и груша с английским соусом

1 банка (800 мл) консервированных кружков ананаса
2 спелые, но крепкие груши
свежие ягоды
растительное масло

Для соуса:

200 мл сливок (30%)
1 палочка ванили
1 желток
2 ч. ложки сахарного песка

В небольшой кастрюльке доведите сливки до кипения, добавьте палочку ванили, снимите кастрюльку с огня. Взбейте в чашке яичный желток вместе с сахарным песком до полного растворения сахара. Тщательно смешайте получившуюся смесь с горячими сливками и оставьте в тепле.

Кружки ананаса обсушите от сиропа, грушу нарежьте на дольки, слегка смажьте растительным, не имеющим резкого запаха маслом и запекайте на средних углях: ананас – примерно по 1,5–2 минуты с каждой стороны, грушу – не более 1 минуты.

Вылейте на разогретые тарелки теплый соус, выложите запеченные фрукты и украсьте блюдо свежими ягодами.

Если вы купили неспелые бананы, то к моменту созревания их уже не останется. Если вы их купили спелыми, бананы испортятся до того, как их успеют съесть.

Суфле поднимается и сливки взбиваются только при приготовлении обеда для гостей, которых вы на самом деле и не хотели приглашать.

Из законов Мэрфи для кухни

А что нам дадут на третье?

> Десерт без сыра – все равно что красавица без одного глаза.
>
> *Ансельм Брийа-Саварэн*

Секреты шефа

Деревянные шампуры или шпажки, перед тем как нанизывать на них фрукты, необходимо не менее чем на полчаса замочить в холодной воде. Тогда они не будут загораться на решетке и «высасывать» соки из готовящихся на них фруктовых шашлычков.

Нарезанные загодя кусочки фруктов надо положить в подкисленную лимоном (1 ч. ложка на стакан) холодную воду, чтобы они не потемнели и сохранили свою сочность.

Некоторые фрукты можно запекать целиком, но чаще их готовят нарезанными на кусочки или пластины. Бананы обычно разрезают в длину на две части, ананасы – на кружки, яблоки, груши, нектарины, персики – на половинки, из которых удаляют сердцевину или косточку. При этом по возможности надо сохранять кожицу – она не дает фрукту растекаться и терять сок. Надо помнить, что содержащийся во фруктах сахар имеет вредную привычку подгорать, а потому большинство фруктов (в особенности насыщенные влагой, такие, как ананасы и цитрусовые) надо готовить очень быстро. Яблоки, персики и нектарины горят менее охотно, но это тоже не повод, чтобы подвергать их кремации. При желании можно приготовить на решетке даже апельсины. Для этого их надо очистить от кожуры, нарезать толстыми кружками и смазать подходящим сиропом-маринадом. Или же запекать целиком (но тоже очищенными), завернув поштучно в фольгу.

Когда фрукты уже находятся на разогретой решетке, их обычно смазывают смесью растопленного сливочного масла и меда или другим соусом. В масло вы можете также добавить различные специи, например тертый мускатный орех, душистый перец, гвоздику, корицу, ваниль, имбирь и прочие подходящие для десерта отдушки. Поскольку большинство фруктов и так имеют высокое содержание сахара, добавлять сахарный песок или пудру, как правило, не требуется. Но если все-таки захотите сделать десерт послаще, то делайте это с осторожностью, так как сахар горит быстро и охотно.

И наконец, из кусочков различных фруктов и целых, небольших по размеру ягод, если нанизать их на предварительно вымоченные в воде деревянные шпажки (брошеты), можно соорудить очень вкусные и к тому же красивые фруктовые шашлычки. Эту процедуру легко превратить в настоящий аттракцион для гостей. Поставьте перед ними прозрачную стеклянную миску с уже нарезанными фруктами и предложите им самим нанизать на деревянные шпажки то, что они предпочитают по вкусу и цвету. Но учтите, что нарезанные фрукты быстро начинают темнеть, теряя при этом «товарный вид» и свои полезные свойства. Поэтому подобные фруктовые икебаны лучше сооружать непосредственно перед готовкой.

Но есть и еще более простой способ приготовления фруктового десерта – в папильотах. Возьмите листы плотной алюминиевой фольги (или сложенной в несколько слоев тонкой), выложите на них кусочки разных фруктов, посыпьте наломанным шоколадом и заверните все поплотнее, чтобы сок не вытекал. Такие алюминиевые папильоты можно сделать «персональными» или на компанию из 4–6 человек. Запекать эти конструкции надо на решетке (или прямо на углях, если они уже совсем ослабли). Минут через 10–15 (в зависимости от жара) снимите папильоты с огня, аккуратно откройте фольгу и дайте десерту немного остыть, чтобы взирающие на все это гости не обожгли от нетерпения языки.

Десерт, возможно, самый важный момент обеда, поскольку это последнее, о чем гости будут помнить, выходя из-за стола.

Уильям Пауэл, голливудский актер

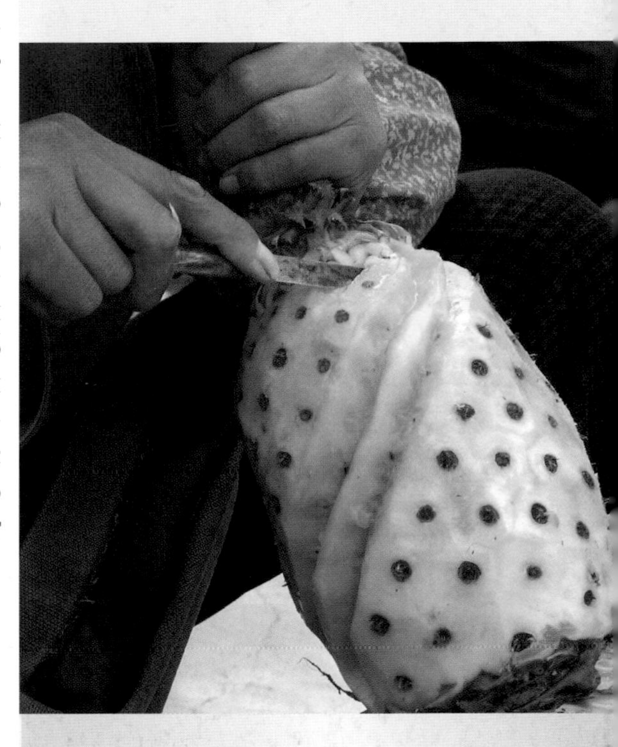

Секреты шефа

Грейпфрут не только незаменимый ингредиент экзотических салатов, фруктовых коктейлей и прочих десертов. Его сок идет в маринад для рыбы. Но и этого мало. Вы не пробовали грейпфрутовые чипсы? Смажьте маслом и запеките на крае решетки тонкие кружочки грейпфрута – они хороши и как закуска под аперитив, и как гарнир к приготовленной на гриле рыбе.

Но настоящий десерт, как считают понимающие в этом толк люди, немыслим без сыра, который, как это вам ни покажется странным, тоже можно запечь на решетке. Действительно, некоторые виды сыров, например бри, камамбер и им подобные, с честью выдерживают огневое крещение. Я не говорю уже о ставшем в последнее время популярном среди приверженцев вегетарианства соевом сыре тофу, который жарится на углях легко и без затей.

А вот еще один простой и в то же время оригинальный рецепт. Возьмите уже немного вызревший, но несоленый сыр сулугуни, нарежьте его на прямоугольные брусочки толщиной 4–5 см, нанижите их на широкий, как для люля-кебаба, шампур. Слегка припудрите ваш сырный «шашлык» сладкой паприкой и запекайте над несильными углями, пока сулугуни не станет плавиться, а паприка на его поверхности не начнет расплываться красивым мраморным узором. Не прозевайте этот краткий миг и снимайте сыр с шампура заранее нарезанными кусками тонкого лаваша.

Надеюсь, я уже убедил вас не оставлять гостей без десерта? Но пусть приятная возможность удивить не лишает вас приятности общения с гостями и семьей. Выбирайте несложные и быстрые в приготовлении рецепты, а все заготовки делайте по возможности заранее.

Рецепты

Запеченные фаршированные яблоки

Для запекания годятся любые крупные яблоки, но вкуснее всего получаются антоновка и симиренка. Отрежьте верхнюю часть у яблок, вырежьте у них сердцевину, не повредив «донца».

Приготовьте начинку из нарезанных колечками бананов и варенья, например абрикосового (или любого другого, по вашему вкусу), положите начинку внутрь и прикройте яблоки «крышечкой».

Выложите фаршированные яблоки на плотную или свернутую вдвое фольгу, прикройте сверху другим листом фольги и плотно заверните края. Проделайте вилкой сверху небольшие отверстия.

Аккуратно перенесите ваш «пакет» с яблоками на разогретую решетку и запекайте на несильном жару в течение 25–30 минут.

Брошеты из фруктов

4 кружочка ананаса (свежего или консервированного)
2 яблока
2 груши
2 персика или нектарина
2 банана

Для соуса-маринада:

2 ст. ложки растительного масла
2 ст. ложки коричневого сахара
2 ст. ложки лимонного сока
1 ч. ложка молотой корицы

Смешайте все ингредиенты соуса-маринада до полного растворения сахара.

Нанижите, перемежая, одинаковые по размеру кусочки фруктов на предварительно вымоченные в воде деревянные шпажки (брошеты), смажьте маринадом и запекайте на решетке примерно 6–8 минут, пока фрукты не начнут приобретать коричневый оттенок.

Чернослив с начинкой

250 г чернослива без косточек
200 мл сухого шерри-бренди
200 г мягкого сыра
сливочное масло
свежемолотый черный перец по вкусу

Чернослив ополосните кипятком, просушите, залейте шерри-бренди и оставьте в нем томиться на 30 минут. Сыр нарежьте кубиками.

Выньте чернослив из шерри-бренди, вложите внутрь каждой ягоды кубик сыра и положите в форму из плотной фольги, смазанную сливочным маслом. Запекайте на решетке, пока сыр не начнет плавиться.

Готовое блюдо поперчите и подавайте к столу в горячем виде.

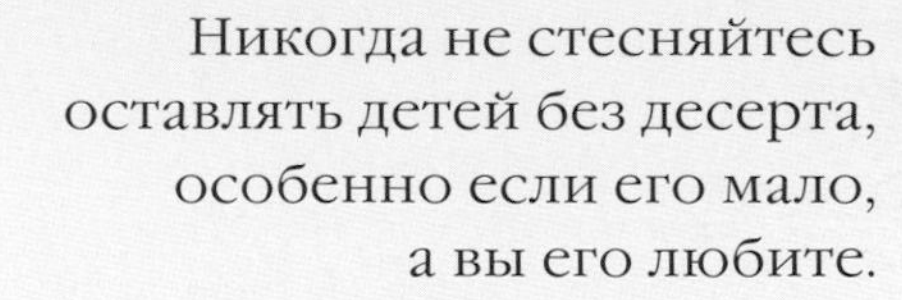

Никогда не стесняйтесь оставлять детей без десерта, особенно если его мало, а вы его любите.

Фредерик Дар, французский писатель

Фрукты на шпажках

В металлической кружке или маленькой кастрюльке смешайте 3 ст. ложки сахарного песка и 6 ст. ложек воды. Слегка подогрейте, пока весь сахарный песок не растворится, а получившийся сироп не загустеет. Оставьте остывать.

Нарежьте одинаковые кубики из ананаса, яблок, персиков, дыни, манго и т.д., возьмите целые ягоды клубники, винограда, крыжовника и т.д. Нанижите, перемежая, на предварительно вымоченные в воде деревянные или металлические шпажки кубики фруктов и целые ягоды.

Добавьте в остывший сироп любой из любимых спиртных напитков (коньяк, шерри, десертное вино, ликер и т.д.), перемешайте, смажьте этой смесью приготовленные фруктовые шашлычки и оставьте пропитываться.

Перед готовкой смажьте еще раз и запекайте над углями, часто поворачивая, пока поверхность фруктов и ягод не начнет карамелизоваться.

Запеченные яблоки и бананы

4 больших яблока
4 банана

Для начинки:

1/4 стакана сахарного песка
1 ст. ложка жидкого меда
1 ч. ложка корицы
1/2 ч. ложки молотого мускатного ореха
3 ст. ложки сливочного масла
1 ст. ложка изюма
1 ст. ложка дробленых орехов

Вырежьте сердцевину у яблок, не повредив у них «донца». Наполните яблоки смесью, заверните в алюминиевую фольгу и запекайте на углях, изредка переворачивая, пока не станут мягкими, – на это на слабых углях уйдет около получаса.

Когда пройдет около 15 минут, выложите на решетку бананы в кожуре, и они поспеют одновременно с яблоками.

Когда фрукты будут готовы, откройте фольгу, вскройте кожуру бананов и подавайте с сахарной пудрой и сливками.

Фруктовый торт со сливками

Удалите сердцевину из яблока и груши, очистите их от кожицы, нарежьте кубиками. Бананы и киви очистите и тоже нарежьте кубиками. Разделите сливы, персики или нектарины на половинки, извлеките косточки.

Смажьте форму из плотной фольги сливочным маслом. Посыпьте нарезанные фрукты сахарным песком, выложите в форму и перемешайте. Поставьте форму с фруктами на решетку барбекю-котла и запекайте на среднем жару под крышкой в течение 15–20 минут.

Пока фрукты запекаются, натрите на терке шоколад. Когда фруктовый торт будет готов, посыпьте его шоколадом. Когда торт немного остынет (шоколад должен слегка подтаять), украсьте его взбитыми сливками.

Фаршированные груши

6 больших груш
1/2 лимона

Для начинки:

5 ст. ложек сливочного масла
5 ст. ложек коричневого сахара
5 ст. ложек крошеного печенья (или дробленых лесных орехов)
1/2 ч. ложки нарезанной лимонной цедры
1/2 ч. ложки молотой корицы
1/4 ч. ложки молотого мускатного ореха
1/2 ч. ложки молотой гвоздики
1 ст. ложка рома
1 ч. ложка экстракта ванили

Отрежьте по тонкому ломтику от нижней части каждого плода (чтобы груши могли стоять вертикально). Затем аккуратно вырежьте у них верхушки вместе с плодоножкой (чтобы получилась небольшая воронка), а сами верхушки сохраните. Извлеките ложечкой из груш сердцевину вместе с косточками. Извлеченная при этом мякоть, но, конечно, без сердцевины и косточек, пригодится для начинки. Внимание: чтобы мякоть груш не потемнела на срезах, протрите их половинкой лимона, а внутрь каждой воронки капните по нескольку капель лимонного сока.

Теперь приготовим начинку. Смешайте деревянной ложкой сахар с размягченным сливочным маслом, добавьте нарезанную мякоть груш, накрошенное печенье (или дробленые орехи), лимонную цедру, корицу, мускатный орех, гвоздику, ром и ваниль.

Наполните этой смесью груши и накройте плоды отрезанными верхушками. Выложите, а вернее, поставьте нафаршированные груши в форму из плотной фольги, смазанную сливочным маслом, поставьте форму на решетку, накройте барбекю крышкой и томитесь в ожидании вместе с грушами еще минут 40, а то и час.

Бананы фламбэ

Очистите бананы от кожуры, выложите каждый на свой лист плотной или свернутой вдвое фольги, посыпьте каждый ванильным сахаром, полейте небольшим количеством свежевыжатого лимонного сока и положите сверху по несколько «розочек» сливочного масла.

Хорошо запечатайте фольгу и запекайте на решетке на средних углях по 10 минут с обеих сторон.

Отложите папильоты с бананами на край решетки, откройте фольгу и влейте внутрь понемногу коньяку или ликера и аккуратно подожгите.

Подавайте десерт горячим, прямо в папильотах.

Персики на решетке

4 больших персика
1 стакан мороженой или свежей черники
8 ч. ложек коричневого сахара
4 ч. ложки лимонного сока

Вымойте персики, разделите на половинки, выньте косточки. Выложите половинки персиков на лист плотной или свернутой вдвое фольги, насыпьте внутрь по 2 ст. ложки черники, 2 ч. ложки коричневого сахара и налейте по 1 ч. ложке свежевыжатого лимонного сока.

Плотно заверните фольгу, так чтобы образовался пакет, и выложите его на разогретую решетку. Запекайте 15–18 минут, перевернув пакет только один раз.

Бананы по-антильски

4 не очень спелых банана
5 ст. ложек сахарной пудры
4 ст. ложки рома

Разрежьте бананы вдоль на половинки, не снимая кожуры, и выложите их на решетку кожурой вниз, на слабые угли. Через 5 минут посыпьте сахарной пудрой и запекайте еще несколько минут. Тем временем разогрейте ром в кастрюльке.

Подавайте на огнеупорном блюде, полейте бананы разогретым ромом и фламбируйте (осторожно подожгите и дайте выгореть спирту).

Фруктовый салат на углях

0,5 стакана меда
1 ст. ложка лимонного сока
1 пучок свежей мяты
1 средний ананас
2 больших банана
3 большие сливы
2 средних персика или нектарина

Смешайте мед, свежевыжатый лимонный сок и 1 ст. ложку мелко нарезанной мяты.

Очистите ананас от кожуры, нарежьте поперек на одинаковые кружки толщиной 1,5–2 см. Очистите бананы от кожуры и нарежьте по диагонали на три части каждый. Разделите сливы на половинки и удалите косточки. Разделите персики или нектарины на половинки, удалите косточки, а каждую половинку разрежьте еще пополам.

Выложите щипцами куски фруктов на решетку, на средние угли и запекайте примерно 15 минут, время от времени переворачивая. Смажьте медовой смесью только за 3 минуты до конца готовки.

Подавайте десерт горячим, на широком блюде, полив оставшейся медовой смесью и посыпав мелко нарезанной мятой.

Сыр бри на решетке

Смешайте 0,5 стакана оливкового масла с 1 ч. ложкой прованских трав, окуните в эту смесь треугольный кусок (250–300 г) сыра бри, дайте ароматизированному маслу стечь и запекайте на решетке на сильных углях примерно по 2 минуты с каждой стороны.

Подавайте с зажаренными на решетке ломтями белого хлеба, предварительно смазанными смесью растительного масла и давленого чеснока.

Слоеный торт «Старый Таллин»

Этот рецепт получен от президента Ассоциации барбекю Эстонии Яана Хабихта.

Для теста:

500 г муки
300 г масла
4 яйца
100 г сахарного песка
0,5 стакана сухого красного вина

Для начинки:

500 г варенья из морошки или ежевики
3 яблока
100 г орехов (грецкие или миндаль)
100 г сахарного песка
5 г корицы
2 ч. ложки мака
1 ст. ложка меда

Замесите тесто из муки, масла, яиц, сахара и вина. Разделите его на четыре части и раскатайте четыре тонкие лепешки.

Приготовьте начинку: очистите от кожуры и мелко нарежьте яблоки, измельчите орехи, добавьте сахар, мак и мед, тщательно все перемешайте.

Выложите в форму из фольги лепешки теста одну на другую, прокладывая между ними начинку. Накройте сверху фольгой. Поставьте форму в барбекю-котел и закройте крышкой. Запекайте 40 минут при температуре 130 °С. Затем снимите фольгу сверху и запекайте при закрытой крышке еще 20 минут.

Когда торт остынет, подавайте, нарезав на куски и полив каждый из них ликером «Старый Таллин».

УКАЗАТЕЛЬ РЕЦЕПТОВ

ХОТ-ДОГИ, КОЛБАСКИ

ГАМБУРГЕРЫ

МАРИНАДЫ

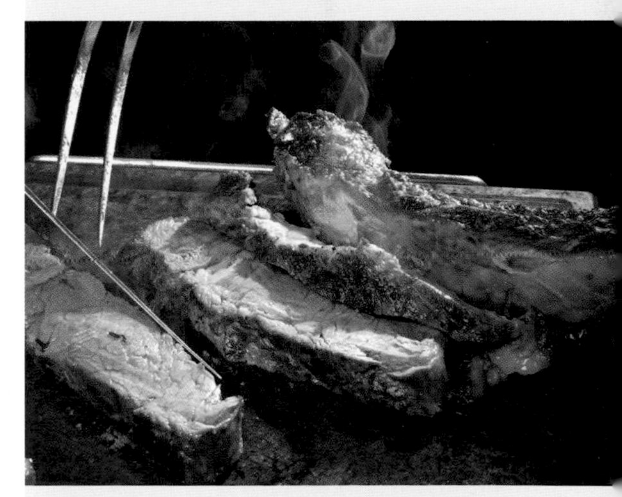

ТЕЛЯТИНА

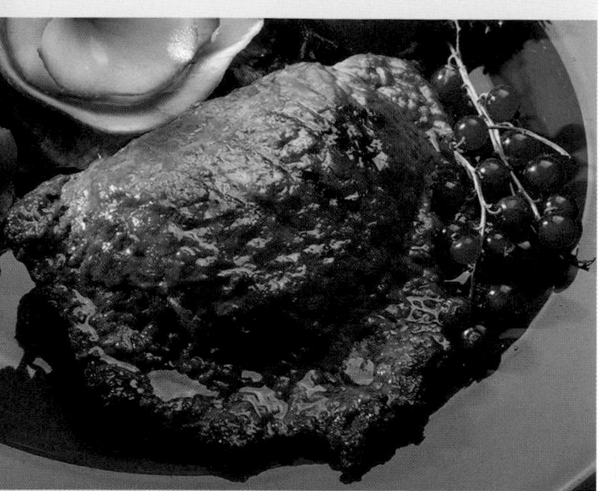
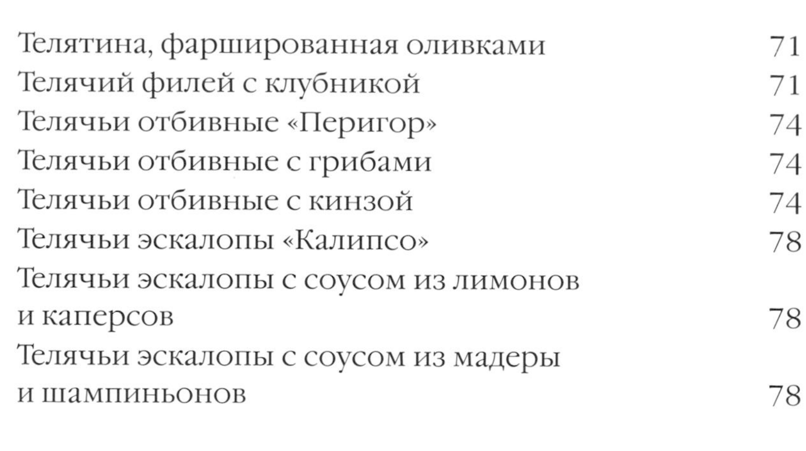

ГОВЯДИНА

СВИНИНА

БАРАНИНА

КУРИЦА

ИНДЕЙКА

РЫБА

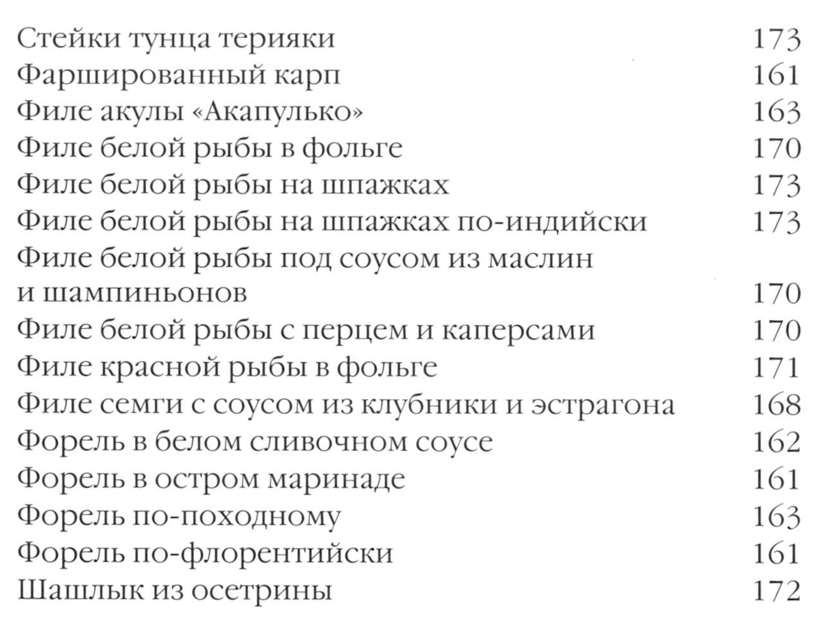

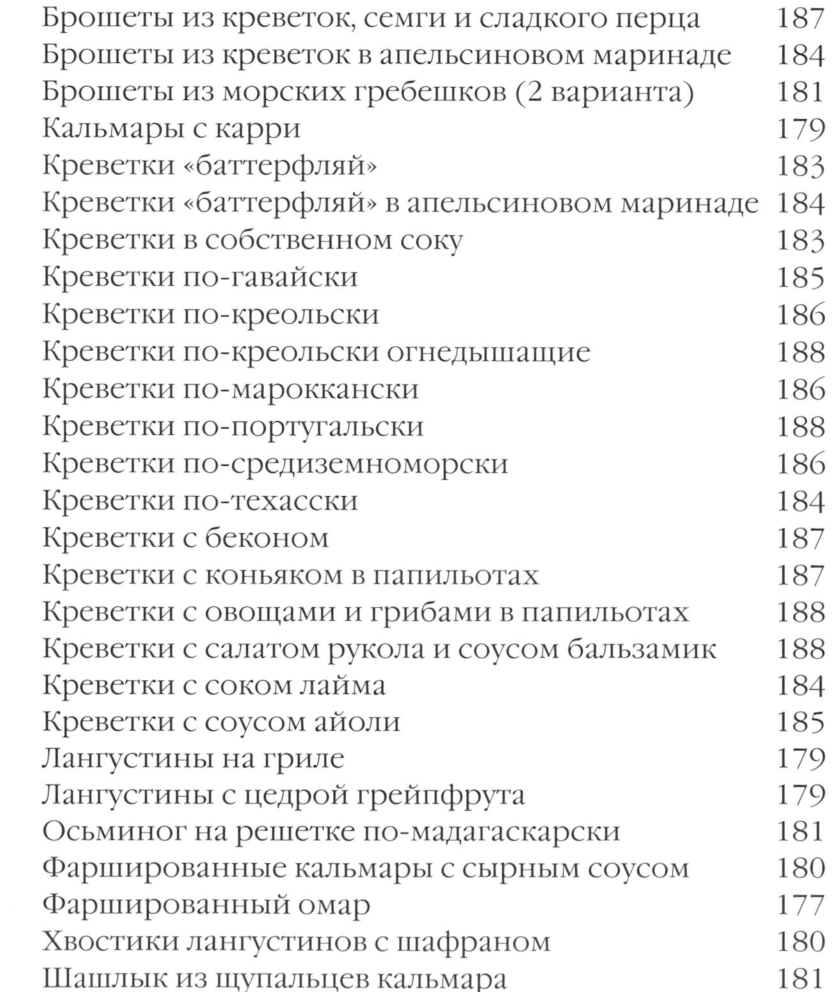

ДАРЫ МОРЯ

СОУСЫ И ПРИПРАВЫ

АССОРТИ, ЗАКУСКИ, САЛАТЫ, ГАРНИРЫ

ОВОЩИ

ДЕСЕРТ

Баратов Николай Андреевич

БАРБЕКЮ
Жизнь с аппетитной корочкой

Главный редактор *Чемякина В.В.*
Ответственный редактор *Хусяинова О.М.*
Технический редактор *Этманова Г.А.*
Корректор *Фонтанов О.А.*
Дизайн и верстка *Сенчагов Д.А.*

Общероссийский классификатор продукции
ОК-005-93, том 2; 953000 – книги и брошюры

Подписано в печать 28.08.13 г.
Бумага мелованная. Печать офсетная.
Формат 60x90/8 Усл. печ. л. 36,0
Тираж 4000 экз. Заказ № ВЗК-05291-13.

ООО «Издательство АСТ»
127006 Москва, ул. Садовая-Триумфальная, д. 16, стр. 3, пом. 1 ком. 3

Отпечатано в ОАО «Первая Образцовая типография»,
филиал «Дом печати — ВЯТКА» в полном соответствии
с качеством предоставленных материалов.
610033, г. Киров, ул. Московская, 122.